MW00413778

# VEINTE AÑOS Y UN DÍA

colección andanzas

# Bibliografía de Jorge Semprún

El largo viaje *(Seix Barral)*

La segunda muerte de Ramón Mercader *(Planeta)*

Autobiografía de Federico Sánchez *(Planeta)*

El desvanecimiento *(Planeta)*

La algarabía *(Plaza & Janés)*

Montand, la vida continúa *(Planeta)*

La montaña blanca *(Alfaguara)*

Netchaiev ha vuelto *(Tusquets Editores)*

Aquel domingo *(Tusquets Editores)*

Federico Sánchez se despide de ustedes *(Tusquets Editores)*

La escritura o la vida *(Tusquets Editores)*

Adiós, luz de veranos... *(Tusquets Editores)*

Viviré con su nombre, morirá con el mío *(Tusquets Editores)*

# JORGE SEMPRÚN
# VEINTE AÑOS Y UN DÍA

1.ª edición: septiembre 2003



Diseño de la colección: Guillemot-Navares
Reservados todos los derechos de esta edición para
Tusquets Editores, S.A. - Cesare Cantù, 8 - 08023 Barcelona
www.tusquets-editores.es
ISBN: 84-8310-246-3
Depósito legal: B.34.698-2003
Fotocomposición: Foinsa - Passatge Gaiolà, 13-15 - 08013 Barcelona
Impreso sobre papel Goxua de Papelera del Leizarán, S.A.
Liberdúplex, S.L. - Constitución, 19 - 08014 Barcelona
Encuadernación: Reinbook, S.L.
Impreso en España

# Veinte años y un día

# 1

Michael Leidson llegó a La Maestranza al final de la mañana.

Le esperaba Mayoral, el intendente de la finca, que le atendió, ofreciéndole un café, algún refresco, lo que deseara. Leidson dijo que tal vez algo de beber, un vaso de agua fría, ¿por qué no? ¿Nada más? No, nada, un vaso de agua vale.

Mayoral le invitó a que se sentara allí mismo, en el amplio porche de la casa, mientras llevaban su bolsa de viaje a la habitación que le estaba destinada. Había una mesa, unas butacas de mimbre; se sentó.

Hacía calor, sintió como una angustia leve, indefinida...

Una hora antes, a la entrada del pueblo según se viene de la carretera general, Leidson había franqueado la puerta del almacén de Eloy Estrada con la intención de preguntar cuál era el camino para La Maestranza. Desde luego no sabía que el dueño se llamaba Eloy Estrada: hasta allí no llegaban los datos que le habían facilitado para ese viaje. Ni lo sabía antes de llegar al pueblo ni lo supo entonces. Había visto el rótulo del establecimiento, LA PROSPERIDAD, y pensó que allí podrían indicarle el camino más corto a la finca; entró: eso es todo.

Dentro hacía fresco.

El local era amplio, abovedado, penumbroso. No sólo almacén o tienda, también taberna, acaso fonda. Se mezclaban olores muy diversos: a especias ultramarinas, a verdura y fruta fresca, a cuero de guarniciones y correajes, a café recién tostado, a vino recio y tinto. Y otros que Leidson no identificó de inmediato.

Se acercó al mostrador, le pidió al dueño un café cortado y una botella de agua mineral con gas.

Eloy Estrada –mejor dicho, aquel señor que todavía no tenía nombre pero sí presencia física, apariencia; que sólo era eso, lo que aparentaba ser, sin más: un hombre de estatura media, enjuto de carnes pero, por lo que se notaba, fuerte, muy moreno de tez, con ojos de un verde pálido, asombroso– le miró sin decir nada, se apartó de la barra del mostrador, preparó el café.

En fin, lo que suele hacerse en estos casos.

Luego, mientras Leidson saboreaba el primer sorbo, le preguntó a bocajarro.

–Americano, ¿verdad?

–¿Tanto se nota? –dijo él.

Eloy Estrada movió la cabeza.

Desde ahora repetiremos su nombre para identificarlo como personaje, sin exquisiteces ni excesivos rigores o remilgos narrativos, aunque Michael Leidson –único testigo, hasta aquí, de su existencia– no lo sepa todavía. Lo diremos para comodidad del lector, quien también puede tener algo que ver con el desarrollo del relato, con su legibilidad. Además, no es Leidson el narrador de esta historia, ya se verá; no importa, pues, que él aún no conozca el nombre del personaje que acaba de servirle un café cortado, de destaparle una botella de agua mineral; alguien lo sabrá, se supone, como sabe todo lo demás, puesto que alguien está narrando esta historia y, si lo sabe, puede decirlo cuando se le antoje, arbitrariamente incluso, adelantándose a lo que Leidson mismo pueda adivinar a estas alturas.

Eloy Estrada negó con un movimiento de cabeza.

–En el acento, no –dijo–. ¿Conoce usted a Hemingway, el escritor?

No le dio tiempo a Leidson ni a asombrarse de semejante pregunta, ni a contestar que sí, que conocía a Hemingway, que le había entrevistado larga, minuciosa, casi morosamente, años atrás, cuando estuvo escribiendo un ensayo sobre la guerra civil española y los escritores americanos (en realidad, el proyecto inicial se fue ampliando en el curso de su trabajo hasta incluir a todos los escritores de lengua inglesa, Orwell por encima de todos, y fue su primer libro publicado sobre el tema de la guerra civil, que no había dejado desde entonces de interesarle).

Pero no le dio tiempo a decir que no sólo conocía a Hemingway, sino que incluso, al menos indirectamente, el escritor norteamericano era el responsable de que él estuviera allí aquella víspera del 18 de julio. Y es que Eloy Estrada siguió hablando, sin esperar respuesta a lo que tal vez no fuese en realidad una pregunta.

–Estuvo en el pueblo hace unos meses, el otoño pasado, en la finca de los Dominguín. La otra finca grande de la comarca. Aquí mismo estuvo tomando unas copas alguna tarde. Una vez se enzarzó en una partida de cartas con unos tratantes de Murcia. Venían o iban a una feria de ganado. Suelen hacerlo cada año un par de veces. Se juegan al póquer dinero en cantidades. A Hemingway lo dejaron sin blanca y el viejo se moría de risa. ¡Que me despojen unos feriantes de Murcia era lo que me quedaba por ver en esta puta vida! Muerto de risa. También bastante borracho. Bueno, borracho a su manera, que no era la de ir tambaleándose. Pero lo que le decía: a él sí se le nota el acento yanqui, aunque habla el castellano muy de corrido. A usted no, ni mucho menos. Es otra cosa. Un aire, la forma de vestir, esos zapatos que aquí no se estilan, cosas así... Como en las películas...

–«Nuestra guerra» –había dicho Hemingway–. Todos decís lo mismo. Como si fuese lo único, lo más importante al menos, que podéis compartir. El pan vuestro de cada día...

Mascullaba entre dientes, soliloqueando.

Y es cierto que tenía un acento yanqui inconfundible.

Ocurrió dos años antes. ¿Tanto tiempo ya? Pues sí, era fácil de contar: a finales de mayo de 1954. Poco más de dos años. Y fue en El Callejón, un restaurante de Madrid.

Leidson almorzaba con Hemingway y gente del toro. Recuerda a Domingo «Dominguín». No sólo porque éste fuera memorable, también porque fue Domingo quien habló por primera vez de aquella muerte antigua.

Estaban en la sobremesa, se bebía bastante. El cocido, como de costumbre, madrileño. A Michael Leidson le apasionaba la historia de España, no sólo la reciente. Pero no la cocina española. Mejor dicho, solía gustarle, pero le hacía trizas el estómago. Cocido para todos, no pudo evitarlo: la tarde sería de siesta y flatulencias.

Hemingway acababa de contar una anécdota de su primer regreso a España, después de la guerra civil. Se habían reído. Algunos años más tarde, cuando Leidson leyó «The dangerous summer», un relato de don Ernesto, aquella misma historia se contaba de otra manera. Menos interesante, por cierto. En el libro, que reseña la temporada taurina de 1959 con el constante desafío y mano a mano, henchido de inevitable sangre, de Antonio Ordóñez y Luis Miguel «Dominguín», la historia de aquel viaje a España se presenta, en efecto, de forma un tanto solemne. Incluso con algunas gotas de megalomanía.

Según la versión impresa, más grata desde luego para el narrador, el policía de fronteras en Irún había conocido inmediatamente a Hemingway, y se levantó para saludarle, felicitándole por sus novelas, que aseguraba haber leído. Difícil de creer, sin embargo. No parece plausible que en 1953 un policía de la dictadura hubiese leído, y apreciado, la obra novelesca de Ernest Hemingway.

En mayo de 1954, de todos modos, en El Callejón, Hemingway contó otra versión de aquella misma historia. Otra versión de su regreso a España. No sólo más verosímil, también más acertada como narración. Al fin y al cabo a un novelista cabe exigirle aciertos narrativos, no sólo mínimas verdades.

En El Callejón, en la morosa charla de la sobremesa, Leidson escuchó una primera versión de aquella historia del regreso. Según ésta, el policía comentó al revisar el pasaporte de Hemingway: «¡Hombre!, se llama usted como aquel americano que estuvo con los rojos, durante nuestra guerra...». Había levantado la vista al decirlo. Y Hemingway contestó: «Me llamo como él porque soy precisamente aquel americano que estuvo con los rojos durante vuestra guerra...». El policía dio un respingo. Se le llenó la mirada de rabiosa negrura. Impotente, sin embargo. Un yanqui era un yanqui, intocable, hubiera estado con los rojos, con los blancos o con el mismísimo demonio.

Se rieron, alguien contó otra anécdota de aquellos tiempos.

Más tarde, Hemingway volvió a hablar de la guerra civil.

–«Nuestra guerra» –murmuraba–. Todos decís lo mismo. Como si fuese lo único, lo más importante al menos, que podéis compartir. El pan vuestro de cada día. La muerte, eso es lo que os une, la antigua muerte de la guerra civil.

Leidson estuvo a punto de decirle a Hemingway que tal vez no fuese sólo la muerte lo que compartían los españoles en el recuerdo, acaso eucarístico, de la guerra, su guerra. También la juventud: el ardor. Aunque quizá no sea la muerte más que uno de los semblantes de la ardorosa juventud.

O viceversa, vaya usted a saber.

Pero en aquella ocasión no dijo nada. Los demás, sí. Los españoles que asistían al almuerzo tenían todos algo que decir. La guerra, nuestra guerra: su juventud. Todos habían luchado en aquella contienda, dieciocho años antes. Pero no todos en el mismo bando. Ahora bien, ni los unos ni los otros parecían tan convencidos hoy de sus razones, o de sus ideales sinrazones, como sin duda lo estuvieron en 1936: lo bastante convencidos, antaño, como para haberse jugado la vida.

Domingo Dominguín, creyó entender Leidson, había luchado con los nacionales. Al parecer en una milicia de Falange. Fue herido al comienzo de la guerra. Otro de los comensales, de más edad que Dominguín, un antiguo banderillero allegado a la familia de éste, había estado con los rojos. Se burlaba cariñosamente de Domingo, de su remoto pasado falangista. Aludía con benévola sorna a sus aventuras en el hospital de sangre. Todas las monjitas estaban enamoradas de él, comentaba el banderillero, y se las calzaba, el muy fresco, tan a gusto en su lecho de dolor.

Se rieron, se siguió bebiendo.

A Michael Leidson le pareció que, a fin de cuentas, ya no enfrentaban a aquellos hombres las pasiones de antaño. No de la misma manera en todo caso. Los que habían luchado con los nacionales –el propio Dominguín en primer lugar– parecían estar muy de vuelta. Parecían ahora más de izquierdas, incluso más radicales, que los que habían estado con los rojos, y ahora tenían cierta propensión a criticar, ante todo, los excesos o errores de su propio bando.

Fue entonces, en el barullo de una charla entrecruzada, cuando Domingo Dominguín contó la historia de aquella antigua muerte.

Habló sin apartar la mirada de Hemingway y de él. Se lo contaba a ellos, por encima de las anécdotas, las risotadas y las exclamaciones de los demás. Les contaba aquella muerte porque estaban fuera de ella, más allá de esa vivencia. Es decir, más allá de aquella sangre de la guerra civil, al otro lado de la memoria de esa sangre. Aunque próximos a ella. Capaces de entender por tanto el sangriento mensaje –¿estéril, repetitivo, absurdamente heroico, injusto, necesario?– de aquel pasado.

Hemingway calentaba una copa de alcohol en la cuenca de sus manos, absorto.

El 18 de julio de 1936, contaba Domingo Dominguín, en una finca de la provincia de Toledo los campesinos, al enterarse del alzamiento militar, habían asesinado a uno de los dueños. Al más joven de los hermanos. El único liberal de la familia, por otra parte, según decían en el pueblo. Pero es que la muerte no siempre elige a sus prometidos. No los elige a sabiendas en cualquier caso. Son sus prometidos y nada más.

Aquella muerte, sin embargo, aun siendo la causa de todo, era lo de menos. Hubo tantas aquellos días. Lo interesante era lo que vino luego. Cada año, en efecto, desde el final de la guerra civil, la familia –la viuda, los hermanos del difunto– organizaba una conmemoración el mismo día 18 de julio. No sólo una misa o algo por el estilo, sino una verdadera ceremonia expiatoria, teatral. Los campesinos de la finca volvían a repetir aquel asesinato: a fingir que lo repetían, claro. Volvían a llegar en tropel, armados de escopetas, para matar otra vez, ritual, simbólicamente, al dueño de la finca. A alguien que hacía su papel. Una especie de auto sacramental, así era la ceremonia.

Los campesinos volvían a sumergirse –es decir, se veían obligados a sumergirse– en el recuerdo de aquella muerte, de aquel asesinato, para expiarlo una vez más. Algunos, los más viejos, tal vez habían participado en la muerte de antaño, al menos pasivamente. O habían asistido a ella. O tenían de ella noticia directa, memoria personal. Otros, los más, que eran los más jóvenes, no. Pero se veían zambullidos cada año en aquella memoria colectiva, culpabilizados por ésta. No habían sido los asesinos de 1936, pero la ceremonia los hacía en cierto modo cómplices de aquella muerte, obligándoles a asumirla, a hacerla de nuevo presente, activa.

Un bautismo de sangre, en cierto modo.

Así, al perpetuar aquel recuerdo, los campesinos perpetuaban su condición no sólo de vencidos sino también de asesinos. O de hijos, parientes, descendientes de asesinos. Perpetuaban la insufrible razón de su derrota al conmemorar la injusticia de aquella muerte que justificaba alevosamente su derrota, su reducción a la condición de vencidos. En suma, aquella ceremonia expiatoria –a la que solían asistir algunas de las autoridades de la provincia, civiles y eclesiásticas– ayudaba a sacralizar el orden social que los campesinos, temerariamente sin duda –temerosamente también, como puede suponerse–, habían creído destruir en 1936 asesinando al dueño de la finca.

Nadie dijo nada cuando Dominguín terminó de contar. Acabó de redondearse, transparente y espeso, el silencio en ciernes desde el comienzo del relato. Michael Leidson cerró los ojos, intentó imaginar el paisaje, los rostros, el ceremonial de la expiación. Hemingway bebió un largo trago de alcohol, murmuró algo, una sola sílaba sibilante. *«Shit»*. Mierda, sí, nunca mejor dicho.

Fue dos años antes, más o menos, en El Callejón.

–Viene a lo de mañana, claro –dice Eloy Estrada–. Por lo visto será la última vez.

Ha estado hablando detalladamente –es narrador de pormenores, se conoce– de la visita de Hemingway a La Companza, la finca de los Dominguín, unos meses antes. Es, con la de los Avendaño, la otra finca grande del pueblo, ha dicho Estrada. El abuelo de los de ahora (quedan dos hermanos: José Manuel, el mayor, hombre de empresa y de poder; José Ignacio, que es jesuita; y doña Mercedes, la viuda de José María, el muerto; bueno, quedan también dos hijos póstumos del muerto, Isabel y Lorenzo, que son gemelos y tienen veinte años), el abuelo Avendaño, el Indiano, ganó la finca aquí mismo, en una memorable partida de cartas. Pero tal vez no tenga tiempo ni le interese el tema. Perdone la molestia, en tal caso.

Leidson le dice que tiene tiempo y que le interesa, que puede ir contando.

Pues lo del abuelo Avendaño, prosigue Eloy, me lo contó a mí mi propio abuelo –aquí estamos los Estrada desde hace no se sabe cuánto tiempo: Eloy Estrada, para servirle–. Aquí paraba hace ya más de un siglo tres veces por semana un coche de mulas que venía desde Maqueda con el correo y algún que otro viajero –los papeles, las cuentas, todo está allá arriba, en el desván, todo muy ordenado; el otro día estuvo viéndolos Benigno Perales, el secretario de doña Mercedes, y le interesaron muchísimo–, el establecimiento ya es muy antiguo, le decía, y mi propio abuelo asistió a aquella partida de cartas, el Indiano llegó de Maqueda precisamente, aunque, bueno, llegaba de Cartagena de Indias en realidad, que es donde hizo fortuna, según decían, aunque nunca se supo cómo la hizo, en qué negocios, pero fortuna sí que hizo, y llegó de Maqueda un buen día, aunque lo de bueno queda por ver, vamos a dejarlo, no se sabe por qué, qué buscaría por estas tierras, ya que los Avendaño son de allá arriba, de la Montaña de Santander, allí tienen la casa familiar, allí volvían los indianos, que siempre los hubo –pero estos Avendaño, a pesar de lo que se creía la gente, tan ignorante, no iban a Cuba, como casi todos, Cartagena de Indias está en Colombia, usted lo sabrá, sin duda–, y el abuelo llegó de Maqueda a ver a su primo, que era entonces el dueño de La Maestranza –la finca no se llamaba así, por cierto, ese nombre se lo puso el Indiano, precisamente, para que rime con La Companza, dicen que decía– y nunca se supo qué había entre ellos, qué pleito, qué rencor o qué niño muerto, nunca se supo por qué el Avendaño de aquí –de segundo apellido, pero Avendaño a fin de cuentas– tuvo que aceptar aquel desafío, jugarse a las cartas la propiedad de la finca, su propia vida, porque se pegó un tiro después, y más valía, así se evitó el inri de la deshonra, y es que el Indiano aquella misma noche –pero no tenía por qué saber que su primo segundo se había pegado un tiro, esto ocurrió cuando él ya hubo llegado a la finca–, y aquella misma noche –bueno, yo se lo cuento como me lo contaron, no fui testigo presencial, lógicamente, aquello fue en el siglo pasado, no puedo asegurarle que alguien, de relato en relato, en el pueblo, en mi misma familia, no haya ido añadiendo algún detalle, algún ornamento, pero yo se lo cuento como mi abuelo me lo contaba– y aquella misma noche, el Indiano no sólo tomó posesión de la finca sino asimismo de la viuda –aunque tal vez no supiera, al acostarse con ella, que ya era viuda, eso queda por ver– y dicen que la estuvo gozando la noche entera, que se oían en toda la casa las risitas y los gemidos, luego los alaridos de ella, dicen que la viuda aquella, la muy zorra, nunca había conocido semejante fiesta, gozaba como una burra, y al parecer el Indiano decía guarrerías a grito pelado –bueno, hay todavía en la finca una vieja que fue cocinera y ahora ya no hace nada, que se pasa las horas bobas a la sombra con las manos cruzadas, contando historias, y esa vieja, la Satur, pretende que era muy niña pero que recuerda todavía el escándalo de aquella noche mientras el Indiano se cepillaba a la viuda de su primo–, en fin, que en La Maestranza están acostumbrados a las historias, y usted viene a lo de mañana, claro. Va a ser la última vez...

Ya no estaban en la barra de La Prosperidad, de pie a cada lado del mostrador. A esas alturas de los recuerdos y relatos estaban sentados a una mesa. Y Michael Leidson ya no tomaba café, sino una copa de orujo que le había ofrecido Estrada y que no se atrevió a rechazar. Un orujo de sabor espeso, cálido, violento.

Tal vez tomaron este mismo alcohol, o alguno parecido, los Avendaño –aunque uno de ellos sólo lo fuera de segunda mano, por vía materna– cuando se jugaron a finales del siglo pasado la propiedad de la finca y de la hembra –es de suponer que la mujer era lo que siempre estuvo en juego entre ambos, no podía ser de otra manera– a lo largo de una partida de cartas que duró dos días y una noche. Y al terminar el segundo día fue el Indiano a la finca y le esperaban en el porche los peones, los mayorales, toda la servidumbre, y él entró, tiró el sombrero en una mesa y subió a la alcoba, donde, sin duda, la mujer estaría aguardando al ganador.

–La última vez –dice Leidson–, ¿y eso?

–Veinte años ya –contesta Eloy Estrada–. Doña Mercedes opina que es hora de enterrar a los muertos, que descansen en paz...

–Los muertos... ¿Hubo varios?

Estrada niega con la cabeza.

–Muertos hubo muchos, ya lo sabrá si le interesa la historia de nuestra guerra. Pero aquí, aquel día al menos, solo ése: José María Avendaño.

–¿Estaba sin enterrar? –pregunta Leidson.

Estrada se ríe brevemente. Le vuelve a llenar la copa de orujo.

–Está enterrado y bien enterrado. Estaba, mejor dicho. Hoy de madrugada lo han sacado del cementerio del pueblo y lo han llevado a La Maestranza. La señora ha obtenido permiso para tener una cripta en la propia finca. Ahí van a volver a sepultarlo solemnemente mañana.

–Un solo muerto, entonces –dice Leidson.

–Dos muertos –corrige Estrada, tajante.

Pero tiene que levantarse de la mesa para atender a una mujer que viene a comprar. Queda en suspenso lo de los dos muertos.

Aquel año era sabático para Michael Leidson.

Había decidido aprovechar el tiempo que le regalaban las largas vacaciones universitarias para terminar el ensayo que tenía entre manos: la crisis de la Segunda República y la guerra civil. Hasta entonces se había ocupado fundamentalmente de la situación de braceros y campesinos en los años veinte y treinta, de las luchas de clase en Andalucía y Extremadura, pero quería ampliar su campo de investigaciones.

Había estado todo el otoño trabajando en su casa de San Diego, California, escribiendo un primer borrador del ensayo. Luego, en enero, con su manuscrito bajo el brazo, se fue a Madrid. Entraba el año de 1956, ya habrá podido calcularse. Como testigo interesado, asistió a las manifestaciones estudiantiles de febrero, captó enseguida sus posibles repercusiones. Se entrevistó con decenas de personas, protagonistas o simples participantes –víctimas, acaso– en los sucesos de la guerra civil. Revolvió archivos privados, violentó con su cortés insistencia –«inasequible al desaliento», como decía irónicamente de sí mismo, repitiendo la frasecita joseantoniana– olvidos interesados. Se sumergió en aquella memoria hasta algunos de sus más odiosos, gloriosos o lamentables recovecos.

Fue feliz aquellos meses en Madrid.

Un día, a finales de junio, volvió a encontrarse con Domingo Dominguín. Le recordó la historia de aquella antigua muerte. Por cierto, ¿cómo se llamaba el pueblo toledano? Pues Quismondo. ¿Quismondo? El nombre tenía rotundidad, cierto empaque clásico.

Quismondo: sin duda sonaba bien. Y recio.

Era en Ferraz, en casa de Domingo, al caer la tarde. Estaban en una terraza del último piso. Hubo un entrar y salir de gente, sin cesar. Unos venían a resolver asuntos taurinos, otros a pedir dinero, o a devolverlo. Otros, probablemente, a conspirar, cuchicheando en algún rincón. O a buscar algún libro prohibido que tal vez estuviera en la biblioteca de la casa, disparatada pero abundante. Otros no venían a nada, es decir, venían a lo más importante, a estar con Domingo en la terraza, sin más, tomando copas, charlando, mientras caía la tarde, luego la noche.

Leidson se apartó de aquel bullicio generoso. Se acercó a la balaustrada de la terraza.

Tal vez no caía la noche de junio, pensó, sino que más bien se levantaba: se alzaba la noche como un vaho o velo de oscuridad desde la oquedad misma de la tierra. Se levantaba sobre el paisaje azul de la meseta, por encima de los jardines situados frente a la casa de Ferraz, en el lugar en que antaño estuvo el Cuartel de la Montaña. Sobre el fondo azul, que iba oscureciéndose, del paisaje de la meseta, hasta el horizonte del Guadarrama aún impregnado de luminosidad lateral por un sol ya desaparecido, se levantaba la noche. Desde los grises y los ocres del campo, desde el verde ensombrecido de los encinares, se alzaba tal vez, en lugar de caer, la oscuridad creciente de la noche.

Al apartar la vista de aquel crepúsculo portentoso, Michael Leidson le preguntó a Domingo Dominguín si se celebraría este año también, en aquella finca de la provincia de Toledo, la ceremonia que le había contado el día del almuerzo con Hemingway.

Pues sí, desde luego, se celebraba. Ése como todos los años.

Cuando Eloy Estrada volvió a sentarse frente a él, después de haber despachado a algunas amas de casa, Leidson le preguntó si se encontraba en el pueblo hacía veinte años, si recordaba los acontecimientos de aquel día de julio de 1936.

Sí, dijo el dueño de La Prosperidad. Pero no, añadió. Sí que estaba en Quismondo, pero no, no recordaba nada. Le miró de soslayo, moviendo la cabeza.

–Es curioso –dijo Estrada después de un largo silencio– que me haya olvidado, suelo tener buena memoria. Sé que estaba en Quismondo, recuerdo los gritos de la radio, los discursos, las músicas marciales, las consignas de unos y otros. Pero no consigo recordar lo que hice aquella dichosa tarde, por dónde anduve exactamente. Y eso que me he esforzado, de verdad. Pues es inútil, totalmente inútil...

Al hablarle de este olvido suyo, tan inexplicable, Eloy Estrada le miraba entornando los párpados, ocultando el destello habitualmente avizor, penetrante, de sus ojos de un verde muy pálido.

–¿Y el otro muerto? –preguntó Leidson.

Pero volvió a entrar alguien.

Estrada levantó la cabeza y echó un vistazo. Se puso de pie, nervioso, se adelantó hacia el recién llegado con un gesto obsequioso. Casi se le trabó la lengua cuando le saludó. Don Roberto por aquí, don Roberto por allá, ¿qué va a tomar, don Roberto?, ¿cómo está, don Roberto?

Michael Leidson contemplaba a don Roberto.

Un hombre de unos cincuenta años, con una sonrisa tenue, amarga y arrogante, una mirada gris, inaprensible. Desaprensiva, también. Con ese aire de cansancio que suelen tener los poderosos, y sólo éstos; que no es cansancio físico, sino algo más profundo, váyase a saber por qué.

Así, el asunto del otro muerto al que había aludido Eloy Estrada y que iba a ser, según dijo, enterrado con José María Avendaño al día siguiente, quedó sin esclarecer.

Por ahora, al menos.

–Siéntese –había dicho Mayoral, aquella mañana–. Siéntese un momento. Raquel le traerá un vaso de agua fresca, si es lo que desea.

Leidson se sentó en el porche de la casa grande de La Maestranza, en una de las butacas de mimbre, con la mirada vuelta hacia el campo: amarillo, pelado, pardo. El llano, una hilera de árboles, unas lomas a lo lejos. El sol se desplomaba sobre el paisaje, plomizo. Sintió una angustia leve, indefinida. Se preguntó si Avendaño habría visto llegar desde ese sitio a los campesinos, en tropel armado. Hacía veinte años. Miró la hilera de chopos que bordeaban el camino de Quismondo, inmóviles en el aire espeso del mediodía.

Por allí llegaron sin duda.

Notó una presencia, un suave crujido de ropa almidonada. Volvió la cabeza, una mujer se acercaba. Era Raquel con un vaso de agua en una bandeja de plata. Le emocionó la extraña belleza de aquella mujer vestida de luto.

Horas más tarde, poco después de medianoche, volvió a ver a Raquel en la penumbra del pasillo. Alguien acababa de golpear levemente con los nudillos en su puerta. Fue a abrir sorprendido: era Raquel.

–Si no está cansado –le dijo–, le espera la señora. Para seguir contando... –dejó la frase en suspenso un instante. Y añadió, con una mirada de envite, casi de provocación femenina–: En su habitación, claro...

Habló en voz baja, con ronco murmullo, y ahora tendía la mano para conducirle sin duda por los corredores ensombrecidos de la casa.

–Yo le llevaré –añadió Raquel.

A Michael Leidson le latía el corazón con violencia.

Cuando oyó que tocaban en la puerta de la habitación, acababa de escribir un relato de la jornada. Acababa de cerrar el cuaderno, de formato oblongo y tapas de cartón, de color rojo –de este mismo color, distinguiéndose tan sólo por un ligero relieve, podía leerse en la cubierta la palabra inglesa DIARY–, donde solía anotar las reflexiones, los interrogantes, los datos más importantes de cada día.

Aquella noche no había sido fácil resumir, para memorizarlos, los acontecimientos de la jornada del 17 de julio de 1956. ¿Por dónde empezar el relato, en efecto? Por el comienzo, es obvio, siempre conviene empezar por el comienzo. Sin embargo, es más fácil decirlo que hacerlo. Michael Leidson había comprobado una vez más que no es tan sencillo determinar cuándo comienza de verdad una historia: cuándo debe empezar lógicamente su relación.

A primera vista, podría pensarse que el relato empieza con su llegada a Quismondo, la conversación con Eloy Estrada en el almacén de La Prosperidad. Pensándolo mejor, sin embargo, no era ése el verdadero arranque de la historia. Si dos años antes no se hubiera encontrado con Hemingway –pura casualidad, por cierto– en el bar del Palace de Madrid; si Hemingway no le hubiese invitado a acompañarle al almuerzo con gente del toro que tenía apalabrado aquel día, esta historia ni siquiera habría sido posible.

Al menos para mí, pensó.

¿Sería oportuno, pues, comenzar su relato por el almuerzo en El Callejón? Podía parecerlo. Si Hemingway no hubiese mascullado aquellas frases sobre la muerte, la guerra civil, al final del almuerzo, sin duda Domingo Dominguín no se habría acordado de la historia de Quismondo, de aquella antigua venganza.

Pero tampoco podía asegurarse, pensándolo aún mejor, que el almuerzo en El Callejón, dos años antes, fuese un comienzo verdaderamente indiscutible, un acontecimiento real, radicalmente originario.

Y es que la historia de sus relaciones con Ernest Hemingway no comenzaba ese día en el bar del Palace. Si Hemingway le había invitado a acompañarle, después de tomarse unas copas juntos, era sin duda porque ya se conocían, porque ya habían tenido largas conversaciones, cuando Leidson trabajaba en su ensayo acerca de los escritores norteamericanos y la guerra civil española. Entonces había surgido entre ambos tal vez no una amistad, sería mucho decir, pero sí cierta complicidad intelectual.

Pero no, tampoco las conversaciones con Hemingway, por interesante que pudiese ser su trascripción pormenorizada, podían considerarse como un auténtico inicio de una historia.

En efecto, no era Hemingway, a solas y a secas, Hemingway en sí, por decirlo de alguna manera, lo que le interesaba cuando fue a hablar con él. Era España en la obra de Hemingway. España: los sanfermines, las tardes de toros, los vinos, las tascas, los decires, la guerra civil, todo aquello. Cierta relación de Hemingway con España. Se sabe que esa relación es sustancial, que no puede imaginarse a Hemingway sin ella. Pero tan sustancial como ésta es la relación de Hemingway, de su obra novelesca, con otras varias cosas. Con las mujeres, su belleza inasequible y traicionera, por ejemplo; con la figura del padre; con la caza mayor; con la sensualidad de manjares y bebidas, con varias cosas más. Ninguna de éstas, sin embargo, le interesaba particularmente en Hemingway cuando fue a hablar con él. Sólo España. O mejor aún: la guerra civil española. Y ésta no le interesaba por Hemingway sino por algo muy anterior.

O sea, que a fin de cuentas –si es que realmente puede contarse algo hasta el fin; o hasta el principio, más bien– todo comienzo aparente de esta historia de Quismondo parecía remitir a otro acontecimiento anterior, tal vez olvidado, oscurecido por el transcurrir del tiempo, pero que lo determinaba torvamente. Nunca se terminaría de saber cuándo comenzaba en realidad esta historia, por dónde habría que empezar a contarla. Pero quizá no ocurra sólo con ésta: tal vez ocurra con todas las historias.

La víspera, no obstante, Michael Leidson había tenido la certidumbre –fugaz, vertiginosa, eso sí, pero absoluta: absolutamente cierta de su certeza– de que llegaba al final de un recorrido. Mejor aún: de que volvía al radical origen de un recorrido, el de su propia vida.

Fue en Toledo.

Pocos días antes, leyendo una noche el *Voyage en Espagne* de Théophile Gautier, se encontró con la descripción de Santa María la Blanca: «*À peu de distance de San Juan de los Reyes se trouve, ou plutôt ne se trouve pas, la célèbre mosquée-synagogue; car, à moins d'avoir un guide, on passerait vingt fois devant sans en soupçonner l'existence...*».

Así, hacía más de un siglo, en 1840, Gautier tuvo la sorpresa de descubrir, abandonado entre escombros y míseros talleres de artesanos, el edificio prodigioso de Santa María la Blanca, la más antigua sinagoga de Toledo, que describe con fervor en su libro de viajes.

Al leer aquella página, Michael Leidson recordó la llave, la gruesa llave medieval de metal repujado. Durante toda su infancia, en la segunda mitad de los años veinte y comienzos de los treinta, había visto aquella llave colgando en algún lugar preferente, en los cuartos de estar de todas las moradas de su familia. «Es la llave de mi casa», solía explicar la madre de Leidson. La llave de la casa de sus antepasados, entiéndase. «La llave de Toledo», añadía su madre, con una voz llena de orgullo y de nostalgia. Luego, cuando Michael se fue haciendo mayor, se enteró de que no se trataba del Toledo de Ohio, USA, sino del de verdad. Del Toledo de Sefarad, cuna, al parecer, de la familia de su madre.

Unos días antes, pues, había apartado la vista del libro de Gautier y saboreado el alcohol de frambuesa, muy frío, que estaba tomando. Recordó la llave de Toledo, que los antepasados de su madre se habían llevado consigo siglos atrás cuando los judíos fueron expulsados de España. En Túnez, luego en El Cairo, en Salónica finalmente, la llave de la casa de Toledo fue el principal ornato de los salones familiares a lo largo de los siglos. Eran los Levi de Toledo, los antepasados de su madre, que terminaron apellidándose Levi-Toledano. Después de la primera guerra mundial, huyendo de las batallas, guerrillas, golpes de mano y de Estado, desembarcos ingleses, griegos o turcos que asolaron aquellas regiones, al hundirse el Imperio Otomano, la familia de su madre abandonó Salónica y emigró a América.

En 1922, en Los Ángeles de California, Raquel Levi-Toledano se casó con Ilya Leidson, y Michael nació al año siguiente.

Los Leidson no procedían de Toledo sino de Riga, que no podrá compararse, desde luego. Cuando los bolcheviques disolvieron la Asamblea constituyente de Petrogrado, en 1918, el padre de Ilya Leidson, abuelo de Michael por tanto, convocó a la comunidad familiar y explicó cómo iban a ser las cosas para los comerciantes en general, y para los judíos del gremio en particular, en aquella región del universo mundo durante los próximos decenios. Después de discutir el tema, largamente, examinando todas las hipótesis plausibles, la comunidad familiar decidió emigrar a América.

Pero se fue sin la llave de la casa de Riga. Tal vez porque ninguno de los Leidson pensó jamás en volver a Riga. Tal vez porque aquella casa no tenía llave digna de ser expuesta, sacramentalmente, en los salones del exilio y del ensueño. Tal vez porque Riga, por hermosa que fuese, insinuaba Raquel L. Toledano, en ningún caso podía serlo tanto como la Toledo de Sefarad.

Comoquiera que fuese y aun cuando la llave no estuviese a la vista, su madre le habló siempre en castellano, al menos en la intimidad familiar, de puertas adentro. Siempre le contaba prodigios y leyendas de Sefarad, país remoto y entrañable, que despertaban en Michael, desde su más temprana edad, un interés apasionado por la historia y las historias de España.

Aquella noche, pues, dejó en la mesa baja de su estudio la copa helada de alcohol de frambuesa, calculó que era una hora decente, en California, para hablar por teléfono con su madre y marcó los números necesarios para obtener comunicación con la casa de ésta en Beverly Hills.

–¿Madre? –dijo–. Soy Miguel.

–¿¡Quien iba a ser!? ¿Crees que no te conozco la voz?

Se rió Michael, saboreó un sorbo de alcohol.

–¿Estás enfermo? –preguntaba su madre.

Él dijo que no, que estaba bien, contento. Era otro el motivo de su llamada.

–¿Cuál es la calle de Toledo? ¿Dónde estaba la casa de los Levi de Toledo?

Oyó como un suspiro, allá, en California, al otro extremo de la comunicación telefónica. Un respiro profundo, al menos.

–¿Ahora te acuerdas de Toledo? –decía Raquel Levi–. Ahora, de repente, después de tanto viaje a Sefarad y tantos meses en Madrid, que está vecino... ¿Ahora? ¡Pues ya era hora, Miguel!

Pues sí, sólo se acordaba ahora. Y había hecho falta la lectura ocasional de un libro de viajes de Théophile Gautier para que resurgiera el recuerdo de la llave aquella, clave de los sueños y de los cuentos infantiles.

–Bueno, dime el nombre de la calle, madre... Ya te explicaré por qué me acuerdo ahora. Por teléfono resultaría demasiado costoso...

Ella se rió con cierta agresividad irónica. Como si quisiera subrayar, de esa manera, y sin entrar en inútiles disquisiciones, lo impropio de semejante observación relativa al costo de la comunicación. Como si necesitase sugerir, con aquella risa breve, cortante, lo trivial que es ponerle precio al resurgir de un recuerdo esencial.

–La calle –dijo la madre–, en su recorrido actual, que algo ha cambiado desde nuestra época, es la que sube de San Juan de los Reyes, cruzando la antigua judería... Ahora se llama de los Reyes Católicos, ¡menudo escarnio!

Raquel Leidson nunca había estado en España. A Sefarad sólo iré, solía decir, cuando sea un país libre. Tendrá que morir antes el general Franco. Quizá no me dé tiempo, pues los caudillos suelen llegar a ancianos en nuestras historias. Tal vez sea el clima del altiplano madrileño, tan grato para los supervivientes, añadía; tal vez el agua de Lozoya, o el jamón de Jabugo, pero el caso es que nuestros caudillos acostumbran llegar a viejos.

Ahora bien, aunque nunca hubiese estado en España, la madre de Michael conocía al dedillo la topografía de Toledo por los libros de viajes, los álbumes de fotos, las guías turísticas, los catálogos de museos y exposiciones, cuya publicación seguía atentamente.

–¿Cuándo vas a Toledo? –preguntaba Raquel Leidson.

–A mediados de julio –dijo él. Tenía que estar por razones de su libro en un pueblo de la provincia, unos días más tarde; entonces iría.

–Pues me da tiempo a mandarte una carta con los detalles –aclaró su madre–. Será menos costoso para ti –concluyó con leve sorna.

La víspera, 16 de julio, camino de Quismondo, Michael Leidson estuvo en Toledo. Comenzó su recorrido en San Juan de los Reyes, tal como se lo recomendaban tanto su madre como Théophile Gautier, que no podían haberse confabulado a un siglo de distancia.

Pero no fue Santa María la Blanca, en vías de perezosa restauración, lo que más le impresionó. Fue, un poco más lejos, más arriba, la sinagoga del Tránsito. Era un edificio pequeño, sin boato exterior que pudiese llamar la atención. Dentro, sin embargo, Leidson permaneció inmóvil, sobrecogido. La escueta belleza de la única nave, de los arcos ornamentados, del techo artesonado, desprendía una atmósfera de serenidad ancestral, desgarradora.

Se colocó en el centro de la nave, absorto, sumergido en aquel torbellino de inmovilidad secular, contemplando el friso de inscripciones hebraicas. Entonces, durante unos largos minutos de meditación, fue cuando tuvo la certeza de una verdad radical, originaria, que tal vez pudiese ser la fuente –cegada, olvidada, pero imperecedera– de su propia vida.

Luego, al salir de la sinagoga, en el paseo del Tránsito, buscó la sombra porosa de unos árboles frente al paisaje del Tajo. Leyó en una guía que la sinagoga había sido edificada en el siglo XIV por encargo de Samuel Levi, famoso tesorero del rey don Pedro. Entonces comprendió una alusión de su madre en la carta que le había enviado por correo urgente. Alusión a cierto parentesco con algún Levi de Toledo que había sido célebre.

Fue la víspera, en el paseo del Tránsito, de tan oportuno nombre cuando se reflexiona sobre el sentido de la vida.

Pero Michael Leidson no es novelista.

Aquella noche, después de la cena, cuando se retiró a su habitación de La Maestranza y anotó en su dietario los acontecimientos de la jornada, no empezó su relato por la sinagoga del Tránsito, por la evocación de Samuel Levi. Pensó, eso sí, fugazmente, que nunca se sabe cuándo comienza realmente una historia. También se acordó de Hemingway y de Théophile Gautier. Evocó, cómo no, la figura de su madre, Raquel L. Toledano. Pasaron por su mente –si es que la mente puede considerarse un lugar por donde algo pasa– recuerdos o imágenes más o menos borrosos. De haber sido novelista, todo aquello habría ido agregándose sin duda a la nebulosa de una novela en curso. O hubiera provocado el movimiento de espiral centrípeta que suele dar origen a una nebulosa novelística. Pero Leidson no era novelista, no se le planteaban de esa manera los problemas de una articulación narrativa.

Por ello, después de algunos instantes de indecisión, de ensoñación, fáciles de admitir al cabo de una jornada tan llena de acontecimientos y hasta de sorpresas, Michael Leidson comenzó a escribir en el cuaderno rojo, de tapas de cartón, de su dietario.

«17.VII.56. Eloy Estrada, La Prosperidad: extrañamente no se acuerda de nada. La viuda alude a él con desprecio. Historia del abuelo Avendaño, de su forma de hacerse propietario de la casa: en gran parte, leyenda familiar, dice la viuda. Quismondo: tuve tiempo de leer lo que se dice de este lugar en el Madoz (¡tienen el Madoz en la biblioteca de la casa, bienvenido prodigio!) y además topé en la misma estantería con un libro de John Maynard Keynes dedicado al difunto José María. Luego, ella me explicó esto de Keynes (¡qué novela, si fuese novelista en vez de meramente historiador!). Almuerzo: solo con las dos mujeres, la viuda, la Avendaño (Mercedes y de apellido propio, Pombo) y la otra, Raquel (pero ni Levi ni de Toledo). Difícil definir, intuir incluso, las relaciones entre ambas. Parecen viudas las dos del mismo hombre. Hice preguntas acerca del día de hace veinte años. Así se aclaró lo de los muertos: su marido, José María, y un muchacho de la finca, apodado "el Refilón", no recuerda ella por qué, que fue jefe de partida guerrillera por los montes de Toledo. Luego, brevemente (me pareció que con cierta reticencia, como si no quisiera entrar en recuerdos íntimos), contó algo de su viaje de novios. Italia, París, Biarritz. (La Saturnina de que habló ¿será la Satur de Estrada? Seguramente. La noche de san Jurjo, así como suetina...) Regreso a Madrid, en julio, por la situación política. Lectura de Lorca, *La casa de Bernarda Alba*, en casa de Eusebio Oliver, un médico, pocos días antes del comienzo de la guerra. A las cinco interrumpidos por la llegada de los hermanos del muerto (o del finado, como dicen en *Abc*). El primogénito, José Manuel: inteligente, duro, hombre de dinero, de poder. José Ignacio, el jesuita: refinado, cultísimo. Antes de la cena, me encontré con Benigno Perales, secretario-bibliotecario o algo así, un tipo estupendo. Hablamos algo, a solas. Estaba también invitado el don Roberto que tanto parecía impresionar a Estrada (no conseguí saber su apellido, todos le llaman por su nombre), comisario de la Brigada de Investigación Social. Astuto, nada primitivo, buen conversador, mal enemigo me imagino: peligroso. Increíble discusión, en un momento de la cena, sobre la virginidad.»

No recordaba Leidson cómo había comenzado aquella discusión acalorada. Intentó hacer memoria. De todas maneras, cualquier cosa podría haber encendido la áspera y confusa controversia, cualquier chispa ocasional. El ambiente estuvo tenso desde el comienzo.

Apenas se hubieron sentado –Mercedes Pombo había colocado a Leidson a su derecha y al cuñado jesuita a su izquierda; frente a ella a su otro cuñado, flanqueado éste por don Roberto y Benigno, quien se alegró de esta disposición, ya que así evitaba estar directamente expuesto a la mirada inquisitiva del comisario–, el primogénito de los Avendaño les explicó cuál era el problema que había provocado tanto retraso.

Los braceros de la finca, les dijo, se negaban a hacer al día siguiente el papel de los asesinos del 36. No quieren hacer la función, concluyó abruptamente.

¿La función? Hubo un instante de desconcierto, se miraron los comensales. ¿Qué estaba diciendo José Manuel? Luego Leidson se acordó del almuerzo de hacía dos años en El Callejón, la primera vez que había oído hablar de aquella extraña ceremonia expiatoria. «Es como una especie de auto sacramental», había dicho alguien, tal vez el propio Dominguín.

*«Shit»*, había murmurado Hemingway, más prosaico y contundente: «mierda».

A Leidson le había impresionado que tanto tiempo después de la guerra civil los campesinos de la finca continuaran aceptando un papel de asesinos.

Mercedes intervino, de forma menos brusca que su cuñado.

–¡Veinte años, ya está bien! Se entiende que no quieran seguir con ese horrible simulacro. Además, quedan pocos de los que estaban aquí el 18 de julio aquel. ¡No se les puede pedir que sigan cargando con esa culpa antigua!

La interrumpió el comisario:

–Veinte años no son nada, señora. Todo lo que queda de siglo deberían estar repitiendo esa ceremonia, o alguna parecida. Ellos y sus descendientes: de raza le viene al rojo, ya se sabe...

Hasta a José Manuel se le veía molesto con Sabuesa. Se encogió de hombros, desvió la mirada, mientras desmenuzaba unas migas de pan. Ahora, al proseguir su diatriba, el comisario se le encaraba.

–Ya se lo dije el año pasado, don José Manuel... La ceremonia de ustedes es ejemplar. Tendría que hacerse algo semejante a escala nacional cada 18 de julio. En el Cerro de los Ángeles, por ejemplo...

Leidson le escuchaba, entre horrorizado y divertido. Ya casi no quedaban, pensó, ejemplares humanos tan representativos de la hispana barbarie. Se hizo el ignorante, aparentó no haber entendido la alusión, para ver hasta dónde llegaba la estulticia sectaria del policía.

–¿El Cerro de los Ángeles? ¿Por qué precisamente allí?

Roberto Sabuesa le fulminó con una mirada de odio displicente.

–¿No era usted historiador? ¿No sabe lo que ocurrió allí durante la Cruzada?

Leidson lo sabía, desde luego, pero fingió que no, con un gesto entre perplejo y compungido. Sabuesa proseguía, triunfal, prepotente.

–Pues que esos bestias le pusieron el nombre de Cerro Rojo y organizaron el fusilamiento de la estatua de Cristo Rey por un piquete de milicianos. Hay fotografías de tan sacrílego acontecimiento...

–No veo la relación –dijo entonces el Avendaño jesuita, en tono relajado pero tajante. Y volviéndose hacia su hermano–: Bueno, cuéntanos lo que ocurrirá mañana, José Manuel...

Años más tarde, cuando el comisario Sabuesa, ya jubilado, recordara episodios y peripecias de su vida profesional, acaso con algún compañero, tomando copas o jugando al mus, a la brisca o al tute arrastrado –a cualquier juego de naipes, con tal de que fuera castizo–, o acaso solo, repantigado en una butaca ante el televisor; cuando surgiera, por el motivo que fuese, y son infinitos los motivos posibles, ya se sabe, imprevisibles, e imperiosas las ocasiones, algún recuerdo de aquella época, de aquel año desgraciado de 1956, Roberto Sabuesa llegaría a la conclusión de que ese día de julio, en el comedor de La Maestranza, al oír a los hermanos Avendaño, al ver de qué manera displicente apartaban de la conversación el tema del fusilamiento de Cristo Rey por los rojos en el Cerro de los Ángeles, de qué manera se pusieron a explicar y casi a justificar el subversivo abandono por los peones de la finca de la tradición expiatoria, aquel mismísimo día fue cuando tuvo la intuición o premonición, dolorosa pero irrebatible, de que, pese a las apariencias, los suyos, los bien llamados nacionales, estaban empezando a perder la guerra. Mejor dicho: a dejar que se perdieran los frutos de la victoria, al agostarse los valores que la habían hecho posible; a perder la confianza y la seguridad que debiera otorgarles y que hasta entonces les había otorgado el haber ganado la guerra, a costa de tanto sacrificio, tanto mártir célebre o desconocido, tantos caídos por Dios y por España.

Al ver cómo José Ignacio –un sacerdote, para mayor inri– despachaba con gesto desdeñoso el tema de la expiación, y cómo José Manuel –debería caérsele la cara de vergüenza, por ingrato; riqueza y poderío se los adeudaba al Régimen, a la excelsa situación que en éste había tenido oportunidad de conseguir, y ahora nos sale con la soflama de una necesaria y urgente liberalización del sistema económico, ¡caradura!– le seguía la corriente, entonces fue cuando, con profundo sobresalto y súbita presión arrítmica de la sangre, comprendió el comisario que en España se marchitaban los ideales de la Cruzada, que la patria se enfangaba en un materialismo escéptico y egoísta.

Aquella noche no formuló con tanta rotundidad sus impresiones. Pero tuvo un momento de asombro, de absorta indignación, cuando comprobó que los hermanos Avendaño le interrumpían sin miramientos ni cortesía durante su disquisición sobre la necesidad de ejemplares ceremonias de expiación y remordimiento.

Encajó el golpe en apariencia sin inmutarse. Pero es que enseguida pensó en su probable venganza: plato que puede servirse frío, ya se sabe, que no necesita comerse caliente. Se deleitó recordando lo que ya sabía y lo que aún creía posible averiguar acerca de Lorenzo Avendaño. Pensó que si su intuición resultaba acertada, y las suyas solían serlo, bien pronto tendría, gracias al hijo de la casa, aunque muy a pesar de éste, ocasión de propinar una buena lección, un buen susto, a los arrogantes dueños de La Maestranza.

Y es que, si Lorenzo estaba metido a fondo en la conjura universitaria, como parecían establecerlo todos los datos que obraban en su poder; si sus relaciones con la «cabeza dirigente» visible de aquélla permitían acercarse sigilosamente a la invisible, la realmente decisiva, entonces se le brindaría la oportunidad de un sabroso desquite.

Entretanto José Manuel estaba concluyendo.

–No vamos a traer a la Guardia Civil para que los lleve por la fuerza a la ceremonia, ¿verdad? No hay razón para ello, de ningún orden: todo, hasta ahora, ha sido voluntario. Un asunto casi de familia. Si no hay voluntad no hay ceremonia, por mucho que me pese...

Estas últimas palabras se dirigían claramente al comisario, que permaneció inmóvil, sin reaccionar.

–En fin, que hemos decidido hacer más breve y sencilla la ceremonia de mañana... Se limitará al sepelio en la nueva cripta de nuestro hermano José María y de Chema el Refilón...

Se revolvió el comisario, torciendo el gesto.

–¿Qué Refilón? ¿El que fue jefe de guerrilla comunista?

–Comunista no se sabe muy bien –aclaró José Manuel–. Jefe de guerrilla, eso sí... Se mantuvo años con su partida en los montes de Toledo... Cayó capturado hacia el 49...

De pronto, como si le aburriera dar tanta explicación, o le pareciera inútil, el Avendaño primogénito enmudeció. Se desinteresó del relato iniciado. Se puso a saborear cuidadosamente, con visible deleite, el gazpacho que Raquel había servido.

Pero Mercedes tomó el relevo.

–Acaba de morir en Burgos, en el penal –dijo dirigiéndose a Leidson–. Como no tiene familia, hemos rescatado el cuerpo de la fosa común, lo hemos traído aquí... Descansará para siempre junto a José María, en la cripta que nos autoriza el obispo a tener en la finca.

Así que dos cadáveres. Tenía razón Estrada.

Michael Leidson miró a Raquel, que estaba presentando a Perales la bandeja con tazones de loza blanquiazul que contenían los diversos aderezos del gazpacho.

–Es que Chema era de aquí, del pueblo y de la finca... El Refilón... Con él hemos jugado todos de niños –concluía Mercedes.

Benigno fue el último en servirse migas de pan, trocitos de pepino, de tomate y de cebolla, todo lo que suele añadirse al untuoso líquido del gazpacho. Raquel se había apartado hacia un rincón del comedor, atenta desde allí a cualquier deseo de los comensales.

Veinte años antes, el señorito José María había mandado a Mayoral que trajera los gemelos. Más allá de la hilera de chopos, en la carretera de Quismondo, se veía llegar a un tropel de gente. Cabalgaduras, también. Refulgían hoces alzadas, cañones de escopetas. Más tarde, cuando volvieron a pasar frente al porche de la casa grande, en el Oldsmobile rojo que conducía Mayoral, estaban llegando los braceros. Y al frente de aquella tropa marchaban Chema Pardo, el Refilón, y Eloy Estrada.

El sofoco del comisario era mayúsculo. Había enrojecido, sudoroso; casi tartamudeaba.

–No me cabe en la cabeza, es difícil de creer... ¡Su difunto marido y el guerrillero comunista que probablemente participó en su asesinato, en la misma tumba!

Intervino el jesuita, suavemente irónico:

–La misma cripta, sí, pero en tumbas separadas. No sea usted más franquista que Franco, comisario... Lo que se hace aquí es tan sólo un Valle de los Caídos a escala familiar...

Se quedó el policía boquiabierto: nunca lo había pasado tan mal.

–Bueno –dijo José Manuel, saboreando el gazpacho–. No vamos a estar toda la noche con el mismo tema. Han cambiado los tiempos. Lo esencial es preservar la paz y el orden que nos dio la victoria, aunque sea con otros métodos. Así que, por mí: ni una palabra más...

Pero al comisario le costaba dar su brazo a torcer.

–¿Quién será el cabecilla de ese plante de los braceros? Porque habrá un cabecilla, siempre lo hay...

Hubo un silencio que fue prolongándose, haciéndose espeso, pegajoso.

Pero Leidson no recuerda cómo surgió el tema de la virginidad.

Recuerda, a medianoche, cuando está esforzándose por rememorar la jornada en todos sus detalles y peripecias para anotarlo en su cuaderno, recuerda que se produjo aquel silencio al aludir el comisario Sabuesa a un cabecilla de los braceros.

Recuerda también que sorprendió miradas entrecruzadas, probablemente cargadas de sentido, aunque él no lo descifrara; miradas entre Mercedes y Benigno, entre éste y José Ignacio Avendaño.

Más tarde, y sin que viniera a cuento, por lo menos en su recuerdo, el jesuita estuvo haciendo una preciosa, tal vez algo pedante y demasiado larga disquisición sobre el cristianismo primitivo, sobre la voluntaria renuncia al amor carnal en numerosas comunidades cristianas del Mediterráneo, principalmente del oriental. Y de pronto, sin que pudiera recomponer la ilación de los acontecimientos, se encontraron enzarzados en una absurda discusión sobre la virginidad.

Aunque, en realidad, griterío y barullo sólo hubo al final, cuando el comisario, descompuesto, enfurecido, hizo su extraño pronunciamiento.

–¡Maricones –gritaba Sabuesa–, todos los que aceptan casarse con una mujer que ya no es doncella son maricones, aunque no lo sepan, aunque no se lo crean!

Insistía groseramente al ver los gestos, al oír las exclamaciones de asombro de los demás comensales.

–¡Maricones, maricones perdidos: en el coño de la mujer sólo los pone cachondos la huella, el rastro del miembro que la ha desvirgado!

Todos miraban al comisario atónitos, consternados. Uno de los hermanos Avendaño le recriminó la inaceptable grosería de su proclamación.

–Se olvida usted, comisario, de que hay señoras aquí.

Sabuesa estuvo a punto de responder que no veía señoras, lo que se llama señoras de verdad por ninguna parte. Pero se contuvo.

Leidson está acabando de escribir su resumen de la jornada cuando oye que golpean suavemente con los nudillos en la puerta de su habitación. Mira sorprendido el reloj: son más de las doce de la noche.

Va a abrir, Raquel está en el pasillo, a oscuras.

–Si no está cansado –dice–, le espera la señora.

Horas antes, al final de la mañana, Michael Leidson estaba sentado en una de las butacas de mimbre, en el porche de La Maestranza.

–Raquel le traerá un vaso de agua –le había dicho el intendente.

¿Raquel? Pensó en su madre, naturalmente. Se acordó de la carta que ésta había mandado por correo urgente. A mano izquierda del Tránsito, le escribía Raquel L. Toledano, hay una callecita que se llama de Samuel Levi. Allí está la casa-museo del Greco. Ese Levi fue tesorero del rey don Pedro, él hizo edificar la sinagoga que acabo de contarte. Era pariente nuestro, no muy próximo, pero pariente. Es nuestra calle, la de Samuel Levi. Pero la casa cuya llave conservo no estaba allí. Estaba más abajo, más cerca de San Juan de los Reyes y del puente. Y bien digo «estaba», porque fue derrocada cuando hicieron no sé qué urbanizaciones en el siglo XVIII. La llave ya sólo abre las puertas de la memoria, del ensueño...

Así decía la carta de su madre más o menos.

Se acordó de ella mientras contemplaba el paisaje pardo de la meseta. Luego notó una presencia suave, volvió la cabeza. Era Raquel con un vaso de agua.

Bebió un largo trago, se le llenó la boca de frescor. Respiró, volvió a beber. Estaba sediento, desde las copas de orujo con Eloy Estrada en La Prosperidad.

–¿Es usted Raquel? –Miraba a la mujer, mientras le devolvía el vaso vacío.

–¿Quiere más agua? –dijo ella.

Tenía una voz melodiosamente grave, con destellos de sonoridad ronca, desgarrada: provocativamente sensual. Pero Leidson corrigió enseguida esa calificación. En realidad nada era provocativo en aquella mujer, aún joven de aspecto pero de luto severo, sin adornos ni colorines. Tez blanca, natural; labios sin pintar; ojos negros, sin realce artificial de ningún género. Nada provocativo, en suma, salvo su feminidad misma, luminosa, angustiosamente femenina. Bueno, no angustiosa en sí, sino en Leidson, en quien la presencia de Raquel despertaba, de manera súbita e irresistible, esa leve angustia, ese temblor que siempre acompaña el surgir de un deseo, por fugaz o irrealizable que sea: angustiosamente revelador de su propia virilidad.

Dijo que no, que no quería más agua.

Pero tuvo de nuevo la boca seca. Ya no era de sed, sino de deseo. Se refrenó, se propuso dominar el repentino ardor que invadía su pecho, subiendo desde la ingle, a bocanadas de sangre removida. Contuvo el gesto absurdo que nacía en sus dedos: acariciar sin previo aviso el pómulo de Raquel, su cintura, la cadera que ponía en evidencia el porte enderezado y altivo de la mujer.

Volvió la vista, serenándose, hacia el paisaje del altiplano. Vio la hilera de chopos, la planicie zurcida de geométricas y desiguales piezas de color ocre, amarillo, pardo. Parece un cuadro de Caneja, pensó. Había conocido al pintor pocas semanas antes, había visitado su taller.

–Raquel, ¿estaba usted en La Maestranza hace veinte años? –preguntó sin mirarla.

Antes de que volviera la cabeza, ella comenzó a contestarle.

–Estaba –dijo.

–¿Y qué pasó?

Se miraron.

Michael Leidson tuvo la certeza, fugitiva pero aguda, de que también ella estaba turbada. ¿Por su presencia masculina o por haberse percatado de que él lo estaba? ¿Le turbaba él o el percatarse de que ella le turbaba? Comoquiera que fuese, sintió circular entre ambos, impalpable y espesa, la soterrada corriente de un deseo. No solía engañarse en semejante trance. No solía tampoco hacerse ilusiones, aunque le hiciese ilusión en aquel preciso momento esa certeza inconsecuente.

–Eran las tres de la tarde –decía Raquel–. Estaba yo llenando los vasos de agua, en el comedor. Los señoritos iban a empezar a almorzar. Se oyó fuera la voz de Mayoral, frenética, llamando al señorito José María. Salió al porche, pidió los gemelos para observar a los campesinos que venían en tropel, por la carretera. Desde el comedor, con las puertas abiertas, se ve todo lo de este lado de la casa. Lo vimos la señorita Mercedes y yo...

–¿Qué edad tenía usted, Raquel?

–Diecisiete –dijo ella.

La voz de Mayoral, fuera, descompuesta.

Pues sí, eran las tres de la tarde y acababan de sentarse a la mesa del almuerzo. Mercedes acariciaba con el dorso de la mano el mantel almidonado. Sin duda algo se removió en su memoria, porque sonrió mirando a su marido.

Estaba Raquel llenando los vasos de un agua fresquísima y las miradas de ambos coincidieron allí, en las manos de la chica. El cristal se empañaba con aquel frescor de oquedad subterránea.

Raquel notó la doble mirada.

Levantó la vista, ruborizada pero desafiante. ¿Recordarían lo mismo los tres? Supuso que sí. Supuso que los tres recordaban la extraña felicidad, brutal, el hontanar de placer oscuro descubierto aquel amanecer. Dos días después del regreso de Biarritz, cuando terminó el viaje de novios.

Raquel se había quedado en Madrid a esperarlos. En la casa de Madrid, cuyo portal aparatoso, rimbombante, se abría en el chaflán que forman las calles Juan de Mena y Alfonso XII, frente al Retiro.

Los señoritos Avendaño seguían dando a la calle, en efecto, su antiguo nombre de Alfonso XII, y no por razones políticas, sino por mera costumbre. ¿A quién podía ocurrírsele llamarla por su nueva denominación de Niceto Alcalá Zamora? «Lo de Niceto parece de chotis o de choteo», decía con sorna displicente José Manuel, el hermano primogénito. Pero éste sí que podía decirlo por razones políticas: sin duda, por eso lo diría.

En todo caso, como burlándose suavemente de su hermano mayor, José María recordaba un chiste de moda por entonces. Después de la victoria de la CEDA en las elecciones generales de 1933, Alfonso XIII había enviado un telegrama a don Niceto Alcalá Zamora, presidente de la República: «Ante la CEDA cede. Te cito en Biarritz. Alfonso». Telegrama al que contestó el presidente con otro, tan irreal como el primero, pero gracioso: «Ni CEDA, ni cedo, ni cita. Niceto».

Pero aquel día de julio de hacía veinte años, Raquel miraba a Mercedes, veía la tierna y ambigua sonrisa de Mercedes.

El señorito José María las miraba a las dos.

Entre ellos la blancura crujiente del mantel almidonado, que recordaba otra blancura, como de nevado ensueño: la de las butacas y los sofás enfundados para el verano, en el salón penumbroso de la casa de Alfonso XII aquella madrugada.

Le pareció que el señorito José María iba a decir algo, cuando se oyó fuera la voz de Mayoral, desaforada.

Veinte años antes, día por día, y bajo un mismo sol de verano, José María Avendaño había salido al porche de La Maestranza y los campesinos llegaban en tropel armado por la carretera de Quismondo.

–Diecisiete años, sí –prosiguió Raquel–. Yo he nacido aquí, en la finca. Y mi madre también. Y mi abuela, la Satur. Ya estaba aquí ella cuando llegó el Indiano y se quedó con la finca... El abuelo de los señoritos de ahora... Pero bueno, no entenderá usted nada: es una historia larga de contar...

–Algo me ha dicho Estrada –dijo Leidson.

Ella se encogió de hombros, furiosamente.

–¿Eloy? ¿Le ha contado lo del Indiano? Y lo de hace veinte años, ¿le ha contado dónde estuvo hace veinte años?

–No se acuerda –dijo Leidson.

Raquel tuvo un gesto de desprecio. Volvió a encogerse de hombros.

–La señorita Mercedes y yo lo vimos todo. Primero desde el comedor. Luego nos fuimos acercando, sobrecogidas, cogidas de las manos, por el salón de música, por el cuarto del Indiano, o sea la biblioteca, acercándonos hasta el borde mismo del porche, aquí mismo... El señorito José María se había apoyado en la balaustrada y le mandó a Mayoral que le trajera los gemelos. Más allá de la hilera de chopos, en la carretera de Quismondo, se divisaba un tropel de gente. Y de cabalgaduras, también. Brillaban hoces alzadas al sol. Y los cañones de las escopetas. Cuando llegó Mayoral con los gemelos, el señorito se volvió para cogerlos y nos vio. Estábamos en el salón de música. Nos sonrió. «¿Traigo las armas?», preguntaba Mayoral, frenético. Y el señorito gritó que no, que ni hablar, que acabarían matándolos igual. «Coge el Oldsmobile», dijo el señorito, «el maletín de cuero que está en el comedor. Y llévate a las mujeres, rápido...» Pero Mayoral se resistía, quería quedarse con el amo, claro, a lo que fuera. El señorito José María se enfureció. «¿Quién manda aquí, Mayoral? ¡Llévatelas, arrea!» Y Mayoral se resignó. Dio un grito, como un alarido de dolor o de rabia. Salió corriendo, tropezó con una silla, nos llevó hacia fuera, por detrás de la casa...

Raquel se interrumpe, su mirada se pierde en lo remoto de un cielo de antaño, de una angustia resurgida.

–Cuando Mayoral metió el automóvil hacia el camino de Quismondo, el único por donde se podía escapar, volvimos a cruzar por aquí, frente al porche. Los campesinos ya estaban entrando... Y era fácil reconocer a los que marchaban al frente de la tropa. Estaba Chema el Refilón... Y Eloy Estrada...

No le sorprendió a Leidson que Estrada estuviera allí, aquel día de veinte años antes.

Raquel hizo un gesto de resignación. O de indiferencia.

–Veinte años ya –dijo–. Borrón y cuenta nueva. Pero que no diga que no se acuerda...

Hubo un silencio. Del campo achicharrado no llegaba rumor alguno. Olores, sí, densos.

–Si le parece –dijo Raquel–, le acompaño a su habitación. Podrá refrescarse. La señorita Mercedes le espera a almorzar dentro de hora y media.

Leidson siguió a Raquel por los pasillos y las escaleras de la casa.

–También dice Estrada –añadió Leidson– que mañana va a ser la última vez, que va a cambiarse de sepultura a los muertos... Y que hay dos muertos...

En la amplia galería interior del primer piso, que circundaba un patio refrescado por el murmullo de unas fuentes, Raquel abrió una puerta. Se apartó, le miró.

–La última vez, sí... Dos muertos, es verdad... Está bien enterado el Eloy, como siempre...

Pero Michael Leidson quería saber más, se le notaba.

–Mañana se entierra solemnemente –añadió Raquel–, en una cripta especial, aquí mismo, en la finca, al señorito José María y a Chema el Refilón...

Leidson la contemplaba, inmóvil en el umbral de la puerta.

–Pero yo no soy la que cuenta las historias... Lo hará la señorita Mercedes, luego... Tenga un poco de paciencia...

Entró en la habitación, le enseñó a Leidson dónde estaban las cosas: los armarios, las perchas, las almohadas, el botijo de agua fresca, el aseo, los timbres. Todo lo que pudiese necesitar.

Él la veía moverse por la habitación, embelesado.

# 2

Del legajo se escapó una tarjeta postal, la recogió del suelo. Una imagen en blanco y negro gastada por el tiempo, el uso, el manoseo. Pero Mercedes recordaba los colores del cuadro que reproducía. «Me parece estar viéndolos», le había comentado alguna vez a Raquel. Alguna de las veces, a lo largo de los años, en que comentó con ésta –¿con quién si no?– las peripecias del viaje de novios de aquel verano, veinte años antes.

Se acordaba, es verdad.

Lo primero que en Nápoles llamó su atención, en el Museo de Capodimonte, fue la blancura nevosa de los hombros de Judit, sus pechos casi desnudos cuya belleza subrayaba la sombra que en el lienzo aislaba, realzándola, su mutua redondez.

En aquel cuadro Judit lucía un vestido azul, muy escotado. Pero ¿lucía realmente? Era el vestido, en efecto, de un azul poco lucido, poco reluciente, más bien apagado, como recluido en su propia densidad. No era un azul que reluciera sobre el lienzo, iluminándolo, sino que lo impregnaba, lo empapaba, difuminando por la superficie del cuadro una nocturnidad diáfana que se armonizaba con el sordo color rojo del vestido de la sirvienta de Judit, adecentado, sin escote ni hombros desnudos, ni senos sugeridos, mostrados en el caso de su ama hasta el borde mismo del pezón.

La sirvienta sujetaba a Holofernes mientras su señora lo degollaba limpiamente, o sea, de un tajo de su corta y ancha espada que podía calificarse de limpio por lo decidido, lo tajante, justamente, aunque produjera borbotones de sangre que ensuciaban las sábanas del lecho instalado en la tienda de campaña del general enemigo de los judíos.

«Capodimonte, 1936, junio», estaba escrito al dorso de la postal que se acababa de escapar de la carpeta, en el espacio habitualmente reservado a la correspondencia, con la letra puntiaguda y vagorosa, la suya, de colegio de monjas, que se estilaba en los años treinta, hoy un tanto desvaída, casi borrosa, y es que había sido con lapicero.

Mercedes, un poco antes, pensando que no tardaría en llegar el americano, había buscado en el escritorio de su alcoba el legajo donde se amontonaban los recuerdos de aquel viaje: postales, fotografías, facturas de hotel, notas de restaurante, catálogos de exposiciones y guías de museos, programas de teatro y de concierto; huellas diminutas pero veraces de su viaje de bodas.

No sabía Mercedes por qué le encandilaba la visita de aquel desconocido: Leidson se llamaba. Tal vez porque gracias a él quedaría al menos un testimonio de la ceremonia que mañana iba a celebrarse por última vez, a Dios gracias. Y es que el americano era historiador, estaba trabajando sobre los orígenes y razones de la guerra civil, o algo así: se lo había dicho Domingo al sugerirle que le invitara.

–Un tipo simpático, inteligente y hasta guapo –había dicho Domingo–. Podrías aprovechar la ocasión para matar a tu cuñado José Manuel y fugarte con el gringo, ya que nunca quisiste fugarte conmigo.

Mercedes se rió. Siempre se reía con Domingo Dominguín, estaba a gusto con él, aunque sólo se vieran de tarde en tarde, alguna precisamente de toros, en Vista Alegre de Carabanchel o en la plaza de Toledo, las veces que venía algún matador de los que apoderaba Domingo. Acaso en Quismondo, en alguna de las dos fincas, en La Companza, que era de los Dominguín, o en La Maestranza, que era de ella. Mejor dicho, de ella y de sus cuñados, de manera indivisa.

Dos semanas antes, a comienzos de julio, Domingo la había llamado por teléfono para almorzar con ella en una taberna de Juan de Mena, de aspecto menesteroso, pero donde el cocido era de primera, se lo aseguraba.

–Domingo, por favor, si yo nunca como cocido –le había dicho ella–, eres demasiado castizo para mí.

Y él, muerto de risa:

–De castizo, nada... Te hubiera llevado a Horcher tan a gusto... Pero estoy fregado hasta las siete de la tarde por lo menos, según vaya la taquilla de Vista Alegre...

Así que comieron en aquel tabernucho. Muy bien, por cierto. Él, cocido, como Dios manda. Ella, un jamón de montaña y una menestra sabrosísima. A Mercedes le venía muy a mano aquel sitio, a dos pasos de su casa de Alfonso XII, aunque en verdad tampoco Horcher quedaba muy lejos.

Durante el almuerzo le habló Dominguito de un historiador americano, Michael Leidson, de su interés por la ceremonia expiatoria de La Maestranza. Le habló del encuentro con Hemingway, dos años antes. Mercedes dijo que iba a ser la última vez, que ya era hora de terminar con eso, que había por fin conseguido imponerse a José Manuel, y al hilo de la conversación y del recuerdo se encontraron ambos sumergidos en la vivencia de aquel verano de la guerra, en la sangrienta memoria de aquel remotísimo verano.

Parece que fue ayer, decían ambos.

Él tendría dieciséis, diecisiete años a lo sumo. Iba medio tirado en el asiento trasero del coche, un Graham Page americano, grande, solemne, sin duda incautado o requisado por los milicianos. Iba maniatado entre dos chicos de su misma edad más o menos, de paisano. Todavía no se había impuesto el uniforme del mono azul. Iban en mangas de camisa, pero con correaje, cartucheras, pistolones del nueve largo. Le llevaban detenido a alguna de las checas del partido comunista –no, eso no, había pensado aquel día en la taberna de Juan de Mena, contemplando la melancólica belleza de Mercedes Pombo, todavía no se decía eso de «checa», lo digo hoy, es un anacronismo, fue más tarde cuando surgió esa denominación–, alguna de las cárceles privadas del partido comunista. Y el coche subía a toda velocidad por Alcalá hacia Independencia, abriéndose paso a bocinazo limpio, y se metía luego por Serrano. Él se preguntaba adónde irían a matarle, pero sin duda no ocurrió lo que estaba previsto que ocurriese. Fácil deducirlo puesto que está recordando aquel episodio veinte años más tarde. Y es que Mije o Delicado, uno de los jerifaltes andaluces del partido comunista, lo sacó de la checa aquella y lo mandó poner en libertad. Creía recordar que fue Antonio Mije. Por eso de la torería, claro, porque era hijo de Dominguín. Así pudo salvarse, y pasar al otro lado. Pero aquel día, mientras el coche americano zumbaba por Serrano tocando la bocina sin cesar, Domingo levantó la cabeza para mirar a los chavales de su misma edad que ponían cara de duros, de héroes, de justicieros del Oeste, y entonces se fijó en el nombre de una tienda de Serrano ante la cual el automóvil desfilaba velozmente, una mercería que se encontraba a mano derecha hacia Goya y que se llamaba La Gloria de las Medias, y al verla le entró a Domingo una risa incontenible, y pensar, pensó, que el último destello de la realidad, su último guiño –porque sin duda iba a morir, sin duda era éste su último paseo, el Paseo mayúsculo y por antonomasia, el paso al otro mundo–, que la última visión de una realidad que continuaría perdurando después de que él hubiese muerto, pensar que iba a ser ese nombre tan cursi, tan rimbombante, enternecedor de serlo tanto, La Gloria de las Medias, y se imaginó el rótulo o reclamo que le hubiera gustado ver sobre el escaparate: unos angelitos de Murillo, gordezuelos eunucos, sosteniendo en vilo unas bellísimas piernas de mujer con medias negras y liguero, lo que más le excitaba en aquel remotísimo verano, piernas con medias y liguero, y la consabida entrepierna, claro, para después del ligue, y le entró una risa frenética, inacabable: esto es el *sursum pene*, pensó Domingo, pero sin pena ni gloria, ni siquiera de las medias, y los mozalbetes militantes y militarizados se volvieron a mirarle, uno le dio un empellón despectivo y el otro comentaba, airado, «pero será memo el cabrito este, será gilipollas, será tonto del culo, reírse así, sin ton ni son, en semejante trance...».

–¿Y vosotros qué hacíais en Quismondo un 18 de julio? –le preguntaba a Mercedes Pombo–. ¡Menudo lugar para un veraneo!

Estaban terminando de almorzar en la taberna de Juan de Mena.

Mercedes le contestó que, de mediados de junio a comienzo de julio, habían recorrido Italia en viaje de novios. Luego, tras unos días en París, se instalaron en Biarritz para pasar el verano en una casa que allí tenían de siempre los Avendaño. Bueno, desde esa eternidad relativa de las herencias y los patrimonios, frutos éstos, con frecuencia, de previos matrimonios.

Saturnina, la Satur, ya ancianita pero incomparable en la cocina, había venido de Madrid con dos doncellas. El mecánico, por su parte, había traído el Oldsmobile descapotable y se había vuelto a ir. José María no le necesitaba, le gustaba conducir él mismo.

Pero las noticias de Madrid eran preocupantes.

Es verdad que lo habían sido durante todo el viaje. José María se pasaba el día intentando captar informaciones por la radio. Al caer la tarde, bajaba hasta el quiosco de periódicos, cerca del Casino, para comprar prensa española. Veía de lejos a Fal Conde, confabulándose en los bares de los alrededores con emisarios carlistas, podía suponerse.

Hacia el 10 de julio llamó por teléfono José Manuel, el hermano mayor, desde Madrid. Estaba nerviosísimo, se le entendía mal. Vaticinó en cualquier caso acontecimientos inminentes. Entonces decidieron volver. Fue una corazonada, hicieron las maletas a toda prisa y se fueron a Madrid en automóvil. Unos días más tarde, estaban cenando en casa de un amigo médico, Eusebio Oliver. Hubo discusiones acaloradas, alguien gritó que ya era hora de que se pronunciase el Ejército, de que impusiera mano dura y acabara con tanto desmán de uno y otro bando. Luego, a la hora de la sobremesa, se serenaron un poco. Federico García Lorca les leyó una obra que acababa de terminar, *La casa de Bernarda Alba*. Lorca habló aquella noche de irse a Granada, allí estaría más tranquilo, decía, más seguro que en una ciudad tan áspera como Madrid si pasaba algo.

Esa opinión de García Lorca hizo reflexionar a José María y volviendo a casa, de madrugada, le dijo a Mercedes: «¿Por qué no nos vamos a la finca unos días, a ver qué ocurre? Estaremos mejor que en Madrid, de cualquier forma».

–Y nos fuimos al día siguiente, fíjate, por lo que dijo Lorca aquella noche.

Ya habían salido de la taberna y estaban en la calle, frente al chaflán de Juan de Mena y Alfonso XII, de pie, despidiéndose, cuando Domingo le preguntó a Mercedes:

–¿Cómo fue exactamente lo de aquel día? Nunca me lo has contado.

¿Nunca se lo había contado?

–Eran las tres de la tarde del 18 de julio, y acabábamos de sentarnos a la mesa del almuerzo, en La Maestranza... Raquel estaba sirviéndonos un vaso de agua...

Pero se interrumpió. No sabía cómo continuar el relato.

Mejor dicho: lo sabía demasiado bien. Lo sabía tan de antemano, tan de corrido, tan de ritual, que no le merecía la pena continuarlo, había perdido el interés. En efecto, era un cuento mil veces contado, con el fastidio de lo repetitivo, lo codificado. No podía esperarse ninguna sorpresa, ningún hallazgo, de un relato que comenzaba de esa forma, con tanto lastre memorioso. Tal vez, pensó Mercedes entonces, podría contarse de otra manera toda aquella historia. Empezando en Capodimonte, por ejemplo, con la contemplación de aquel cuadro de Judit. O por aquella otra mañana en la playa de Biarritz. Mil maneras, acaso, pero todas terminarían igual: en el momento en que aparecieron los campesinos armados de escopetas y guadañas en la carretera de Quismondo.

Comoquiera que fuese, los acontecimientos de aquella tarde de julio parecían haberse vaciado de sustancia, como si sólo fuesen eso, un cuento, y al comenzar a contarlo una vez más, Mercedes se vio tediosamente sumida en la realidad de un relato y no en el relato de una realidad. Como si lo importante no fuese ya la verdad de la tarde del 18 de julio, veinte años antes, sino la del relato: en sí misma, en un autónomo desplegarse del «érase una vez». Y ya se sabe que la verdad de un relato es engañosa, que su objeto puede ser incluso la mentira, la irrealidad al menos.

Sin embargo, en el hastío de un contar que había comenzado como siempre, como mandaba el Dios de las narraciones familiares –«eran las tres de la tarde y acabábamos de sentarnos a la mesa del almuerzo...»– inevitablemente fieles a un insidioso código, Mercedes sintió de pronto una emoción nueva. Renovada, más que inédita. Recordó aquel frescor anunciado o denunciado por el vaho que enturbiaba la transparencia del cristal. Recordó la sed, el ansia de agua fresca, las manos de Raquel. Recordó lo que aquel frescor, aquella agua, aquellas manos de Raquel le evocaban.

–¿Para qué seguir, Domingo? Tú sabes qué es la muerte.

–Por eso mismo, porque lo sé, me extraña que continúes organizando tan funesta ceremonia fúnebre –dijo él.

Mercedes tuvo un gesto negativo, tajante.

–Nunca he sido yo. Es cosa de José Manuel, como sabes...

Es verdad que lo sabía, admitió.

–Por cierto, este año va a ser la última vez –prosiguió ella–. Así que dile a tu gringo guapo que venga, para que quede un testimonio de tanto horror hispánico... Que lo escriba en algún libro...

Eso fue quince días antes, más o menos.

«Capodimonte, 1936, junio.»

Mercedes Pombo había vuelto la postal que reproducía en blanco y negro un cuadro del museo de Nápoles. Contemplaba, pensativa, las palabras que ella misma escribió veinte años antes.

Siempre había tenido la intención de volver alguna vez a Nápoles. A Nápoles y a Florencia: hay una Judit parecida en los Uffici. Pero no había podido ser. De Nápoles conservaba un recuerdo más vívido, más agobiante también. No acababan de gustarle las grandes ciudades del Mediterráneo. «Bueno, gustarme tal vez sí, pero me desasosiegan por ese tufo que tienen de humedad humana, de jungla urbana, de promiscuidad... Demasiado griterío, demasiado lenguaje apasionado, tópico, deslenguado... Prefiero la luz nórdica, de aristas y deslindes más precisos, pero a la vez más suave en sus adentros, en el meollo de su luminosidad, más callada.»

Aquella primavera, las chicas y las chachas de la casa de Alfonso XII, antes de que salieran de viaje de novios, cantaban lo de «Soldado de Nápoles, que vas a la guerra...» Y en Nápoles fue Mercedes sola al Museo de Capodimonte. José María tenía ese día una entrevista, no recordaba ahora con quién: un profesor o un filósofo. Algo así como un Ortega y Gasset italiano, pero aún mejor, recordaba Mercedes que le había dicho su marido. El caso es que fue sola al Museo de Capodimonte. No había casi nadie, algún que otro vigilante viejito y adormilado en un rincón. La acompañaba el ruido de sus tacones sobre las baldosas de mármol de los pisos y las escaleras, «un ruido que parecía precederme y seguirme, y de pronto me encontré ante aquel cuadro... Me paré, impresionada, no por el tema ciertamente; Judit y Holofernes son un tópico de la pintura, al menos desde que la pintura tiene tópicos, temas impuestos por la tradición... Por ejemplo, en Roma, dos días antes, ya habíamos visto José María y yo, juntos aquella vez, un cuadro homónimo del Caravaggio... No era el tema, pues, sino la violencia del tratamiento pictórico, la serenidad de dicha violencia, la frialdad de semejante frenesí, la indecencia provocativa del escote de Judit, la juvenil hermosura de su doncella y ayudanta en el feroz degüello de Holofernes... Ambas estaban dedicadas a decapitar al general asirio con una precisión algo distante, con un aire extraño, sobrecogedor, de complacencia, casi de placer... Y me acerqué para ver el nombre del pintor y era una pintora, una mujer, Artemisia Gentileschi. Me quedé absorta ante el lienzo, inmóvil, como fulminada, hasta que se aproximaron, inquietos y solícitos, dos viejos vigilantes preocupados sin duda por esa inmovilidad prolongada, temerosos tal vez de que me hubiese convertido en una estatua de sal, y no andarían del todo descaminados: era mi alma en aquel instante un desierto de sal y de deseo...».

Aquella mañana de junio de 1936 había regresado del Museo de Capodimonte desconcertada por la impresión que le produjo el cuadro de Artemisia Gentileschi. Desconcertada de que fuera tanta y tan turbia.

Desconcertada por su desconcierto, en suma.

José María la esperaba en el comedor del hotel, un antiguo palacio de corredores penumbrosos y laberínticos, de inmensos salones de caoba y palosanto, donde, al atardecer, frágiles damas de organdí y bigotudos señores de chaqué tocaban al piano y entonaban algunas de las arias más célebres del repertorio.

Sentado a una mesa redonda, solitaria en el centro del comedor, José María Avendaño era el blanco de todas las miradas femeninas. Franca y hasta descaradamente dirigidas a él, cuando se trataba de señoras no acompañadas por caballero alguno. Miradas solapadas, y por ello, por su fulgor encubierto, todavía más audaces, impertinentes o provocativas, si se trataba de damas acompañadas por algún marido, padre, novio o hermano: algún varón, a fin de cuentas, con derecho de pernada, filiación, usufructo, o de mera protección, sobre las hembras a las que visiblemente fascinaba la insolente guapeza de José María.

Éste, además, estaba esperando a una mujer, se le notaba. En su impaciencia desprovista de inquietud, llena de soltura y hasta de altivez; en la forma displicente para su entorno con que sorbía breves tragos de un martini seco y frío; en la soberbia rosa roja que tenía preparada sobre la inmaculada blancura del mantel para ofrendársela, sin duda, a quien no tardaría ya en llegar: en todo su aire y su aura varonil se notaba que estaba esperando a una mujer.

Ello le prestaba aún mayor encanto y las miradas femeninas se volvían, por la curiosidad que las consumía hasta el fondo de las pupilas, todavía más codiciosas.

Desde el umbral de la puerta de cristales del comedor, medio escondida detrás de una palmera enana en su recipiente de azulejos, Mercedes contempló un instante a su marido.

La roja rosa sobre el níveo mantel la hizo pensar en el ensangrentado lecho de Holofernes. En algo mucho más íntimo también. Se ruborizó, sintió que la invadía algo desconocido hasta ese momento, al menos con tal contundencia, con tan brutal e inocente crudeza: su deseo de aquel hombre, difícil de nombrar por su insólita y sofocante precisión.

Voy a entrar como una novia, pensó Mercedes, a entregarme a José María, y que lo vean todos, señoras y señores, y hasta *monsignori*, que nunca faltan en el comedor, a entregarle la roja flor de mi inocencia...

Pero esto último le pareció indecente, no tanto por atrevido sino más bien por cursi.

Se acentuó su rubor.

En ese momento, una orquestina que solía amenizar desde un estrado al fondo de la sala los almuerzos y las cenas con piezas musicales comenzó a tocar los primeros compases de un tango.

A Mercedes le pareció de buen augurio, porque era *Caminito*. Entró en el comedor, entonces, al ritmo desgarrado de aquella música. La misma que se oía en el Club de Tenis de la Magdalena, en Santander, el día de verano de 1934 en que conoció a José María.

> Y entonces viniste tú
> de lo oscuro, iluminada
> de joven paciencia honda...

No se equivoca, desde luego. No se confunde, a pesar de las apariencias.

Hoy, martes 17 de julio de 1956, sabe perfectamente que no es ésta la letra de *Caminito*, aquel tango. Sabe que la letra de aquel tango, de aquel día de verano de 1934, es muy diferente.

> Caminito que el tiempo ha borrado
> y que juntos un día nos viste pasar...

Pero es que se superponen los recuerdos, las letras de los tangos y las palabras de los poemas. No es que sean comparables, pero fueron contemporáneas.

Hoy, en su habitación de La Maestranza, lo recuerda todo a la vez. El Club de Tenis, el tango, la aparición de José María Avendaño, la brusca pulsión de su sangre –¡que me saque a bailar, por Dios, que me saque a bailar!– y también los versos de Pedro Salinas.

> Cuando te miré a los besos
> vírgenes que tú me diste,
> los tiempos y las espumas,
> las nubes y los amores
> que perdí estaban salvados...

A los dos días de su encuentro, en efecto, le regaló José María un libro de Salinas que se había publicado el año anterior, *La voz a ti debida*. Desde entonces, desde aquel primer regalo, los versos de Pedro Salinas habían acompañado su historia: la de su amor. Bueno, todo habrá que decirlo: los versos de Salinas y las prosas de san Agustín. Pero de éstas se hablará en su momento, que no es éste aún: nunca conviene trastornar el orden enigmático de los relatos.

Así que aquella mañana de junio Mercedes entró en el comedor del hotel napolitano, alegre y decidida, deslizándose por el piso de ajedrezadas baldosas, súbitamente despojada de todo sentimiento de culpabilidad, segura de atraer la mirada celosa de las mujeres, la complacida de los hombres.

Su marido se levantó, le ofreció la rosa roja, incandescente, le dispuso una silla para que se sentara. Seguía el tango, seguía su letra melancólica: «Desde que se fue, nunca más volvió...». Seguían las miradas concentradas en la bellísima pareja que formaban.

Ambos pensaron lo mismo, en el mismo momento, como comprobarían más tarde. «Si supieran que esta mujer no me pertenece de verdad», pensó él. «Si pudiesen imaginar que no soy suya aún», pensó ella.

Pero se rieron al unísono, sin saber muy bien por qué. Sabiendo, al menos, que les encantaba volver a encontrarse, aunque sólo hubieran estado separados unas pocas horas.

Mercedes se había sentado, lo miraba, volvía a reírse.

–Tengo un apetito feroz –murmuró.

José María captó la luz agorera de aquellos ojos, pero no adivinó por qué refulgían así, prometedores, no entendió de qué. No pudo imaginarse, obviamente, que la *Judit* de Capodimonte tuviese algo que ver con la alegría sensual perceptible en la expresión de Mercedes.

–¿Apetito? –dijo él–. Apetitosa estás tú... Feroz tú, tal vez. Se lo preguntaremos a san Agustín...

Se le ocurrió a Mercedes una barbaridad, pero se contuvo. Un camarero acababa de acercarse a la mesa para tomar nota.

Apenas hubieron pedido, José María comenzó a contarle su entrevista con Benedetto Croce. Pero Mercedes no le escuchaba. Y es una lástima, porque la falta de atención de Mercedes Pombo va a impedirnos conocer el contenido de la conversación, uno de cuyos temas esenciales fue el papel de los filósofos –y más general, más genéricamente también, de los intelectuales– en los sombríos tiempos de las dictaduras. *Finstere Zeiten*, «tiempos oscuros», decía José María.

A estas alturas, en efecto, no es posible, y con los elementos que tenemos a mano, suplir con algún artilugio narrativo aquella falta de atención de Mercedes: tenemos que someternos al azaroso pero imperativo contexto de la situación.

Y es que estamos refiriéndonos a las peripecias de aquella jornada napolitana desde el recuerdo de Mercedes, privilegiado, sin duda, porque su memoria es única, insustituible, ya que José María Avendaño ha muerto. En estas circunstancias, desaparecido él, amnésica ella –por su culpable distracción durante aquel almuerzo napolitano–, tenemos que renunciar al contenido de la discusión entre Avendaño y Croce, y dejar que se sume en el olvido, por muy interesante que resultase. A menos que, ulteriormente, algún otro documento o testimonio nos permita volver sobre este episodio y rescatar su significación.

El caso es que aquel día, en Nápoles, Mercedes no escuchó a su marido. Hizo un gesto, saliendo de su ensimismamiento, para interrumpir lo que tomaba camino de convertirse en una larga divagación político-filosófica.

–¿Qué sabes de Artemisia Gentileschi? –preguntó a bocajarro.

José María asumió con un respingo la abrupta interrupción, en plena reflexión sobre el pensamiento liberal. Asumió también la pregunta concreta, intentando localizar aquel nombre de mujer en alguno de los sectores memorizados de su vasto saber.

–¿Es una amiga tuya? –interrogó finalmente.

Mercedes le explicó.

Le habló del Museo de Capodimonte, del cuadro de la Gentileschi. Le recordó que habían visto en Roma un lienzo del Caravaggio sobre el mismo tema. Le comentó las diferencias de tratamiento pictórico. Le mencionó el escote de Judit, la juvenil belleza de su sirvienta. Aludió a la impresión que la obra le había producido.

Pero ocultó lo esencial: el ardor sensual que había provocado en su intimidad la contemplación de tan bárbara escena. Ocultó el extraño goce, el ansia venturosa, inexplicables a primera vista, y hasta reprobables, que le despertó aquel descubrimiento.

José María no supo decirle nada acerca de Artemisia Gentileschi, pero prometió enterarse.

–De Judit, en cambio, lo sé todo. O casi todo. ¿Te cuento?

–Cuéntame –dijo Mercedes.

En ese momento dos camareros diligentes y dicharacheros comenzaron a servirles el primer plato del almuerzo. El aroma de los *tortellini* con gambas era tan suculento que Mercedes tuvo un arrebato de alegría: algo físico, un acaloramiento, una emoción anudándole la garganta, anidando en su pecho: como si se le hiciera la boca agua.

Pero es que se le hacía realmente la boca agua.

–¡Qué rico va a estar esto! –exclamó.

Estuvo a punto de decirle a José María la barbaridad que ya se le había ocurrido. Estuvo a punto de proponerle que abandonaran el comedor enseguida, sin comenzar siquiera el almuerzo, para subir a la habitación y encerrarse, corriendo las cortinas, atrancando la puerta, pidiendo no ser molestados, encendiendo alguna lámpara tutelar en algún rincón de la alcoba, abriendo de par en par el lecho matrimonial cuyas sábanas ostentarían la inmaculada blancura de una inocencia a punto de sucumbir, gozosamente, «y me desnudaré ante tu mirada, me abriré al fin a tu vigor, eso, ya sabes, no tengo palabras para semejantes cosas, tu sexo, no tengo habla, no sé nombrarlas, pero quiero ser tuya del todo, pertenecerte de verdad, al fin, que te hundas en mí, me penetres, me crucifiques...».

«Se lo preguntaremos a san Agustín», había dicho José María poco antes.

San Agustín les acompañó, en efecto, durante el viaje de bodas. En realidad, durante todo el noviazgo, a lo largo de casi dos años.

Y es que el confesor de Mercedes Pombo, el padre Jacinto Rupérez, era un ferviente lector, devoto comentarista también, de los escritos del santo obispo de Hipona. Por eso, cuando ella le anunció su boda con el más joven de los hermanos Avendaño, se vio sometida a una intensa preparación moral y teológica, fundada esencialmente en el estudio de los tratados agustinianos más directamente referidos a las cuestiones del matrimonio cristiano: *De bono conjugali* y *De conjugiis adulterinis*. Sin olvidar, claro está, la parte de los escritos antipelagianos de san Agustín que vuelven prolijamente sobre dichos temas.

Para el padre Rupérez, y así se lo repetía una y mil veces a Mercedes, el matrimonio sólo era un bien relativo. O un mal menor, si se prefiere. El máximo ideal cristiano era, desde luego, el de la castidad. Ahora bien, puestos a admitir las torpes exigencias de la sociedad y de la carne –o sea, de la suciedad humana de la vida–, a buscar componendas y frenos a la pecadora propensión del ser humano, el matrimonio podía considerarse positivamente. Con la expresa condición de que su fundamento fuese la intención de procrear, y no aquella, bestial, de la pasión: la concupiscencia.

El confesor utilizaba los textos latinos de san Agustín, *«copulatio itaque maris et feminae generandi causa bonum est naturale nuptiarum, sed isto bono male utitur qui bestialiter uti-*

*tur, ut sit eius intentio in voluntate libidinis, non in voluntate propaginis...»*. Y a Mercedes, que no se atrevía a pedirle al padre Rupérez explicaciones complementarias, lo del «uso bestial» del matrimonio, o lo del «deseo voluptuoso» opuesto a la «voluntad de procreación» la sumía en infinitas inquietudes y cavilaciones, vista su corta sabiduría en materias de sexo.

Inquietudes que se acrecentaban al no tener a nadie, fuera de su confesor –con el cual era obviamente imposible–, a quien hablar de tan pavoroso como excitante asunto. Mercedes no tenía amigas ni primas de su misma edad con quienes debatir todo aquello, en cuchicheos entrecortados por risitas nerviosas. Y de su madre más valía no hablar. Por doña Constancia habían pasado nueve embarazos y alumbramientos como rayo de sol por el cristal, sin que se rompiera ni manchara una ignorancia casi virginal. Cuando hablaba de su progenitura, lo hacía como si su cuerpo hubiese sido mero instrumento o receptáculo carnal elegido por la Providencia, con incomparable levedad. Inútil, pues, intentar aclarar con su madre los «usos bestiales» del matrimonio en que tanto, y con tan grande recelo y pavor, insistía el confesor de la novia, para alejar la voluntad y la imaginación de ésta de tan abominables prácticas.

A esta acción de rearme moral emprendida por el confesor de Mercedes frente a los peligros de un matrimonio que no fuera capaz de suprimir, o al menos de reprimir las apetencias libidinales, y por ende libidinosas, no tuvo más remedio que enfrentarse José María Avendaño.

Pero lo hizo con tacto, con suma habilidad, como por otra parte solía hacerlo todo. No se opuso de plano a los planteamientos del padre Jacinto, y aún menos a los de san Agustín. Muy al contrario, se amparó dialécticamente en estos últimos para sembrar la duda en el enfervorecido espíritu de Mercedes, y conseguir de paso algún favor erótico.

Comenzó por demostrarle que no era el matrimonio tan poca ni parca cosa como parecía afirmar su confesor. Después, y una vez convencida Mercedes de que había que tomárselo en serio, José María argumentó en base a la *quaestio particularis* de la primera sección del tratado agustiniano *De bono conjugali*, con tal poder de convicción que obtuvo de su joven prometida favores que, sin poner jamás en peligro su virginidad, sí menoscababan peligrosamente su honestidad y candidez.

¿No decía el santo varón de Hipona *«cum masculus et femina, nec ille maritus nec illa uxor alterius, sibimet non filiorum procreandorum, sed propter incontinentiam solius concubitus causa copulantur...»?* O sea: «He aquí a un hombre y a una mujer; ni él es marido de otra, ni ella mujer de otro; tienen relaciones carnales no con vistas a procrear hijos sino tan sólo para satisfacer su concupiscencia; sin embargo, se han comprometido mutuamente a no tener relaciones, ni él con otra mujer, ni ella con otro hombre; ¿puede llamarse matrimonio dicha unión? Sí, ciertamente, se puede, con rigor y sin que sea absurdo...».

Éste es exactamente nuestro caso, argumentaba José María. Ni yo tengo mujer alguna, ni tú marido. Ni, en ninguno de los dos casos, tenemos amante. Por tanto no es absurdo, según san Agustín mismo, que tengamos relaciones carnales para satisfacer nuestra concupiscencia. Sobre todo si se tiene en cuenta nuestra decisión de casarnos, de vernos esposados por los leves y santos lazos del matrimonio, que de antemano santifica y absuelve lo pecaminoso que en nuestra relación pudiese haber, ya que no se propone, por ahora y por supuesto, ninguna intención procreadora.

Pero Mercedes quería saber qué era la concupiscencia.

Saberlo de verdad, lo que se dice saberlo, sólo lo sabría practicándola, le explicaba José María. Hay un proverbio inglés que dice: «*The proof of the pudding is in the eating...*». O sea, ¡que a comer el pudding de la concupiscencia!

Y lo comieron, efectivamente, alguna que otra vez, a lo largo de los largos meses de noviazgo, en cuanto la ocasión se hizo propicia. Y no se hizo a menudo, desgraciadamente, pues doña Constancia, la madre de Mercedes, se afanó en imponer las modalidades de un cortejo a la antigua, con horas fijas, testigos respetables, acaso senescentes y otras limitaciones de toda índole.

Sin embargo, cada vez que hubo ocasión de soledad, por breve que fuese, comieron, devorándolo, con la ilusión de algún día poder saborearlo, el glorioso pudding de la concupiscencia. Así, la alusión al proverbio británico («la prueba del pudding está en que se come») se convirtió entre ambos en un lenguaje cifrado, código irreverente que les permitía comentar, incluso en público, y aunque fuera metafóricamente, los placeres del gusto, la vista y el tacto que alimentaban su relación erótica, aunque nada procreadora.

Sin embargo, y por grato que le resultara a Mercedes sucumbir a los envites y embates de la concupiscencia –que dejó de ser palabra indescifrable para hacerse realidad concreta y palpable, vivencia fervorosa, territorio infinito adonde aventurarse con la pasión de la curiosidad y de la invención–, no por ello dejaba de recobrar talante y compostura de virginal decencia.

En esos momentos de redoble de conciencia cristiana, Mercedes también esgrimía argumentos de san Agustín, con los que intentaba refrenar los apetitos de José María. Le recordaba por ejemplo que, según el santo, el pacto matrimonial se funda en la decisión de procrear, que ellos, pecaminosamente, rehusaban. *«Cum vero vir membro mulieris non ad hoc concesso uti voluerit, turpior est uxor...»*

«Más infame es la mujer, piénsalo, José María», decía Mercedes con palabras de san Agustín, «más infame al permitir que el marido use de alguno de sus órganos no apto para la procreación, con el solo fin de la concupiscencia...» Pues, amor mío, ¡tú no haces otra cosa!

¿Pero no habíamos quedado, mujer, respondía él, no habíamos quedado en que, según san Agustín, nuestra relación puede considerarse como matrimonial? ¿Que no es absurdo tenerla por tal? Pues bien, prosigamos, decía José María, utilizando el mismo estilo de razonamiento que el jesuita padre Rupérez, prosigamos con los textos del propio santo...

*«Ut et quod non filiorum procreandorum, sed infirmitatis et incontinentiae causa expetit...»* O sea, Mercedes del alma mía, «lo que exigen la debilidad y la incontinencia, aunque no tengan por fin la procreación de hijos, no deben negárselo mutuamente los esposos, ni el marido a su mujer, ni la mujer al marido; ello les impedirá caer, seducidos por Satanás, en innobles corrupciones... El acto conyugal, en efecto, cuando tiene la procreación por objeto, no es pecado; y sólo lo es venial cuando se comete entre esposos para satisfacer la concupiscencia...»

Así que, amor mío, proseguía José María, entregándome tu cuerpo y cada uno de sus orificios, salvo el de la procreación, no sólo cumples con una de las obligaciones del pacto matrimonial, que sólo constituye un pecado venial –y que por añadidura nos gusta–, sino que además, lo dice taxativamente el tratado de san Agustín, me permites huir del pecado mortal de la fornicación o del adulterio, al evitarme tener que buscar el placer con otras mujeres, ya sean casadas infieles o meras meretrices.

De esta manera, entre pitos y flautas –si se nos permite expresión tan equívocamente frívola para tan serio asunto–, Mercedes llegó virgen al día de la boda pero instruida en muy diversos modos de obtener el placer. Y de procurarlo. Así había seguido durante el viaje de novios, cada vez más instruida y acaso más instructiva, hasta el día de Judit y Holofernes, en Nápoles.

La primera noche del viaje fue en coche-cama. Y entre la jaqueca de Mercedes, debida a los agobios del día (solemne ceremonia en la iglesia de los Jerónimos; recepción por todo lo alto en casa de los Avendaño, en Alfonso XII, hasta muy entrada la tarde; salida apresurada hacia la estación, entre los sollozos de doña Constancia y otras señoras de la familia), el nerviosismo de José María, amante experto pero marido sin estrenar, o sea, desconocedor de la concreta y delicada tarea del desfloramiento, y la ligera ebriedad de ambos, que apuntilló la botella de champán que les esperaba en el coche-cama y que se bebieron enseguida, mientras se desvestían mutuamente, descubriendo al fin la ignota desnudez entre risas y leves obscenidades dichas en el tono de la ternura confidente y confiada; con todo aquello, sin olvidar la inadecuación de la litera, por su estrechez y por el ajetreo del expreso nocturno, no pudo cumplirse aquella primera noche el sacrificio de la virginidad de Mercedes. Lo cual no provocó en los novios, que ya habían conocido juntos el goce carnal, ni excesiva desazón, ni herida narcisista de vanidad en el varón, ni frustración sensual en ambos. Toda la noche, aunque no se produjera la posesión procreativa, la penetración arrogante, Mercedes ofreció su cuerpo agradecido para que José María se introdujera en éste bestialmente, según la definición de san Agustín.

Y así había ido retrasándose la ceremonia propiamente nupcial, hasta aquel día de Nápoles, el día del Museo de Capodimonte.

Apenas hubo probado los *tortellini* con gambas y comprobado su delicioso sabor, se decidió Mercedes a decir lo que venía rondando su imaginación.

–José Mari –dijo en voz baja, enronquecida.

Él adivinó lo que iba a decir. Supo, al menos, de qué iba a hablarle; lo leyó en sus ojos.

–Pide una botella de champán... Subamos con ella a la habitación... Tengo ganas...

Se sonrojó, no supo decir más. Era suficiente.

Todos miraron hacia ellos cuando cruzaron el comedor, casi abrazados, con la botella de champán, después de haberse levantado bruscamente de la mesa del almuerzo. Hasta la orquesta dejó de tocar el *fox-trot* que estaba interpretando. Todos pensaron con ardor o nostalgia en los gestos del amor, al verlos deslizarse levemente hacia su habitación. Hubo incluso alguno, acaso alguna, que cerró los ojos con el corazón sobresaltado.

«Capodimonte, 1936, junio.»

Así está escrito en la postal desgastada por el tiempo.

En el coche-cama, la primera noche del viaje de novios, no había solamente una botella de champán. También había un libro. Un pequeño volumen de versos primorosamente editado: *Razón de amor,* de Pedro Salinas.

Mercedes Pombo cierra los ojos, veinte años después.

¿Serás, amor,
un largo adiós que no se acaba?
Vivir, desde el principio, es separarse...

Ha cerrado los ojos, pero se acuerda. Con una especie de sollozo alegremente desesperado. Alegría del recuerdo, de la belleza de lo que fue. Desesperación del recuerdo, de la tristeza de lo que dejó de ser.

Oye un ruido fuera. El de una portezuela de automóvil. Luego voces. La de Mayoral, reconocible.

Vuelve a colocar la tarjeta postal en el legajo y éste en el escritorio.

Se acerca a una ventana, aparta levemente un visillo.

Mayoral está hablando con el americano, Michael Leidson.

Es lo que puede deducirse, aunque el recién llegado esté de espaldas: no puede ser otro. Sólo a él se le espera a estas horas.

El supuesto Leidson está cerrando el maletero del coche y Mayoral se lleva una bolsa de viaje. Luego le dice algo al americano, haciendo un gesto con la mano libre hacia el porche de la casa.

Después de ponerse a caminar, Leidson se vuelve.

–El gringo guapo –murmura Mercedes.

Tenía razón Domingo: no estaría mal fugarse con un tipo así. Se acordó de Raquel. Pero también podía Raquel fugarse con ellos, ¿por qué no?

Michael Leidson acaba de desaparecer bajo el porche de La Maestranza.

Mercedes se sonríe, sola.

# 3

«DILIGENCIA:

»Para hacer constar, que sin poder profundizar por tratarse de asunto tan delicado como todo lo que se relaciona con la Universidad, desde hace bastante tiempo era seguida y venía preocupando a esta Primera Brigada Regional la evolución política seguida por un grupo de universitarios, principalmente de la Facultad de Filosofía y Letras, evolución en la que se veía una orientación fija, tendente a un "liberalismo" que tenía como base el desbordamiento del S.E.U. Exponente de esta actividad es el Congreso de Escritores Jóvenes, al que siguen charlas y disertaciones en la mencionada facultad, haciendo uso de la "Tribuna del Estudiante" en la que se diserta sobre poetas y escritores comunistas.

»El fallecimiento del filósofo ORTEGA Y GASSET da paso a que con pretexto del mismo, en diversos actos, este grupo de estudiantes demuestre una mayor actividad y un menor recato en sus manifestaciones, tales como: la confección de una esquela carente de cruz y la organización de una manifestación portadora de una corona con la dedicatoria "La juventud universitaria a su maestro". El que, al indicar alguien en el cementerio que se rezase un padrenuestro, se oponga de forma terminante ENRIQUE MÚGICA dando el acto por terminado con la lectura de una elegía al Maestro por JESÚS LÓPEZ PACHECO.

»Lo anteriormente expuesto motiva que las gestiones de información y vigilancia se centren sobre estos dos personajes aludidos, que permiten determinar que el tal MÚGICA es uno de los principales promotores del congreso de escritores aludido y al que secundan de forma activísima JULIO DIAMANTE STIHL, LÓPEZ PACHECO y JULIÁN MARCOS. Se determina igualmente que son ellos los que pretendieron organizar un acto en el aula magna de la Facultad de Filosofía con lectura de obras de RAFAEL ALBERTI y de PABLO NERUDA, ambos conocidos comunistas. Se tiene igualmente conocimiento por esta Primera Brigada de que a dichos medios universitarios había llegado propaganda del partido comunista consistente en *Mundo Obrero, Cuadernos de Cultura,* propaganda específica del partido comunista; como lo indicaba el hecho de que a algunos universitarios se les viera leyendo la citada propaganda.

»Todo ello demostraba que existía una cabeza dirigente que encauzaba las actividades de dicho grupo estudiantil hacia sus fines propios...»

Don Roberto Sabuesa dejó en la mesa el informe que estaba leyendo. Una cabeza dirigente, en efecto, de eso se trataba.

En realidad, casi se sabía de memoria los documentos de la diligencia policiaca realizada en los medios estudiantiles de Madrid a raíz de los acontecimientos y tumultos del mes de febrero. Su buen compañero, Digno Fuertes Galindo, comisario principal jefe de la Primera Brigada Regional de Investigación Social, había solicitado su asesoramiento, y le había facilitado con dicho fin las copias de todos los informes, actas de interrogatorios y documentos anexos relativos a la citada investigación o diligencia.

La cabeza dirigente, eso era lo esencial. Lo que había que descubrir. La verdadera cabeza, por supuesto. No sólo la aparente. Esta última, por eficaz que fuese, y había demostrado que podía serlo, no planteaba mayores problemas. Y es que, aunque se tratase de «asunto tan delicado como todo lo que se relaciona con la Universidad», como oportuna y eufemísticamente decía en la introducción a su informe el comisario Fuertes Galindo, la cabeza visible siempre podría controlarse. Por hábil que fuera, a Enrique Múgica Herzog -de madre extranjera y judía, como se observará- siempre podría ponérsele freno, coto y control.

Lo mismo diría de otro de los cabecillas realmente peligrosos, por su apellido y su posición social, por el prestigio del que parecía gozar entre sus compañeros universitarios.

A don Roberto le subió un resquemor por el esófago que le llenó la boca de acidez. Podía ser la copa de orujo que se había tomado poco antes, que Eloy Estrada le había ofrecido. Podía ser también la rabia que le entraba, sorda pero irreprimible, cada vez que mencionaba o le venía a la mente aquel apellido. Cuando recordaba la sangre que había dado por España esa familia -padre y abuelo fusilados por los rojos; un tío que siempre se había destacado en las misiones de vanguardia de Falange-, le daba un arrechucho de santo furor pensar en aquel niñato irresponsable, mamarracho, traidor.

Unos días antes, precisamente el sábado 14 de julio, se le había rendido homenaje al mencionado tío, Juan José Pradera, recién nombrado por el Generalísimo embajador de España en Damasco. En el *Arriba* del domingo había leído don Roberto una reseña de dicho homenaje.

«Las palabras de Juan José Pradera», decía el periódico, «fueron selladas con continuados aplausos una vez que puso remate a las mismas con el compromiso de entregar a su tarea, como título reclamado por su nombre y su militancia, el de leal al Caudillo y España.»

Pues bien, de ese tronco tan racial y espiritualmente sano había salido un retoño lleno de resentimiento, de odio hacia todo lo noble, todo lo prístino de la cristiana y civilizadora tradición de España.

A don Roberto y a todos sus colegas de la Brigada de Investigación Social les constaba que el nieto de don Víctor y sobrino de Juan José Pradera era uno de los máximos, tal vez el máximo responsable del movimiento universitario de oposición y de disgregación. Pero por su apellido y la situación de su familia en el Régimen, por el hecho de acabar de ingresar en el cuerpo jurídico del Ejército del Aire, la investigación policíaca a su respecto había tenido que desarrollarse con cautela, en detrimento de su eficacia.

Así, por ejemplo, no se le había podido enviar a Carabanchel como un preso cualquiera. Se le había tenido que confinar, bajo palabra de honor, en el recinto del aeródromo militar de Getafe, donde podía recibir visitas de su familia y hasta de sus amigos. A pesar de ello, los inspectores de la Brigada habían conseguido descubrir sus conexiones con los demás revoltosos, anudando los hilos de una muy turbia trama.

En suma, la información y vigilancia no planteaban mayores problemas en lo que se refiere a la cabeza visible, legal en cierto modo, de la revuelta. Lo que quedaba por descubrir, en cambio, era la cabeza dirigente real. La que entre bastidores daba órdenes, consignas o consejos a unos y otros.

Don Roberto se preparó un vaso de agua con una buena dosis de bicarbonato. Lo removió largamente con una cucharilla, pensativo.

Alguno de los inspectores del grupo de la Primera Brigada encargado de la investigación pensaba que el verdadero artífice de todo el cotarro, el hombre que servía de enlace entre los veteranos jefes comunistas del exilio y los novatos del interior, era un tal Antonio López Campillo.

Natural de Algeciras, bastante mayor que los demás estudiantes implicados en la conjura –había nacido en agosto de 1925–, López Campillo reunía, es verdad, algunas condiciones que podían hacerle sospechoso de cierto papel dirigente. En primer lugar, había viajado a París con relativa frecuencia durante los últimos años. Además, no podía ser afecto a los ideales del Régimen, ya que era un destacado elemento protestante que pertenecía a la Iglesia Evangélica española y al grupo Esfuerzo Cristiano, del templo sito en el número 25 de la madrileña calle de Calatrava.

Desde París, el 15 de diciembre de 1955, Campillo había escrito una carta a uno de sus amigos madrileños, carta que fue intervenida en un registro domiciliario y en la que se aludía varias veces a la «Sagrada Familia», a los «padres de la Sagrada Familia», lenguaje a todas luces críptico, codificado. Un distinguido especialista en temas de comunismo de la Dirección General de Seguridad, Mauricio Carlavilla, consultado sobre este particular, había opinado –constaba su dictamen en la carpeta de copias y demás documentación de don Roberto, bajo el número 6121 del registro de salida de dicha dirección, con fecha del 28 de abril de 1956–, «que las denominaciones "Sagrada Familia", "padre de la Sagrada Familia", "los Padres", "Su Santidad", "Santo Padre" y otras, encierran indiscutiblemente una alusión simbólica a elementos que deben ser considerados como dirigentes u orientadores de actividades políticas. Antes ya de 1932, cuando el Comité Central del Partido Comunista de España estaba integrado por José Bullejos, Gabriel León Trilla y otros, recibieron, por parte de los propios militantes de aquel partido, el calificativo de "Sagrada Familia"...».

Pero esa carta de París del tal Campillo, prueba fehaciente para algunos inspectores de que el aludido participaba en las altas esferas del comunismo en el exilio, o que tenía, por lo menos, contacto con ellas, no significaba casi nada para don Roberto. Ateniéndose a una larga experiencia, estaba convencido de que un verdadero responsable del trabajo clandestino jamás hubiese enviado, por correo normal, misiva tan incauta, utilizando semejantes expresiones. Sólo podía haberlo hecho un neófito, o un compañero de viaje, correveidile de la organización.

Habría que buscar en otra parte la dichosa cabeza dirigente.

El comisario Sabuesa bebió de un solo trago el vaso de agua con bicarbonato. Sintió un alivio casi inmediato y eructó con satisfacción, dos veces seguidas.

Tenía una opinión personal sobre este asunto. Tan personal que todavía no la había comentado con nadie.

Tenía un candidato para el papel de dirigente de la conjura. Estaba seguro de conocer su nombre y apellido. Pero no adelantaba gran cosa conociéndolos. Y es que era el nombre, seudónimo más bien, de un mero fantasma. De un ser inexistente, no identificable, no fácil de identificar por añadidura. Ninguno de sus habituales confidentes, ni de los informadores ocasionales relacionados con los supervivientes, escasos, del naufragio de la organización comunista de Madrid, a finales de los años cuarenta, daban razón de aquel nombre y apellido. Ni tenían la más mínima idea de dónde podía surgir el personaje que utilizaba aquel seudónimo, nuevo en los anales de la clandestinidad.

A menudo, cuando pensaba con rabia o disgusto en ese asunto, al comisario se le antojaba ser espectador de una película de misterio: ya había aparecido en algunas secuencias una figura sospechosa, ya nos estremece verla deslizarse sigilosamente en las escenas más inocentes, bucólicas acaso, pero aún no sabemos su nombre verdadero, ni por qué parece disponerse a asesinar a la rubia deliciosa del vecino hotelito. Y, sobre todo, no sabemos qué hacer para avisar del peligro a dicha rubia.

Así, don Roberto estaba seguro de conocer el nombre, por desgracia supuesto, del dirigente, enlace o instructor del centro exterior del partido comunista cerca de los universitarios madrileños. Podría demostrarlo *more geometrico*, con el rigor que se exige para desarrollar cualquier argumentación matemática. Pero dicho saber era inútil: no le servía para nada.

Fueron interrumpidas sus cavilaciones, llamaban a la puerta. Se oía la voz de Eloy Estrada.

–¿Se puede, don Roberto? Tengo algo que enseñarle...

Dijo que sí, que se podía, que adelante, que a ver.

Estaba viéndolo: era una tarjeta postal que representaba, con colores chillones, una escena de degollación, desagradable, casi repugnante.

–Acaba de llegar –decía Eloy Estrada–. Desde Italia...

La mirada del comisario le envolvió en su frialdad.

–Yo recibo aquí el correo del pueblo –explicaba Estrada–. Antes de que se distribuya. Y como parecía interesarle el señorito Lorenzo...

Don Roberto no dijo por qué le interesaba Lorenzo Avendaño. Miró la postal, comprobó que venía de Italia, en efecto. De Florencia, según el matasellos. Una breve nota en italiano daba el nombre del pintor, A. Gentileschi, el tema de la obra. Se trataba de la degollación de Holofernes por Judit y su sirvienta.

Morboso, pensó el comisario. Luego leyó el texto escrito con una letra menuda, pero perfectamente descifrable.

«Mercedes del alma mía: el cuadro del que tanto me has hablado no está en Nápoles, sino en los Uffici de Florencia, como podrás comprobar. Y el vestido de Judit no es azul, como lo era en tu recuerdo, sino amarillo. Hasta en esta cochina reproducción puede verse. O sea, tu memoria del viaje de novios necesita contraste y precisión. En Roma, Piazza del Popolo, estupenda tarde con María Z. y algunos amigos suyos. Te lo contaré el 18, durante vuestra horrible ceremonia cavernícola... Ojalá sea la última: lo has prometido. Recogeré a Isabel en Madrid, llegaremos juntos. Lorenzo.»

–¿Le parece importante? –preguntaba Eloy, obsequioso.

Al comisario le parecía más que nada indignante que un hijo llamara a su propia madre «Mercedes del alma mía». Pero no dijo nada. No eran cuestiones que iba a comentar con Estrada, desde luego que no. Por si acaso, anotó en su memoria el nombre que Lorenzo mencionaba en su postal: María Z. Averiguar quién podía ser. Se felicitó de que el joven Avendaño confirmara su asistencia a la ceremonia del día siguiente. No le asombró demasiado cómo la adjetivaba: «horrible» y «cavernícola». Pero le llamó la atención esta última palabra, poco usual ahora entre muchachos de veinte años. Sería lenguaje de tradición familiar, pensó.

Le devolvió la postal a Eloy Estrada.

–No –dijo–, no tiene importancia.

El propietario de La Prosperidad se le quedó mirando, como si esperara instrucciones.

–Voy a comer aquí –dijo el comisario–. Iré a la finca más tarde...

Eloy se movió enseguida, anunció que iba a mandar que le pusieran la mesa allí mismo, para que estuviese tranquilo, enumeró platos, guisos, vinos, quesos y postres. El comisario hacía gestos displicentes, despidiéndolo. Dijo que encargara lo más conveniente, a su antojo. Ya sabría él mejor que nadie. Se fue, pues, Estrada con la postal que representaba la degollación de Holofernes y que Lorenzo le había enviado a su madre desde Florencia.

Unas horas más tarde, Roberto Sabuesa vio aparecer otra vez la dichosa tarjeta postal. Estaban entonces en el salón de música de La Maestranza, antes de la cena, y Raquel la traía en una bandeja de plata.

Mercedes Pombo se apartó del grupo en que estaba conversando para leerla.

José Ignacio, el jesuita, el segundo de los hermanos Avendaño, estaba enfrascado en una discusión con el americano. Hablaban de Ortega, de la teoría de las generaciones, de España con y sin problema y del problema de España: vertebrada o acaso no. Al comisario Roberto Sabuesa le irritaba la presencia de Leidson. Le fue antipático desde que apenas le entrevió en la tienda de Eloy Estrada, por la mañana. Le observaba de reojo, acechando la primera ocasión de hacerle alguna descarga dialéctica. El jesuita, en cambio, parecía estar encantado con su interlocutor.

–¡Virgen santa, qué comienzo! –exclamó de pronto Mercedes Pombo.

Todos se volvieron hacia ella.

Roberto Sabuesa comprendió entonces por qué se le habían antojado vagamente familiares las primeras palabras de la misiva de Lorenzo a su madre. La exclamación de ésta lo ponía de manifiesto. Era como en el *Tenorio* de Zorrilla, cuando la madre superiora lee la carta de don Juan a Inés: «Doña Inés del alma mía...». Y la superiora pone el grito en el cielo: «¡Virgen santa, qué comienzo!».

–Eso está en el Tenorio –dijo el comisario–. Sin embargo, usted no se llama Inés...

Mercedes Pombo le miró extrañada.

Pero aquello sería más tarde, en La Maestranza, antes de la cena. Ahora está todavía en el almacén de Eloy Estrada. Para que no le molestaran los clientes, Eloy le ha instalado en el reservado donde los feriantes suelen hacer sus partidas de cartas. Allí le han puesto la mesa y le han servido entremeses caseros, variados y odoríferos.

Era la segunda vez que don Roberto asistía en Quismondo a la ceremonia expiatoria del asesinato de 1936, al cumplirse el vigésimo aniversario de aquel luctuoso acontecimiento. En este preciso instante, al trascribir el adjetivo «luctuoso», el Narrador –¿o tan sólo el escriba, escribidor o escribano?– de esta historia no ha podido evitar un respingo. Y es que se trata de un adjetivo duro de pelar. Duro de aceptar y por tanto de escribir. Un adjetivo de abecedario, o sea propio del léxico del diario *Abc*, que ya se sabe inscrito en una determinada tradición retórica. Al Narrador adjetivos como éste le producían, en la época en que se desenvuelve esta historia –e incluso siguen produciéndole, según datos fidedignos–, cierto repeluco. Ahora bien, como dicho Narrador aún no se ha identificado, como todavía no sabemos cabalmente quién es, ni por qué lo es, tendremos que contentarnos con esta fugaz alusión: no hace suyo ni aprueba literariamente el uso del adjetivo «luctuoso», pero tampoco quiere censurarlo, ya que, y es lo único que de él puede aventurarse en este momento, no se trata de un narrador totalitario: sabe que es el dios de estos relatos, ¡cómo no!, pero un dios tolerante, nada mayúsculo ni majestuoso, pasado por las aguas bautismales de la modernidad narrativa, que le obligan a permitir que sus personajes se expresen alguna vez por su cuenta y riesgo, con su propio lenguaje, pase luego lo que pase.

El año anterior, como quiera que sea, en 1955, el comisario Sabuesa fue a Quismondo por pura casualidad. En Chicote, durante una copa de vino español que festejaba la promoción de algún amigo o conocido, el comisario se había encontrado con José Manuel Avendaño, hombre de negocios muy relacionado con determinadas esferas del Régimen y que hasta ese día no había tenido el gusto de tratar. Salió en la charla entre ambos el asunto de la conmemoración familiar de aquel hecho luctuoso (el adjetivo lo puso el comisario, ciertamente: dejemos constancia de ello). Avendaño le explicó en qué consistía la ceremonia y a don Roberto le pareció ejemplar. ¡Ojalá pudiera hacerse algo parecido a escala nacional! Algún acto multitudinario y religioso, en el Cerro de los Ángeles, tal vez, que recordara a los rojos que habían sido vencidos por los nacionales, que les obligara periódicamente a asumir su condición malévola, no sólo de vencidos sino también de condenados por la Historia y la Divinidad.

Pero este año no había ido a Quismondo sólo por curiosidad o simpatía. Estaba allí principalmente por razones profesionales.

Y es que, como ya ha dado a entender una frase de Eloy Estrada, al comisario Sabuesa de la Brigada Social le interesa el joven Avendaño. No es que éste haya tenido un papel de primer plano en la revuelta de febrero ni en los movimientos universitarios que la precedieron o que siguieron produciéndose después. Lorenzo Avendaño fue uno más, uno de tantos. Al comisario no le interesaba el papel que tuvo sino sus relaciones con algunos de los protagonistas del movimiento disgregador. Era amigo de Múgica Herzog, por ejemplo. Pero, sobre todo, parecía estar muy relacionado con el Gran Manipulador, el Traidor Máximo, cuyo nombre se resistía a pronunciar, incluso en su fuero íntimo. Ésta era una de las pistas que deseaba investigar más a fondo, y algo que no había podido acometer todavía porque la familia Avendaño, por consejo de José Manuel, el mayor, el hombre de los negocios, se las había arreglado para que Lorenzo desapareciera de Madrid durante cierto tiempo: lo había mandado a Italia, en viaje de estudios, decían.

Aprovechando la circunstancia de la ceremonia conmemorativa, don Roberto se proponía recomenzar la investigación. Si su intuición se revelaba acertada, Lorenzo Avendaño tal vez le permitiera –involuntariamente, muy a pesar suyo– seguir los hilos de la trama hasta la verdadera «cabeza dirigente» de la subversión.

En realidad, la eficacia de la acción policial, después de las algaradas y manifestaciones de febrero, había sido dudosa. A esa conclusión había llegado don Roberto Sabuesa. Se había incautado alguna propaganda, localizado a algunos activistas de la subversión liberal –ya que ésta era la piel de cordero con que se disfrazaban ahora los instructores del partido comunista: el liberalismo–, se había encarcelado y procesado a algunos cabecillas virtuales. Pero todos los detenidos habían tenido que ser puestos en libertad. La represión carecía por tanto de ejemplaridad.

Si no corre algo de sangre, o mucho miedo por lo menos, mucho y santo temor, no se consigue nada: ya lo ha demostrado la experiencia. Además, la cárcel, cuando es poca y más bien benévola, no sólo no infunde temor en la sociedad, sino que puede, muy al contrario, otorgar prestigio y popularidad a los encarcelados, convirtiéndolos en mártires a poco precio.

Por otra parte, y esto era lo más negativo, la investigación policial no había conseguido desvelar los contactos del grupo de universitarios madrileños con el aparato clandestino del partido comunista. Que dichos contactos existieran, había que ser tan ingenuo como el traidor Ridruejo para negarlo o pretender ignorarlo. Éste, en efecto, en un informe enviado a las autoridades después de su salida de la cárcel, exponiendo las razones del malestar estudiantil, pretendía ocultar o descartar toda influencia de los comunistas, todo contacto con ellos.

Bien es verdad que en ninguno de los interrogatorios de los más destacados universitarios detenidos había salido a relucir relación alguna con la organización comunista clandestina. A primera vista, se confirmaba la opinión de Dionisio Ridruejo sobre la espontaneidad, la autonomía del movimiento subversivo. Pero sólo a primera vista. Y es que los interrogatorios habían sido más bien de guante blanco. No se había presionado bastante a los detenidos. Probablemente a los inspectores les había impresionado que fueran en su mayoría de buena familia: no se atrevieron a tocarles ni un pelo de la ropa. Ahora bien, sin un mínimo de presión física no se obtiene nunca nada. Algunas hostias bien dadas, en el momento oportuno, hacen ganar semanas en el conocimiento de las tramas subversivas.

Pero no sólo se había respetado en demasía a esos señoritos de mierda. Además, los inspectores no habían comprendido que el objetivo principal de su investigación consistía en descubrir los contactos con la red clandestina del partido comunista. La «cabeza dirigente», como decía en su informe Digno Fuertes Galindo, era lo esencial. En ese sentido había que hurgar y apretar. Eso es lo que él mismo, tomando el relevo, se proponía descubrir sobre la base de los datos acumulados por sus subordinados.

Un breve escalofrío de placer anticipado le recorrió la piel, un nudo de calenturas le presionó la ingle, al pensar en la posibilidad de que su intuición se confirmara: con una pizca de suerte, Lorenzo Avendaño iba a conducirle, sin saberlo, hasta la «cabeza dirigente».

Satisfecho, volvió a eructar.

De entre los documentos que tenía en la mesa eligió algunos. Tres, concretamente. El primero era la copia de una nota oficial que el Ministerio de Información había enviado a todos los diarios, durante las algaradas estudiantiles del mes de febrero.

Se titulaba: *Una maniobra comunista al descubierto*, y decía así:

«Anticipándose en más de 24 horas a unos propósitos estudiantiles que ayer entorpecieron en Madrid el normal funcionamiento de algunos servicios docentes, el órgano oficial del partido comunista para España, *Mundo Obrero*, publicó el día 7 un artículo de Federico Sánchez conteniendo consignas para la juventud comunista española. Tales consignas demuestran dónde está la mano instigadora de ciertas sospechosas actitudes y el móvil posible de quienes tratan de convertir a nuestra juventud universitaria en primer objetivo para los fines de una amplia maniobra política.

»En este artículo, que revela cómo una fuerza que pretendía mantenerse en el secreto sigue queriendo perturbar la vida normal de los españoles, el citado editorialista de *Mundo Obrero* dice, en texto que ayer mismo fue transmitido como consigna a través de Radio España Independiente: El estudiante comunista debe combinar las formas de acción legales e ilegales, prestando especial atención a las formas de organización y de lucha que surjan espontáneamente en la masa estudiantil, para apoyarse en ellas sin dogmatismos preconcebidos...».

Bueno, no iba a seguir leyendo semejantes despropósitos.

Se conocía de memoria la jerga retórica de los agitadores comunistas: llevaba quince años luchando contra ellos. Lo importante no era el contenido de este artículo, lleno de tópicos y de latiguillos. Lo importante era su firma, Federico Sánchez. Y es que el comisario había realizado una pesquisa sobre dicho nombre y apellido a raíz de su aparición con motivo de los sucesos estudiantiles de febrero.

Cabía decir lo siguiente: en primer lugar, que era un nombre de guerra relativamente reciente. Podría hasta afirmarse que muy reciente. Dos años antes, en efecto, no existía este Federico Sánchez. No aparecía, al menos, en las publicaciones del partido comunista. La primera vez que don Roberto pudo localizarlo fue en un número –el 18, para mayor precisión– de la publicación *Cuadernos de Cultura*, número dedicado íntegramente a la reunión del V Congreso del partido.

Según los datos que el comisario logró reunir pacientemente, algunos fidedignos, otros aleatorios, dicho congreso se había celebrado a finales de 1954. Y en el extranjero, por supuesto. Probablemente en Praga. Fuera como fuese, ésta es la ocasión en que aparece por vez primera el fantasma de Federico Sánchez: dicen los comunicados de la propaganda comunista que ha sido nombrado miembro del Comité Central. En el número de *Cuadernos de Cultura* mencionado se publica su discurso ante una sesión del congreso.

Tampoco en ese caso le interesa al comisario el contenido político de la intervención de Sánchez, en la que, por otra parte, sólo se recogen y desarrollan líneas tácticas del partido de estos últimos años, orientadas a presentarse como una corriente política democrática, tolerante. ¡Hasta patriótica, Dios nos coja confesados! Le interesan mucho más algunos detalles de la formulación utilizada. Y es que en su léxico y en su enfoque concreto, la intervención de Sánchez se diferencia bastante de los textos de los viejos líderes. Debe de ser éste un hombre de otra generación, que probablemente no haya participado en la guerra civil. Además, por ciertos detalles sobre la vida madrileña que Sánchez daba en su informe, puede deducirse que no es un hombre del exilio. Que conoce la España actual, donde tal vez resida. O donde, al menos, pase temporadas más o menos largas. En suma, que se trata de un dirigente de nuevo corte, de una nueva generación de cuadros comunistas, sin duda diferentes de los viejos capitostes formados en la época de la Cruzada, y dicha novedad extremaba el peligro que representaba.

Don Roberto enciende un pitillo y echa mano del tercer documento que quería volver a consultar.

Se trata de un ejemplar de *Nuestra Bandera*, «revista de educación ideológica del Partido Comunista de España», así reza el subtítulo. Revista ilegal, en papel cebolla de buena calidad, con pie de imprenta en Madrid –falso: los comunistas lo imprimen todo en el extranjero– y fechada en 1956, sin mayores precisiones. Pero ha circulado por la universidad en el mes de abril o de mayo. Además, en el breve artículo de Federico Sánchez que figura en el sumario de la publicación –junto a trabajos de personajes mucho más conocidos: Santiago Carrillo, Manuel Delicado, Pedro Ardíaca y Manuel Azcárate– se alude a la muerte de Ortega y Gasset, lo cual ayuda también a precisar la fecha de impresión. El mencionado artículo de Sánchez se titula: «Ortega y Gasset o la filosofía de una época de crisis».

El comisario de la Brigada Social vuelve a meter los tres documentos en el cartapacio correspondiente. Apunta algunas conclusiones en su agenda personal.

«17 julio 56 / Cabeza dirigente: FS, probablemente nuevo / No lo conocen los veteranos más o menos controlados / Ni los confidentes / Seudónimo, seguro / Vive sin duda temporadas en Madrid / Encargado principalmente de intelectuales y estudiantes / Caza y captura / Buscarlo por sus contactos con cabezas visibles: Múgica H., J.P., Campillo.»

Cierra los ojos, piensa en Lorenzo Avendaño, intenta imaginar cómo será. «Bueno, mañana lo sabré.»

Pero eso fue antes, unas horas antes, en la taberna y almacén de Eloy Estrada. Ahora está en el salón de música de La Maestranza, tomando una copa con los comensales de la cena prevista. Aunque, en realidad, los únicos que toman copas son él y José Manuel Avendaño. El americano bebe un zumo de naranja y los demás agua de Solares.

–Pues claro, ¡la coordinación de principio de Avenarius!

Oye esta exclamación a sus espaldas. Reconoce la voz del que habla, recién llegado a la reunión, un tal Perales. Había entrado éste en el salón de música poco antes de que Raquel presentara a Mercedes Pombo la tarjeta postal de Lorenzo, en una bandeja de plata. Ella se apartó para leer la postal de su hijo. Luego diría en tono declamatorio lo de «¡Virgen santa, qué comienzo!», que le hizo pensar en el *Tenorio* de Zorrilla.

El recién llegado era un tipo poco agraciado, más bien rechoncho, pero ágil de andares, cuyas gruesas gafas de concha no ocultaban una mirada avizora, acaso aviesa, José Ignacio, el jesuita, se había abrazado al desconocido, más tarde presentado como Perales, Benigno Perales. Contentísimos ambos de verse.

–Te he traído dos regalos de Alemania –le dijo el jesuita–. Ya verás...

Al otro le brillaron los ojos. Hasta se le empañaban los lentes de emoción.

–Libros, supongo –dijo.

El jesuita le cuchicheó algo al oído y Perales batía palmas de satisfacción.

–Luego te los doy –replicó José Ignacio–. Tenemos mucho que hablar.

Enseguida recomenzó la discusión sobre Ortega y Gasset que José Ignacio Avendaño había entablado con el americano. Terciaba en ella Perales, perentorio.

El comisario les volvío la espalda, malhumorado.

La figura de Perales no le era desconocida: estaba seguro de que ya se había topado con él hacía tiempo. Mucho tiempo, sin duda. No era un recuerdo reciente. Pero Sabuesa gozaba de una memoria prodigiosa, casi fotográfica: años después podía identificar una fisionomía, aunque sólo la hubiese visto una vez. Ahora bien, esa memoria era selectiva: sólo funcionaba sin equívocos ni equivocaciones en el contexto de su actividad profesional. Así, por ejemplo, y con gran disgusto de su esposa, nunca reconocía a las amigas de ésta que venían cada semana a jugar a las cartas a su casa. En cambio, las facciones de cualquier sospechoso –y habían sido cientos– que hubiera pasado por su despacho, aunque sólo fuera unos minutos, a lo largo de los muchos años de su actividad policíaca, quedaban grabadas en su memoria.

¿Dónde y cuándo habría visto a este Perales?

Por si fuera poco, el comisario no sólo tenía la impresión, casi podría decirse la certidumbre, de haberse encontrado ya con ese tipo, y en circunstancias que le hacían obligatoriamente sospechoso, sino que también estaba seguro de conocer el extraño nombre que había invocado el intruso: Avenarius. Le sonaba, sin duda. Y le sonaba en relación con alguna investigación policial. No sabía momentáneamente con cuál, pero ya se haría la luz. Algo reciente, en todo caso. Tenía un cerebro bien organizado y siempre terminaba poniendo en claro las intuiciones o iluminaciones que centelleaban en él, al azar de alguna asociación de ideas o de vocablos. Perales y Avenarius: acabaría identificándolos a ambos si tenían que ver con la subversión comunista.

Entretanto, continuaba a sus espaldas la discusión sobre Ortega y Gasset. Más que una discusión, en realidad era una perorata del tal Perales, que los otros dos escuchaban con atención, poniéndose ésta de manifiesto por alguna pregunta que le hacían, sin duda pertinente, ya que provocaba nuevas y más detalladas explicaciones de aquél, encantado de lucir sus saberes: se le notaba en la voz ahuecada.

Por lo que se deducía del relato de Benigno Perales, éste se había encargado desde hacía unos pocos meses –así se explicaba que don Roberto no lo hubiese conocido el año anterior, durante su primera asistencia a la ceremonia expiatoria de La Maestranza– de poner en orden y de catalogar la biblioteca de la casa.

Biblioteca impresionante –éste fue el adjetivo que utilizó varias veces Perales–, llena de tesoros bibliográficos, y hasta de bibliófilo, al parecer reunida por el abuelo fundador, ampliada luego por los sucesores. Alguno de ellos, en cualquier caso, o quizás el propio abuelo –en el lenguaje doméstico de dueños y servidores, la biblioteca se llamaba significativamente «salón del Indiano»–, había coleccionado numerosísimos volúmenes de literatura y de filosofía alemana del siglo XIX y comienzos del XX. Perales enumeraba títulos y nombres que al comisario le eran desconocidos, de los que no tenía ni idea, pero que suscitaban el asombro admirativo de sus dos interlocutores. En esa retahíla volvió a surgir el nombre de Avenarius, que ya había llamado la atención de Roberto Sabuesa, desde la interjección primera de Perales. Por segunda vez tuvo la certidumbre de que el tal Avenarius estaba relacionado con algún asunto policial que habría tenido recientemente entre manos.

Se volvió entonces hacia el trío de la discusión orteguiana para poder seguir más de cerca lo que iba a decirse en relación con el dichoso Avenarius. Y al volverse don Roberto se dio cuenta de que había entrado en el salón de música Mayoral, el intendente de la finca, que estaba contando algo, muy acaloradamente, pero en voz baja, a doña Mercedes y a José Manuel Avendaño.

–Pero dime –se asombraba José Ignacio, el jesuita–, ¿Avenarius, de verdad? ¿El mismo?

–Pues el mismo –contestaba Benigno Perales, encantado–. El mismísimo: el que sale tan mal parado en el libro de Vladimiro...

–Más que libro, libelo –puntualizaba el jesuita–. Ya me parece habértelo demostrado hace años...

El otro movía la cabeza en un gesto que podía ser tanto afirmativo como dubitativo.

Lo que sí quedaba fuera de dudas es que el Avendaño jesuita y el tal Perales, ahora bibliotecario de La Maestranza, se conocían muy bien, aunque este último no hubiera estado viviendo en la finca el año pasado.

Pero intervenía el americano.

–Donde dicen Vladimiro ponemos Ilitch, ¿no es así?

Los dos confirmaban rotundamente, con gestos y monosílabos categóricos que así era, en efecto. Pero que el mencionado Vladimiro se transformara inopinadamente en Ilitch no permitía al comisario identificarlo.

En cambio, sí quedó claro que el Avenarius de los cojones había escrito ensayos de filosofía y que en uno de ellos –por cierto, el jesuita le corrigió con suavidad a Perales la pronunciación alemana del título–, en ése precisamente, el tal había formulado la tesis, que luego Ortega haría suya, sin anunciar la fuente, del «yo y su circunstancia». A partir de allí, la discusión rebasó ampliamente las posibilidades de entendimiento de don Roberto.

Pero a éste no le importaba media puñeta no entender casi nada de lo que se decía de la relación entre Avenarius y Ortega, de la prelación de las tesis del primero. Lo que le preocupaba, porque no era lógico –y la lógica es una de las ciencias maestras de toda investigación seria, también de la policial–, era que el tal Avenarius hubiese escrito a comienzos de siglo un ensayo en el que Ortega y Gasset se habría inspirado –según Perales al menos– y que el mismo sujeto pudiera, sin embargo, tener algo que ver (su infalible memoria le permitía afirmarlo, antes incluso de poder documentarlo) con una reciente pesquisa o encuesta de la Brigada Social.

No casaban las fechas, desde luego.

Pero se aclarará: todo se aclarará. No hay misterios que se me resistan, piensa el comisario en un momento de eufórica arrogancia que le hace levantar la vista y mirar fijamente al rostro de Benigno Perales.

Éste sostiene la mirada, preguntándose si Sabuesa acabará por reconocerlo. Desde el primer instante se ha dado cuenta de que el comisario le observa con el ceño fruncido. Con una curiosidad encubierta, pero constante. Como si estuviera cerniéndose, en la nebulosa de su memoria, una imagen, una escena, tal vez un escenario, que no acabara de recomponerse nítidamente, de cristalizar con claridad.

Desde el primer instante, desde que entró en el salón de música, Perales había tenido la certeza de que el comisario lo recordaba, sin conseguir identificar totalmente dicho recuerdo.

Él, por su parte, no había dudado ni un segundo. Había reconocido a Roberto Sabuesa en cuanto le vio. Claro que le era más fácil recordar al comisario que a éste acordarse de él. Diez años habían transcurrido desde el encuentro entre ambos, en un despacho de la Dirección General de Seguridad. Pero por dicho despacho, sin duda, habrían pasado decenas o centenares de detenidos. Él, entre tantos: Perales, Benigno. Uno de tantos: anónimo en cierto modo. En cambio, Sabuesa era único. No podía confundirse con nadie en la memoria de los detenidos.

Cuando entró en aquel despacho de la Puerta del Sol, diez años antes, a Benigno Perales ya le habían apaleado lindamente en los locales de la Brigada Social. Día y noche, durante días y noches. Su cuerpo enflaquecido ya sólo era una bolsa de dolor, un saco de angustias viscerales. Pero no consiguieron sacarle ni un dato, ni un nombre, ni siquiera la confirmación de datos o de nombres que ya conocían. Sólo habló para decir sus señas de identidad. Una vez, sin embargo, se permitió el farol de contarles algún episodio de su niñez en Quismondo. Le escucharon un momento, por estupefacción tal vez. O por cansancio de tanto golpearle. Sea como sea, cuando le subieron al despacho de la planta noble de la Dirección General de Seguridad, Benigno estaba deshecho físicamente pero moralmente entero. Tal vez porque se encontraba ya más allá del dolor. Más allá también de la esperanza. En un desierto de soledad: más bien, de solidaridad solitaria. Nada podía ocurrirle ya, nada determinante, en todo caso. Entró en el despacho y supo que era el comisario Sabuesa. Estaba removiendo con una cucharilla un vaso de agua con bicarbonato. Con un aire de cansancio grisáceo, displicente. Supo que era Sabuesa por lo del bicarbonato. Por esa mirada gris y sórdidamente odiosa. O sea: cuajada de odio.

Y es que el comisario Sabuesa, desde que había organizado la caída y el fusilamiento en 1939 de un grupo de chicas de las Juventudes Comunistas de Madrid –las «trece rosas», en la memoria mítica de la resistencia–, era famoso, triste, abominablemente famoso, entre los militantes. Todos, más o menos, hasta que hacia 1949 fueran barridas las últimas organizaciones clandestinas, tendrían algo que ver con Sabuesa. Tendrían que vérselas con él: verse las caras con él. Y allí estaba, en su despacho de la Dirección General de Seguridad, removiendo una cucharilla en un vaso de agua bicarbonatada.

Tantos años antes, el comisario había levantado la vista, observado su llegada. Una mirada gris, cuajada de odio desalmado, desesperado. ¿Cómo olvidar esa mirada? Benigno Perales no la había olvidado.

Entró Benigno en el salón de música cuando ya estaban reunidos allí todos los comensales de la cena. Estaba Leidson, el historiador norteamericano. Poco antes se lo había encontrado en la biblioteca, leyendo lo que en el diccionario de Madoz se dice del pueblo de Quismondo. Benigno volvía con un libro curioso que había descubierto al establecer el nuevo catálogo: uno de los muchos libros curiosos que iban apareciendo en aquella biblioteca milagrera, según progresaba en su trabajo de ordenación.

Se trataba de un volumen en octavo, primorosamente impreso y encuadernado en piel, aunque sin referencia de editor. En el lugar habitual de pie de imprenta sólo figuraba la fecha de publicación, 1773, en números romanos, claro está. Escrito en francés, idioma de las ideas universalistas de la época, el libro tampoco ostentaba nombre de autor. Más precisamente: se presentaba como obra póstuma, *ouvrage posthume*, de M.B.I.D.P.E.C. Una inverosímil acumulación de iniciales que equivalía a un anonimato deseado. Este dato, la falta de pie de imprenta, ciertas características de la tipografía y del papel utilizado, le hacían conjeturar a Benigno Perales que el volumen, por su contenido subversivo –bajo el título de *Recherches sur l'Origine du Despotisme Oriental* se desplegaba un fortísimo alegato contra los gobiernos teocráticos, una defensa e ilustración de las ideas ilustradas, valga la repetición–, había sido impreso en Amsterdam, como solía ocurrir por aquellos años de gestación de los principios del pensamiento crítico moderno. Se veía Perales reforzado en dicha suposición por un *ex libris* que figuraba en la página de la contracubierta y que atribuía la propiedad del precioso volumen a un tal Agostinho de Mendonça Falcão, que podía imaginarse miembro de la ilustre y erudita comunidad judía portuguesa de aquella nórdica capital del comercio y de las bellas letras.

Sea como fuera, a Perales le había interesado sobremanera la susodicha investigación sobre el despotismo oriental y la había leído con fruición.

Dos horas antes, pues, al entrar en la biblioteca para devolver el libro a la estantería recién ordenada y catalogada, se encontró con Michael Leidson, absorto en la lectura de un tomo del *Diccionario Geográfico-Estadístico de España y sus Posesiones de Ultramar*, de Pascual Madoz. Supuso, y adivinó en efecto, que el americano –de cuya venida a La Maestranza ya tenía alguna noticia– estaría leyendo la entrada relativa a Quismondo. También él lo había hecho, meses atrás, cuando le tocó fichar y colocar el dichoso Diccionario en el anaquel que le correspondía a partir de la nueva ordenación. Quismondo aparecía, por orden alfabético, entre Quisicedo y Quitapesares. La entrada siguiente a esta última le había encantado a Benigno: Quitasueños. Se trataba de un cortijo de la provincia de Sevilla, en el partido judicial de Alcalá de Guadaira: ¡hasta los cortijos y fincas vienen reseñados en el Madoz! «Pues sí», decía Leidson, sonriente, «me divierte el estilo descriptivo de don Pascual. ¿Se acuerda de lo que escribe aquí?» Leyó en voz alta unas líneas del diccionario: «... "es de clima templado, con buena ventilación y se padecen catarros...” Estupendo, ¿no? Los catarros de Quismondo, parece un título de comedia de enredo rural...».

En suma, que Leidson y él simpatizaron enseguida. A la media hora ya estaban haciéndose confidencias sobre sus respectivas ilusiones vitales.

El americano, pues, estaba hablando con José Ignacio cuando Benigno entró en el salón de música, antes de la cena. Se acercó a ellos, se abrazó con el Avendaño jesuita. Éste iba vestido con un impecable terno de verano, de seda negra, donde sólo el cuello clerical ponía un sello distintivo. José Ignacio le anunció que le traía un par de regalos. ¿Libros? Pues sí, libros, como Dios manda. Bueno, en este caso, no sé si Dios, le cuchicheó al oído: se trata de un volumen hasta ahora inédito de Marx, los *Grundrisse*, que tal vez pueden considerarse como los borradores de *El Capital*, y de una edición alemana del informe secreto de Jruschov. Estuvo a punto de pedirle a José Ignacio que le diera inmediatamente ambos textos, pero era imposible: no podía faltar a la cena para encerrarse a leer. Los dejaría para después, tenía la noche por delante.

Estaban Leidson y Avendaño hablando de Ortega y Gasset y Benigno se entrometió en la discusión.

Y es que acababa de hacer un descubrimiento filosófico que se le antojaba importante y quería comunicárselo sin tardanza: acababa de descubrir las fuentes de la formulación orteguiana acerca del «Yo y su circunstancia».

Al desempolvar, ordenar y catalogar en efecto los miles de libros de la biblioteca del Indiano, Benigno se había encontrado con un montón de libros alemanes de fines del siglo pasado y comienzos del XX. Tres le llamaron la atención particularmente. Por el nombre de su autor: Richard Avenarius. Cierto que sólo conocía la obra de este filósofo por referencias, ya que había sido blanco privilegiado de las iras de Lenin («Vladimiro», había dicho él; «Ilitch», había precisado Leidson) en su librito *Materialismo y empiriocriticismo*.

Pues bien, prosiguió Benigno, entusiasmado con su hallazgo, de aquel famoso Avenarius había tres libros en la biblioteca del Indiano, vaya usted a saber por qué. Los volúmenes de la *Kritik der reinen Erfahrung* y un tercero que se titulaba *Der menschliche Weltbegriff*, en el cual, precisamente, se encontraba la tesis de la coordinación de principio entre el Yo y el Mundo, cuya formulación por Avenarius era exactamente la de Ortega, *Ich und meine Umgebung:* «yo y mi circunstancia», sólo que anterior en varios años a la orteguiana y ya conocida por tanto en los círculos universitarios alemanes en los que vino a ampliar estudios el joven filósofo español.

En realidad, si Benigno Perales exponía su tesis con tanta pasión y precisión –puede decirse que hasta con excesiva volubilidad–, si se enfrascaba él y arrastraba a los otros dos a tan erudita disquisición, era sobre todo para evitar, o al menos postergar, el momento de su enfrentamiento con el comisario Sabuesa. El momento, sin duda inevitable, en que éste, cuya mirada no dejaba de perseguirle y sopesarle, se acordara de dónde, por qué y cuándo le había visto por primera vez. Y no es que Perales temiera la irrupción de ese recuerdo policiaco, ni muchísimo menos. De hecho no le importaba nada que el cabrón de Sabuesa acabara reconociéndole. Pero le molestaba la idea de que ese reconocimiento provocara un incidente desagradable en casa de los Avendaño. Por Mercedes, desde luego, por la tranquilidad de Mercedes.

No ocurrió, sin embargo. Mejor dicho, ocurrió algo, pero nada tenía que ver con aquel asunto, con aquel lejano encuentro en un despacho de la Dirección General de Seguridad. De hecho, el comisario Sabuesa no recordó las exactas circunstancias en que, por primera vez, se había topado con Perales hasta más tarde, y de una forma que no conviene ni da tiempo a adelantar ahora y aquí, porque acaba de entrar en el salón de música Raquel, con su andar leve y armonioso.

–¡Caballeros! –dice Raquel, para llamar la atención de los presentes.

Se volvieron hacia ella.

Sólo el comisario se había percatado de la aparición de Mayoral poco antes. Sólo él se había fijado en la acalorada discusión –por los gestos podía adivinarse que así era– que el intendente de La Maestranza estaba teniendo con el primogénito de los Avendaño, José Manuel, y con la cuñada de éste, Mercedes Pombo. Más que discusión, pensó don Roberto, parecía que Mayoral traía alguna noticia importante, probablemente mala, desagradable al menos, a juzgar por los ademanes y visajes que al escucharle hacían los otros dos. Enseguida se habían escabullido del salón y ahora, al cabo de diez minutos, Raquel volvía y solicitaba la atención de todos con voz alta y perentoria.

–La señorita Mercedes me ha encargado que les pida mil perdones, caballeros. Va a haber cierto retraso en el servicio de la cena... El señorito José Manuel y ella están resolviendo un asunto urgente...

–¿Tiene que ver con la fiesta de mañana? –preguntó inquisitivo el comisario.

Raquel dio un respingo.

–¿Fiesta? No lo llamamos así nosotros...

El comisario se encogió de hombros.

–Bueno, ya me entiende. ¿Tiene que ver con lo de mañana, llámese como se llame?

Tenía que ver, desde luego. Pero Raquel no contestó la pregunta imperativa del comisario Sabuesa. No era ella quien contaba las historias, ya se lo había dicho al gringo guapo -así lo denominaba la señorita Mercedes, sonriente- aquella misma mañana. Ella las vivía, acaso, eso sí, pero sin contarlas.

Volvió los ojos hacia Leidson, que se estaba acercando, mientras Benigno y José Ignacio seguían apartados, en silencio, expectantes. Captó Raquel la mirada de Leidson, la mantuvo en el fulgor entornado de la suya, un instante: casi una eternidad.

-¿Cuánto retraso? -preguntó José Ignacio-. No importa, de todas maneras, todavía es temprano...

Se volvió hacia Benigno.

-Puedes contarnos algo más de ese Avenarius...

Se oyó entonces un grito, casi un alarido, aunque enseguida sofocado, reprimido. «¡Avenarius!», aullaba el comisario, «¡Ya está: Federico Sánchez!»

Todos le miraron, sorprendidos por aquel súbito chillido.

Más tarde, cuando tuvieron ocasión de recordar aquel incidente y comentarlo, comprobaron que ninguno de los tres había entendido lo mismo. Mejor dicho: el nombre de Avenarius sí, lo oyeron y entendieron todos. Se comprende: habían estado citándolo a menudo, al escuchar las explicaciones de Perales sobre el origen de la orteguiana fórmula del «yo y su circunstancia». Fue la segunda parte del confuso chillido lo que no entendieron por igual. José Ignacio Avendaño, sin duda por su formación o deformación profesional, que era de escolástica y de clericatura, entendió Tomás y no Federico Sánchez. En realidad, lo que había oído y grabado en su memoria era el apellido Sánchez, al cual antepuso inmediatamente el nombre de Tomás en un proceso mental de asociaciones tortuoso, aunque fácil de esclarecer: Tomás Sánchez fue, en efecto, un teólogo andaluz de fines del siglo XVI, jesuita y reputado casuista, cuyo tratado más conocido, *De sancto matrimonii sacramento*, había ojeado José Ignacio en algún momento de su estudiosa juventud.

Ahora bien, lo que no comprendió era el porqué de la conexión o concatenación de ambos nombres, tan dispares, Avenarius y Sánchez, en el súbito grito del comisario.

Benigno Perales, por su parte, no percibió claramente el sentido de la exclamación de don Roberto. Le oyó gritar, se dio cuenta de que su rostro expresaba una sorpresa extática, tal vez una satisfacción algo histérica, pero no supo a qué atribuirlo. Pensó primero que Sabuesa le habría por fin identificado, que habría terminado acordándose de pronto de aquel lejano encuentro en su despacho de la Puerta del Sol. Pero enseguida comprendió que no era así. Además, ni Avenarius ni Federico Sánchez tenían nada que ver con el lejano encuentro en el despacho del comisario Sabuesa.

El único que oyó los dos nombres, tal y como los pronunció éste, fue Michael Leidson, el americano. Oyó «Avenarius» y oyó «Federico Sánchez», efectivamente. De Richard Avenarius y de la influencia probable de éste en la filosofía de Ortega y Gasset acababa de enterarse por las minuciosas explicaciones de Perales acerca del volumen descubierto en la biblioteca de La Maestranza, *Der menschliche Weltbegriff*. De Federico Sánchez también sabía algo. Y es que Leidson, como el comisario Sabuesa pero por razones radicalmente opuestas –por interés y simpatía, en suma–, se había ocupado intensamente de la revuelta universitaria de febrero. Había preguntado, indagado, curioseado, acumulado documentación de todo tipo, escrita y oral, sobre aquel acontecimiento. Como el comisario, Leidson había comprobado la aparición reciente en la historia de la clandestinidad comunista de aquel nombre de guerra. Sin duda sabía algo más que Roberto Sabuesa de aquel fantasma, porque se desenvolvía en los medios estudiantiles e intelectuales de Madrid con mayor soltura que el policía.

Ahora bien, lo que tampoco entendió el historiador americano en aquel primer momento fue la ilación o relación que parecía establecer entre ambos personajes el grito del comisario. «¡Avenarius! ¡Ya está: Federico Sánchez!»

Cabalmente no tenía sentido.

Aquel misterio sólo se aclaró dos días más tarde, con la llegada de Lorenzo Avendaño a La Maestranza. Éste había regresado a Madrid unos días antes de un largo viaje por Italia y había intentado retomar contacto con alguno de los responsables de la organización universitaria comunista.

Múgica estaba en San Sebastián, de donde era oriundo y adonde se había trasladado al salir de la cárcel. A Fernandito Sánchez Dragó fue imposible localizarlo. Pero Lorenzo consiguió hablar con Pradera. Estuvieron almorzando juntos en una tasca de Alcalá, La Taurina, y luego charlando en el Retiro, sentados en un banco a la sombra, junto al estanque del Palacio de Cristal.

Le contó Pradera lo que había ocurrido en Madrid desde que se fue a Italia. Y Lorenzo, todavía embelesado por los descubrimientos de su viaje, le habló de los museos, de los libros que había comprado, de los mítines del PCI a los que había asistido. Y de una velada en casa de María Zambrano, en Roma. «Fíjate qué casualidad», decía Lorenzo, «estaba allí un tal Semprún Gurrea, que es algo así como un embajador o representante del gobierno republicano en el exilio. Y que fue amigo de mi padre. Me habló de su último encuentro, hace veinte años, casi día por día, horas antes de que estallara la guerra civil. Aquí en Madrid, en casa de un amigo común, un médico, un tal Eusebio Oliver. Y aquella noche Lorca les leyó *La casa de Bernarda Alba* que acababa de escribir. Increíble, ¿no?»

«Novelesco por lo menos...», comentó Pradera.

Pero a éste, más que los recuerdos de García Lorca, lo que le interesaba eran los libros que Lorenzo había traído de Italia. Tanto que pasaron un momento por casa de los Avendaño, en Alfonso XII, para que Pradera se llevara un volumen de Gramsci.

Luego, al caer la tarde, estuvieron en Ferraz con Domingo Dominguín.

(No se extrañe el lector ni se regocije, en el caso de que fuera malévolo –hay lectores para todos los gustos y disgustos pensando que el Narrador ha perdido el hilo y se ha olvidado de que estaba esclareciendo el sentido de la exclamación extemporánea del comisario Roberto Sabuesa. De hecho, ni se ha perdido el hilo ni mellado el filo del relato: hacia el anunciado esclarecimiento caminamos, con paso seguro aunque desenfadado. Y es que fue Dominguín quien facilitó a Lorenzo, sin saberlo por cierto, la posibilidad de que, dos días más tarde, pudiera entenderse lo que pasaba por la mente del policía cuando reunió sorpresivamente en un solo aullido los nombres de Avenarius y de Federico Sánchez.)

No puede decirse que reinara aquella tarde un ambiente de paz y de sosiego reflexivo en la casa de Ferraz. Se abrían y cerraban puertas estrepitosamente, había carreras de niños y mayores por los pasillos. Al parecer, «la Patata» (así se apodaba, extrañamente porque era una niña preciosa, la hija mayor de Domingo, mientras la segunda –tercera, en realidad, pero el primogénito era un varón, Domingo, como su padre–, la segunda, de nombre Marta, recién nacida, se apodaba «Yuri», en homenaje al primer cosmonauta ruso sin duda), la Patata, pues, había tenido un accidente camino del colegio y se estaba esperando con angustia la llegada de un médico que pronosticara sobre las consecuencias de la caída, aparatosa, según proclamaba el coro plañidero y ruidoso de las chachas. Por si fuera poco, en la antesala de aquel octavo piso un sujeto fornido y furibundo exigía a voces, a duras penas contenido por dos empleados de la plaza de Vista Alegre, el pago inmediato de una factura o deuda de veinte mil duros, supuestamente a cargo de Domingo Dominguín.

Éste, sin apenas inmutarse, estaba en uno de los dormitorios del fondo. Había colocado una compresa fría en la frente de la Patata y le hablaba a media voz, con ternura («Patatita, mi amor, niña del alma...»), esperando la llegada del médico. Lo cual no le impedía mantener con Pradera y Avendaño, que se habían introducido en aquella habitación sorteando obstáculos y griteríos de toda índole, una conversación animada.

–Te voy a dar algo para Perales –le decía Domingo a Lorenzo–. Se lo tengo prometido.

Se volvió hacia Pradera.

–¿Sabes quién es Benigno Perales? Deberías conocerlo. Un tipo de Quismondo, genial... Ha estado en la cárcel, se las sabe todas... Comunista por libre, que ahora no tiene contacto regular con la organización...

Su tono se hizo burlón.

–Debería ser nuestro principal teórico. ¡Nuestro maestro!... Fijaos qué cómodo: en vez de tener que consultar con París los problemas teóricos que surjan, iríamos a Quismondo... A la vuelta de la esquina... En vez de marxismo-leninismo, que suena bastante exótico, tendríamos marxismo-peralismo... Mucho más castizo, ¿no?

Se rieron, Domingo se apartó un momento, revolvió en un armario entre un montón sedoso de ropa interior femenina y extrajo de allí un ejemplar del último *Mundo Obrero* y otro de una revista de diminuto formato, *Nuestra Bandera*, publicaciones clandestinas ambas del partido comunista.

Lorenzo se embolsó aquellos papeluchos para llevárselos a Benigno Perales dos días después.

Y así fue como Benigno y él descubrieron juntos, en *Nuestra Bandera*, un artículo del tal Federico Sánchez sobre la filosofía de Ortega y Gasset en que podía leerse la frase siguiente: «Ya en 1894, el señor Avenarius pretendía revolucionar la ciencia, superando la oposición entre materialismo e idealismo con su famosa "coordinación de principio" –desenmascarada por Lenin en *Materialismo y empiriocriticismo*– al escribir que el yo y el medio ambiente (lo que Ortega llama circunstancia) siempre son dados conjuntamente».

Pero todavía no hemos llegado a estas alturas de la narración. Y es que el Narrador, sea quien fuera, se ha adelantado un cierto trecho a los datos objetivos que han ido hilvanándose cronológicamente ante el atento y amable lector (siempre conviene suponerle a éste atención y amabilidad, de otro modo sería ardua en exceso la tarea del narrador, escriba, escribano o escribidor).

En verdad, todavía estamos en el salón de La Maestranza, antes de una cena que se está demorando por razones desconocidas, el 17 de julio de 1956.

Lorenzo sólo llegará a la finca mañana, con Isabel, su hermana gemela.

Y el comisario Sabuesa acaba de chillar incontrolada, casi histéricamente, porque recuerda de pronto dónde y cuándo ha visto aparecer ese extraño apellido que tanto han mencionado algunos de los comensales: Avenarius. Lo ha visto en un artículo reciente de Federico Sánchez, en el ejemplar de *Nuestra Bandera* que ha vuelto a ojear hoy mismo.

Por eso grita, desaforado, excitadísimo.

–¡Avenarius! ¡Ya está: Federico Sánchez!

# 4

«... Que a pesar de los envíos que se le han hecho de propaganda comunista, nadie le ha hecho, sin embargo, proposiciones para su incorporación, en caso de que funcione el Partido Comunista, ignorando que alguna de las actitudes que tanto él como sus amigos han tomado se deban a instrucciones de dicho partido, y si en algún caso esto ha sucedido, él, y cree que sus amigos, han actuado por sí y no orientados por nadie...»

Son las últimas palabras de la declaración de uno de los detenidos del mes de febrero en Madrid.

De Fernando Sánchez Dragó, concretamente, «de diecinueve años, estudiante de Filosofía y Letras, hijo de Fernando y Elena, natural de Madrid, y con domicilio en Lope de Rueda, número veintiuno, tercero derecha, de esta capital», según se dice en el documento que Roberto Sabuesa acaba de consultar, por enésima vez, a medianoche.

Vuelve a colocar el comisario esta página –la decimoséptima del expediente, para ser totalmente exactos y fidedignos– en su legajo de copias.

Lo conoce al dedillo, casi se lo sabe de memoria, pero acaba de examinarlo nuevamente para comprobar que no se le ha escapado ningún detalle, por mínimo que fuese, relativo a la «cabeza dirigente». Es decir, cualquier detalle que pudiera ponerle sobre la pista de la relación –indiscutible, a su modo de ver, inevitable, por muy oculta que la mantengan los detenidos hasta hoy– entre las cabezas visibles del movimiento estudiantil y algún instructor (Federico Sánchez, ¡qué duda cabe!) del partido comunista.

Extrae ahora el comisario otras páginas del legajo que tiene señaladas: de la 50 a la 53.

Contienen éstas las declaraciones de don Pedro Laín Entralgo, catedrático de la universidad, «de estado casado, de 48 años de edad, vecino de Madrid, con domicilio en la calle de Lista, número 11, piso cuarto».

Vuelve a leer un párrafo de dicha comparecencia: «Que nunca sospechó que el tan mencionado Congreso de Escritores Jóvenes Universitarios tuviese un contenido encubierto y simulado de tipo político y muchísimo menos que fuera un medio o instrumento de propaganda comunista clandestina o parecida dentro de España. Que es claro que si él hubiera tenido la más remota sospecha de que esto podía suceder, rigurosa y automáticamente hubiera tomado las medidas del caso para cortar tal finalidad subrepticia e ilícita. Que es más, la primera noticia que ha tenido acerca del particular se la ha dado hace dos días [la comparecencia de don Pedro Laín ante el juez está fechada el 27 de febrero de 1956] la prensa de Madrid, al publicar o trascribir cierta nota de la Dirección General de Seguridad de alguna agencia de información. Que por tanto tiene la primera noticia, como consecuencia de las preguntas que le acaba de formular el juzgado, de que los componentes y organizadores del congreso recibieron en sus respectivos domicilios para después propagarla y difundirla, propaganda de índole comunista que procediera de Francia y que se la remitieron desde ese país o desde el interior del nuestro, así como que esa propaganda la integraban folletos clandestinos del periódico *Mundo Obrero*, ejemplares de los que se titulaban *Cuadernos de Cultura*, conclusiones de un congreso comunista español en el exilio, etc., desconociendo también en todo que se utilizaran los ficheros de aquel congreso [una nota al margen de Sabuesa precisaba que en este caso se trataba del Congreso de Jóvenes Escritores preparado por los revoltosos madrileños y no del congreso comunista] para cursar y dirigir tal propaganda. Que aunque tampoco lo sabe, tiene por seguro que las desavenencias o falta de entendimiento o colaboración del SEU con el congreso ["lo mismo repito", había anotado el comisario de su puño y letra] no serían esas actividades clandestinas las que desenvolvieron los elementos más caracterizados de aquél, porque a su juicio es indudable que si ése hubiera sido el motivo, el SEU habría tomado sus medidas y se lo habrían dicho a él. Que lo único que sobre el particular recuerda y puede decir al Juzgado es que el jefe nacional Jordana le dijo de manera genérica y sin darle carácter de gravedad que tenía cierta desconfianza con alguno de los elementos del congreso, dándole a entender, como ahora suele decirse, que eran un tanto incontrolables y que en esta circunstancia concurrente dimanaba la separación o cesación de la colaboración con ellos del sindicato español universitario...».

Sabuesa vuelve a colocar estas páginas en el legajo de copias.

Es comprensible, piensa, que Laín Entralgo mantenga ante el juez esa actitud de ignorancia en cuanto a una labor subversiva clandestina. Probablemente dice la verdad cuando explica sus relaciones con los cabecillas visibles del movimiento revoltoso. (No olvidar, sin embargo, que un hermano del rector, un José Laín, está exiliado en Rusia y ha sido del Comité Central comunista, aunque su nombre no figure ya en la última lista conocida de miembros de dicho organismo dirigente.) Es lógico, en todo caso, que el aparato comunista clandestino no haya tenido contacto directo con el rector Laín Entralgo: le basta y le sobra con los agentes legales que tiene infiltrados en su entorno. Las afirmaciones de Laín, aunque sean, y sin duda lo son, sinceras y verídicas, no son probatorias. No tienen relevancia desde el punto de vista de una encuesta policial rigurosa.

A medianoche don Roberto Sabuesa vuelve a colocar en la correspondiente carpeta los documentos que ha estado consultando una vez más.

Cierra los ojos, meditabundo.

Horas atrás, en la taberna y tienda de Eloy Estrada, antes de ir a la finca de los Avendaño, había apuntado algunas reflexiones en su agenda personal.

Tiene la libreta abierta en la mesa, vuelve a leer sus apuntes.

«17 julio 1956 / Cabeza dirigente: FS, probablemente nuevo / No lo conocen los veteranos más o menos controlados / Ni los confidentes / Seudónimo, seguro / Vive sin duda temporadas en Madrid / Encargado principalmente de intelectuales y estudiantes / Caza y captura / Buscarlo por sus contactos con cabezas visibles: Múgica H., J.P., Campillo.»

A estos tres últimos lo mejor sería volver a detenerlos bajo cualquier pretexto, se le ocurre de pronto, y presionarlos de verdad. ¡Basta ya de interrogatorios de guante blanco! Algo saldría si conseguimos que se desfonden, y estos niñatos suelen hundirse. Imposible, sin embargo, mejor olvidarlo. ¿Cómo convencer a los jefes de que se impone enchironar a Pradera, supongamos, con permiso para darle unas buenas palizas, cuantas haga falta? Ni soñarlo, pondrían el grito en el cielo. ¡El nieto de don Víctor! ¡El sobrino de nuestro embajador en Damasco!

Menudo griterío se iba a armar.

Con los otros dos, más o menos lo mismo. Aunque tal vez con Múgica Herzog pueda intentarse algo. No es de tan buena familia, y además, medio judío, ni siquiera converso, marrano o chueta. Su madre, extranjera: habría menos quejas y quejidos: pensarlo.

Tiene la boca seca, se levanta, se sirve un vaso grande de agua de botijo, fresquísima.

Luego, desalterado, hace memoria: quiere recordar lo más detalladamente posible su conversación con Castillo, unas semanas antes.

Se había presentado en su domicilio sin avisar, por sorpresa, como solía hacerlo, a la hora del almuerzo. Castillo era un hombre de unos cuarenta años, aunque aparentara más. Había sido miembro de un comité provincial del partido comunista: uno de los últimos comités de Madrid antes del desmantelamiento de las organizaciones comunistas a finales de los años cuarenta.

Al comisario le encandilaba llamar a la puerta de esa casa, comprobar cómo se descomponía el rostro de Pilar, la esposa de José Juan Castillo, militante también, en otros tiempos de guerra y de posguerra, pero de filas, sin responsabilidades. Lo había pagado con unos meses en la cárcel de Las Ventas.

Castillo, en cambio, fue importante cuando el partido comunista se reorganizó en Madrid.

En fin, sin entrar en detalles superfluos en este momento de la narración, cuando Castillo llegó al despacho de Sabuesa, antaño, después de varias semanas de interrogatorios, todavía se mantenía entero, tras resistir a las incontables palizas de los tipos de la Brigada Político-Social.

El comisario conocía a Castillo; sabía que por las malas, multiplicando los golpes a cualquier hora del día y de la noche, interrumpiéndole un sueño precario, transido de dolor, no era fácil conseguir algo. Castillo era capaz de morir a manos de los voluntariosos e infatigables muchachos de la brigada, sin decir siquiera esta boca es mía.

Sabuesa cambió radicalmente de métodos.

Dio tiempo y respiro al militante comunista para que se recobrara del sufrimiento que lo martirizaba; le quitó las esposas, le permitió fumar mientras conversaba apaciblemente con él, contándole los resultados de las recientes operaciones policiales, rotundamente coronadas por el éxito. De paso, como si tal cosa, le leyó extractos de las actas de los interrogatorios que demostraban cuánto habían cantado otros responsables clandestinos, deshechos por la tortura. De esa manera, sin estridencias, sin tocarle un pelo de la ropa ni hacerle ninguna pregunta directa, el comisario le fue comiendo la moral a José Juan Castillo.

Pero la puntilla se la dio Sabuesa unos días después, una tarde en que volvió a quitarle las esposas y le mandó traer una taza de auténtico café.

–No entiendo por qué te resistes tanto –le dijo suavemente–. En primer lugar, es inútil: ya lo sabemos todo de la organización actual de tu partido en Madrid y provincia. Los tuyos, los que quedan en libertad, los tenemos controlados; servirán de cebo para cuando llegue del extranjero un nuevo equipo de instructores del Central a reorganizarlo todo una vez más...

Esperó un momento a que Castillo interiorizara tan terrible evidencia.

–En segundo lugar –añadió en tono de confidencia y compasión–, ¿quién te garantiza que el partido va a tener en cuenta tu silencio? Depende de tantas cosas...

En su mirada de súbita angustia, Sabuesa descifró que Castillo había adivinado a qué aludía.

–No sé cuáles han sido tus relaciones con las sucesivas direcciones clandestinas en el interior... –machacó Sabuesa– Hasta te diré que, hoy por hoy, ni me interesa ni me importa... Pero, fíjate, haz memoria: Trilla vuelve de Francia en el año 43, por lo que sabemos enviado por Monzón... Restablece los lazos entre las diferentes organizaciones provinciales, crea una especie de órgano central... Él y Monzón, que también ha vuelto al país, fracasan en la operación del valle de Arán... Pero ahí están, existen, editan propaganda, ayudan a sus presos, organizan protestas... Pues bien, a Trilla lo asesina un grupo de guerrilleros comunistas venidos de Francia, en 1945, por orden del buró político... Fue en Madrid, en el campo de las Calaveras, a puñaladas... Pero no sé por qué te lo cuento, si tú lo sabes muy bien...

Castillo lo sabía, en efecto.

Algo había oído contar, por lo menos. Algo confuso, pero agobiante.

En 1945, Castillo volvió a incorporarse al trabajo político clandestino después de unos años de vagabundeo voluntario por España para borrar huellas y evitar las represalias de la victoria franquista. Tenía entonces veintinueve años, vivía emparejado con Pilar, ya tenían una niña. Ese año, al terminar la segunda guerra mundial, en la euforia de entonces, se estableció en Madrid, encontró un trabajo fijo en una imprenta, de corrector de pruebas, regularizó la situación con Pilar desde el punto de vista del estado civil. Y luego, en aparente contradicción con dicho asentamiento en la vida, buscó con prudencia, pero sin descanso, un contacto con la organización comunista clandestina. Lo encontró, fue acogido con entusiasmo, ya que tenía un estupendo historial de la época de la guerra civil.

Sí, entonces había oído hablar por primera vez del caso Trilla.

–Lo sabes, ¿verdad? ¿Quieres que te lo recuerde? –insistía el comisario.

José Juan Castillo tuvo un ramalazo de desesperanza. Le dolió todo el cuerpo de nuevo, súbitamente. Tuvo la certidumbre, angustiosa, de que no aguantaría nuevos interrogatorios si Sabuesa mandaba reanudarlos. Tuvo la certeza, abominable, de que no había remedio, ni salvación, de que estaba derrotado.

Sabuesa, al acecho, como siempre, se dio cuenta de ese momento de flaqueza, de abandono, de naciente resignación.

Decidió aprovecharlo.

–Tu vida –le dijo a Castillo–, incluso tu vida de militante, tu porvenir en el partido, está en mis manos. Será como yo decida. Si hago correr la voz de que te has rajado, que has cantado todo lo que sabías, e incluso algo más, acabo con lo que más aprecias, con lo que hace la sustancia de tu vida: tu ideal comunista, la amistad y el respeto de los militantes... Y nadie podrá poner en duda que has traicionado: sé lo suficiente de vuestra organización actual para atribuirte la responsabilidad de tal o cual caída... Puedo hacer creer que lo que vayamos descubriendo en los meses próximos es por culpa tuya... Estarás vivo, pero serás un hombre muerto... Estarás libre, en la calle, pero serás prisionero del desprecio, del temor horripilado de los tuyos, te verás solo, aislado, moralmente acorralado. Puede incluso que amanezcas en alguna cuneta, asesinado como Trilla... ¿De verdad no quieres que te cuente lo de Trilla?

José Juan Castillo creía saber por qué los dirigentes del buró político, los de fuera, como solía calificarlos, o sea Dolores Ibárruri, Santiago Carrillo, Vicente Uribe: los que mandaban de verdad, por qué habían decidido asesinar a Trilla. Ellos dirían «ajusticiar», probablemente. Es igual, creía saberlo. Pero odiaba la idea de que el comisario se lo dijese. Odiaba la idea de que el hijoputa de Sabuesa dijera en alta voz ese secreto de familia. Escalofriante secreto, sin duda, vergonzoso, ciertamente, pero de familia. A resolver en casa, cuando llegara el momento, se decía.

Se frotó Castillo las muñecas, libres de esposas pero todavía entumecidas, doloridas. Miró al comisario. Estaban solos desde hacía un momento en el despacho de la Puerta del Sol. ¿Tendría tiempo de abalanzarse sobre Sabuesa, de estrangularlo, antes de que volviera algún funcionario? ¿Tendría, sobre todo, la fuerza para hacerlo? Concentró Castillo lo poco que le quedaba de coraje espiritual en aquella idea. Levantarse de golpe, tirarse al cuello del comisario, aplastarle con los pulgares la carótida: estrangularlo.

Su mirada, en ese instante, fue estremecedora. En cualquier caso, Sabuesa intuyó que algo podía ocurrir, que Castillo, desesperado, estaba a punto de cometer algún acto de locura.

Con gesto decidido, aceptando en su mirada el envite mortífero que destellaba en los ojos del militante comunista, Sabuesa sacó de la funda sobaquera una pistola del nueve largo.

Después de armarla –se oyó el ruido de la bala que pasaba del cargador al cañón del arma–, Sabuesa colocó la pistola en su mesa de despacho, muy cerca de su mano derecha.

–No seas loco, Castillo –dijo en voz baja.

Seguían observándose fijamente, desafiándose.

–Castillo –siguió diciendo el comisario, suavemente–, mira lo que voy a hacer. Por cárceles y comisarías va a correr la voz de que te has portado como un jabato. ¡Castillo el macho! Lo cual es verdad, por otra parte, te lo mereces... No te voy a interrogar más, porque es inútil, casi inútil por lo menos... Lo único importante, que tú sabes y que yo todavía no sé, es dónde está la imprenta del comité provincial... Bueno, te regalo la imprenta... Tú, a cambio, cuando salgas de la cárcel, porque de la cárcel no te salva nadie, lo entiendes, ¿verdad?, cuando salgas, dentro de algunos años, procuraremos que no sean demasiados, saldrás con una contraseña... Dondequiera que estés, en el penal de Burgos, en el Dueso, a los militantes como tú, muy bien me lo sé, el partido les da una contraseña clandestina para que la organización pueda retomar contacto con vosotros, una vez en libertad... Bueno, pues yo vendré a verte de vez en cuando, charlaremos...

No dijo nada más. Todo quedó resumido en ese «charlaremos», nebuloso pero escalofriante.

–No le veo muy optimista, comisario –dijo entonces Castillo, irónico.

Sabuesa tuvo un sobresalto.

–Así que –prosiguió Castillo– dentro de unos años, por lo menos cinco, calculo: porque a mí me toca la tarifa de los dirigentes: veinte años y un día, pero si hay suerte morirá algún Papa, habrá indulto especial, y luego está lo de la redención de penas por el trabajo... O sea, entre pitos y flautas me quedo en cinco años..., dentro de cinco años, por tanto, usted piensa seguir estando en la brecha, persiguiéndonos... ¿Todavía no se habrá acabado lo que ustedes llaman «subversión comunista»?

Sabuesa optó por pensar que la insolencia de Castillo era una cortina de humo, un gesto último para mantener el tipo en el instante en que, tácitamente, aceptaba su propuesta.

Puso la mano derecha en su pistola y habló lentamente.

–Esto, camarada Castillo (también en Falange decíamos «camarada», ¿verdad?), esto no se termina nunca... Mejor dicho, esto, lo nuestro, esta lucha a muerte por la supervivencia sólo se termina, de una u otra forma, si Rusia se desmorona, la Unión Soviética quiero decir... Mientras exista la Rusia de Lenin y de Stalin, seguiréis pensando que la revolución es posible, que vale la pena seguir sufriendo... Ahora bien, por muy optimista que me ponga, no creo que en cinco años haya desaparecido la Unión Soviética... En suma, que todavía nos veremos las caras, tú y yo...

Pero eso fue hace tiempo, años atrás, en un despacho de la Dirección General de Seguridad.

Ahora estamos en La Maestranza, una finca de la provincia de Toledo, en la noche del 17 al 18 de julio de 1956.

El comisario Sabuesa, después de consultar una vez más los documentos relativos a la revuelta estudiantil del pasado mes de febrero, está haciendo memoria, morosa, sistemáticamente, de su visita a José Juan Castillo unas semanas antes. Está recomponiendo el rompecabezas de todos los detalles de aquel encuentro, por nimios o insignificantes que parecieran a primera vista.

Se había presentado como siempre sin avisar a la hora del almuerzo. Había comprobado una vez más, y con el mismo regocijo de siempre, en cuanto Pilar abrió la puerta, la temerosa y tenue llamarada parpadeante en los ojos de la mujer.

–¿Está tu marido? –preguntó.

Y sin esperar respuesta, sin atender al gesto de Pilar que pretendía cerrarle el paso, se metió por el pasillo hasta el comedor de la casa.

Allí estaba Castillo, que ya había adivinado quién se presentaba de esa manera, a destiempo, con semejante desparpajo. Sólo podía ser el cabrón de Sabuesa, desde luego.

Además –y esto se lo contará Castillo años más tarde al Narrador de esta historia; y se lo contará con visible satisfacción, casi con orgullo–, además, no sólo adivinó Castillo que era Sabuesa el que entraba en su casa con tanta grosería, sino que también supo, de inmediato, a qué venía el comisario, qué iba a preguntarle.

Años más tarde, muchos años más tarde, Castillo le diría al Narrador de esta historia cómo había supuesto, acertadamente, en virtud de un razonamiento relámpago, cuál iba a ser aquel día la principal curiosidad del comisario Sabuesa.

Iba a preguntarle qué sabía de Federico Sánchez, desde luego. Acertar en eso tampoco era cosa del otro mundo si se piensa mejor, pero, vamos, no estaba mal: acertar era prueba de agilidad mental, no cabe duda.

Todavía se reía satisfecho José Juan Castillo al contarle al Narrador cómo había adivinado cuál era el motivo de la aparición imprevista –como siempre– del comisario Sabuesa.

–Yo había salido del penal de Burgos dos años antes, en 1954 –contaba Castillo–. Con una contraseña del partido, en efecto, estaba enterado el hijoputa ese. Pilar había prosperado en su trabajo, era algo así como secretaria principal del director de la empresa, la niña había crecido: una adolescente guapísima y extraordinaria en los estudios; de sobresaliente en sobresaliente, tanto en ciencias como en letras, y hasta en idiomas: me leía versos en latín y en inglés, agárrate. Bueno, que las cosas en casa no iban mal. Yo volví a la imprenta, pero a los seis meses me cambiaron de puesto: me pusieron de director comercial. Pero es que en Burgos yo había aprendido mucho: contabilidad, gestión de personal, economía, la hostia... A veces lo decimos en broma, tomándonos unas copas, cuando nos encontramos los viejos presidiarios con motivo de algún nacimiento, de alguna muerte también: el penal de Burgos ha sido una escuela superior de formación de cuadros, pero no para la Revolución, así con mayúscula, como pensábamos algunos, sino para el desarrollo del capitalismo puñetero... En serio, Federico, la familia prosperaba... Al cabo de un año más o menos, en 1955 en todo caso, se presenta en casa Simón... O sea, Sánchez Montero, ya sé que lo conociste muy bien y trabajaste con él... Yo me lo había encontrado en el Dueso: un tipo sin demasiada formación teórica, pero valiente, solidario, indestructible, apreciado por todos los compañeros... Un hombre de fiar: la mano en el fuego por él yo hubiera puesto... Bueno, para qué contarte: tú pusiste por él la mano en el fuego... Yo, a Simón, le abro la puerta y le escucho en cualquier circunstancia... Pero venía con la jodida contraseña, o sea que estaba de nuevo en activo... No me faltaban ganas de decirle que sí, que volvía a la organización... Stalin había muerto y las cosas parecía que empezaban a moverse en la URSS... Se notaban aires nuevos: se acabó la pelea fratricida con los comunistas yugoslavos, aquello luego se llamó el deshielo, ¿verdad? Pero yo no podía aceptar un lazo orgánico con el partido, ya que Sabuesa seguía al acecho, esperando el momento en que se retomara contacto conmigo... Fíjate en la paradoja: por espíritu de partido tenía yo que evitar un contacto orgánico con el partido, para burlar la vigilancia de Sabuesa... A Sánchez Montero le dije por tanto que todavía era pronto para volver a la organización, que se las arreglaran para mandarme a las señas de la empresa, no a las mías personales, algún material de propaganda, más bien las cosas de tipo cultural o teórico, porque *Mundo Obrero*, el periódico, era una mierda... Bueno, así de rotundo no se lo dije, se lo di a entender... Pero que no me mandaran a casa ni propaganda ni a algún militante nuevo, desconocido, con tan sólo la contraseña, que sólo vinieran, en el caso de que él mismo no pudiese, camaradas como él, que yo conociera de la guerra o de la cárcel, desde siempre, vamos, que pudieran justificar sus visitas ante la policía por los motivos personales de una vieja amistad... O sea, que para proteger al partido tenía yo que protegerme del partido... Y el comisario se presentaba de vez en cuando, no muy a menudo, y yo le decía que nada, que no había venido nadie a repescarme, que no podía decirle nada... Y charlábamos, tenía que charlar un rato con él para que no desconfiara... Hasta 1956, hasta el mes de junio de ese año, y te lo puedo decir con seguridad, porque aquel mes un periódico de París que se encontraba en algunos quioscos y librerías de Madrid, *Le Monde*, y que Nieves me traducía, ya te he dicho que mi hija se llama Nieves, ¿o no?, ese periódico publicaba un informe secreto de Jruschov en el XX Congreso del partido ruso sobre el culto a la personalidad y los crímenes de Stalin... Bueno, no voy a contarte, macho... Por esos días, yo había estado con Simón en una cafetería de Alcalá, cerca de Manuel Becerra, y le había preguntado si era verdad lo de dicho informe secreto o si, como algunos pretendían, sólo era un invento cabrón de los anticomunistas yanquis... Pues no, me dijo Simón, era totalmente verdad, y él estaba preocupado porque los camaradas de Madrid, sobre todo los obreros, no se lo querían creer, decían que todo era un invento de la propaganda fascista... Que si era verdad que existía tal informe, pues que Jruschov era un cabrón por haberlo hecho. A la semana, más o menos, se presenta Sabuesa a la hora del almuerzo, sin avisar, como de costumbre, y supe qué me iba a preguntar, supuse que iba a interrogarme sobre Federico Sánchez... No era tan difícil adivinarlo... Desde las manifestaciones estudiantiles de febrero, ese nombre salía en la Pirenaica, y hasta en la prensa del Régimen... Además, Nieves me había traído a casa unos folletos clandestinos que habían circulado por la universidad –no puedes imaginarte la emoción: ¡mi propia hija entregándome a mí, tan ufana, como si tal cosa, material del partido!–, bueno, pues unos *Cuadernos de Cultura* con un informe de Federico Sánchez para el V Congreso clandestino del partido y un ejemplar de *Nuestra Bandera* con un artículo del mismo sobre la filosofía de Ortega y Gasset... Bueno, a Simón, aquella tarde cerca de Manuel Becerra, se lo pregunté de sopetón, que me dijera algo de Federico Sánchez... Y Simón puso esa cara de regocijo, de orgullo recatado, que ponen los padres cuando se les elogia la inteligencia o la hermosura de algún retoño, y me dijo en voz baja una cosa increíble, «si quieres», me dijo, «cuando quieras, te lo presento, cualquier día de éstos que tú me digas: ése sí que es capaz de convencerte de que vuelvas a la organización»... En voz baja, pero, te lo repito, con ese tono alegre de los padres cuando les sale un hijo listo... O sea, que entró Sabuesa, le noté que se le ponía una mirada rarísima, un gesto de violencia contenida, extrañísimo, en cuanto vio a Nieves, pero nos fuimos enseguida del comedor, al despacho contiguo, y casi de entrada me suelta a bocajarro: dime lo que sepas de Federico Sánchez...

Don Roberto Sabuesa, aquella noche de julio, en La Maestranza, también lo recuerda así.

Había entrado en el comedor sin prestar atención al gesto de Pilar, la mujer de Castillo que pretendió cerrarle el paso, pero sin la suficiente autoridad.

En el comedor, Castillo no estaba solo.

Frente a él, terminando de comerse una fruta, había una chica de unos diecisiete años probablemente. Supuso que era la hija de Castillo, ¿quién iba a ser? Pero le invadió un sentimiento extraño, violento, irreprimible. De pronto, todo tuvo un sabor amargo, mezcla biliosa de odio, de rencor, de pulsión mortífera. De desaliento, incluso. Como si la aparición de una chica tan guapa, tan suelta y armoniosa de figura y de andares –enseguida se levantó, se apartó de la mesa, hacia un rincón del comedor, con mirada distante y mueca de disgusto–, como si ese aparecer de Nieves, airosa, joven, dueña inequívoca del porvenir, fuese la señal, por sibilina no menos acuciante, de su fracaso. Del fracaso histórico del comisario principal Roberto Sabuesa, de la primera Brigada Regional de Investigación Social, en su lucha contra los residuos, resabios y rescoldos del comunismo, sin cesar renacientes o reactivados.

En la explosión de aquel sentimiento súbito de frustración, de desaliento, sin duda desempeñó su papel –más tarde, rememorándolo fríamente, pudo tomar conciencia de ello el comisario– el hecho de que Nieves Castillo se pareciera tanto, ¡increíble parecido, milagrero!, a una de las chicas de las Juventudes Comunistas que él había detenido en Madrid, en 1939, y mandado al piquete de ejecución. Una de las «trece rosas», como se las llamaba en la leyenda oral de la organización comunista.

Todo le volvió de golpe a la memoria, cuando vio que Nieves Castillo se levantaba de la mesa del comedor, abandonando la fruta a medio pelar, apartándose, con la mirada hosca, el ceño fruncido. Todo, de golpe. Como si estuviera, quince años antes, en la comisaría de Carabanchel ante las trece muchachas que iban a ser fusiladas, cuando aquélla –la que se parecía a Nieves, como un diamante a otro diamante– se adelantó unos pasos, saliendo de la fila, y le escupió su odio, su certeza de la inmortalidad del comunismo; su ilusión de porvenir.

En el comedor de la casa de Castillo, quince años después, todo se revolvió en su memoria.

Le subió desde la ingle un golpe de sangre: un odio mortífero que fue transformándose en deseo. Pero sin duda la palabra era floja para calificar el furor que le invadía, que casi le cegaba.

Furor de posesión, de destrucción. Tuvo ganas de desnudar brutalmente a la chica, de entrar a saco en ese cuerpo que se le antojaba delicioso, delicado, inmaculado.

Se contuvo, ya estaba Castillo, por otra parte, llevándole al despacho contiguo.

–Dime lo que sepas de Federico Sánchez –le espetó el comisario.

Pero yo, le decía Castillo al Narrador de esta historia, muchos años después de aquel verano de 1956, yo ya me esperaba esa pregunta, y sabía cómo contestarla.

Puso cara de asombro, y tardó en responder; como si no entendiera bien de qué se trataba, como si la pregunta le sorprendiese.

–¿Federico Sánchez? Eso me lo tiene que decir usted a mí, comisario, ustedes son los que han aireado ese nombre y apellido, desde la nota oficial de febrero...

–No te hablo de lo que yo sé –le dijo Sabuesa, tajante–. Te pregunto por lo que tú sabes.

Castillo le hizo frente, poniendo en su mirada toda la sinceridad que fuera capaz de aparentar.

–Yo sé lo que ustedes han estado diciendo, nada más...

«Seguimos hablando un rato y me las arreglé, Federico», contaba Castillo al Narrador de este relato, «años más tarde, para sonsacar al comisario algún dato más acerca de aquel fantasma de Sánchez.»

Pues bien, Castillo comenzó a preocuparse, según contó aquel día, cuando se dio cuenta de que el comisario tenía una idea fija: el tal Federico, cualquiera que fuese su identidad real, era un enlace o instructor del Comité Central comunista en Madrid; cuando adquirió asimismo la convicción de que Sabuesa se había propuesto, a cualquier precio, la caza y captura –así lo formuló, con esas mismas palabras– de aquel enigmático personaje, cabeza dirigente, según él, de la conspiración universitaria.

Tenía que hacérselo saber lo antes posible a Simón Sánchez Montero.

Pero en La Maestranza, aquella noche de julio, a Sabuesa le parece oír un ruido en los pasillos de la casa. Se dirige a la puerta de la habitación, la entreabre. Allá al fondo, en un recodo, le parece vislumbrar a Raquel en la semioscuridad. No está sola, va seguida a lo largo del pasillo por una silueta masculina.

Así le parece, al menos.

–¿Sabes algo de san Agustín? –pregunta Mercedes Pombo, casi a bocajarro.

Michael Leidson se sobresalta. No porque le llame de tú, desde luego que no: ya está acostumbrado a la igualitaria cortesía del tuteo hispánico.

–Alguna noticia tengo de él –contesta, recobrando enseguida una aparente impasibilidad.

Están en el saloncito adonde acaba de conducirle Raquel a lo largo de los pasillos penumbrosos. «Si no está cansado, le espera la señora», había dicho ella poco antes, en la puerta de su habitación. No, nada cansado, más bien lleno de curiosidad. Y siguió a Raquel, que iba encendiendo y apagando luces por los pasillos y galerías de la casa.

El saloncito está abierto de par en par al dormitorio contiguo. Se vislumbra un lecho matrimonial arreglado para el reposo nocturno. Sobre la nívea blancura de sábanas y almohadas, destaca –fantasmagórico cuerpo de mujer ideal– un largo camisón desplegado, sonrosado, casi sonrojante por descubrir tanta intimidad.

Raquel se mueve por allí, silenciosa. Sigilosa, tal vez.

La mirada de Leidson vuelve a detenerse en Mercedes.

–Pero no es noticia reciente –añade, impertérrito–. Mi lectura de las *Confesiones* es bastante lejana...

Mercedes le invita a sentarse en el sofá, a su lado.

–No estaba pensando en las *Confesiones* –dice.

Capta y sostiene en la suya la mirada del «gringo guapo». Habla después, con un dejo suavemente burlón.

–*... cum vero vir membro mulieris non ad hoc concesso uti voluerit, turpior est uxor...*

Ahora sí que Leidson no consigue disimular su sorpresa.

Bien es verdad que no ha entendido, palabra por palabra, la consabida frasecita latina sobre el uso por el marido de los orificios de su esposa no aptos para la procreación, sólo para la concupiscencia. Y es que Mercedes no pronuncia los vocablos latinos como a él se lo han enseñado en los colegios de California. Aun así, ha entendido lo suficiente como para descifrar de qué va la sentencia agustiniana.

Se sobresalta. Intenta adivinar a qué alude Mercedes, a qué estará jugando.

–No es de las *Confesiones* –puntualiza ella–. Es un pasaje del tratado sobre el matrimonio cristiano, *De bono conjugali*...

Leidson sigue sin entender a qué viene esa reminiscencia de san Agustín, ni por qué provoca en ella esa sonrisa tan extraña, tan ambigua.

Pero el lector sí que lo entiende.

A estas alturas del relato el atento lector le lleva a Leidson una ventaja indiscutible. Aquél, en efecto, puede recordar lo que éste todavía ignora: que los tratados de san Agustín tuvieron cierta importancia durante el noviazgo de Mercedes, veinte años antes. Ya ha leído algo a este respecto. Recuerda, por consiguiente, si se lo propone –ha sido una información factual, incluida en el cuerpo del relato–, la interesada casuística empleada por el novio para obtener de su prometida atrevidos favores eróticos: bestiales, habría dictaminado el santo obispo de Hipona, ya que no tendentes al santificado fin de la procreación.

Con un mínimo esfuerzo, el atento lector podrá adivinar, en suma, por qué, en este preciso instante de una noche de julio de 1956, se acuerda Mercedes Pombo de una frase de san Agustín. Adivinará que ha sido la grosera y grotesca exclamación del comisario Sabuesa acerca de la virginidad lo que ha suscitado en su mente un proceso de rememoración.

El lector puede imaginárselo.

Veinte años antes, en Nápoles, apenas comenzado un almuerzo que se anunciaba delicioso, Mercedes decidió nombrar el deseo que avasallaba su sangre. «Pide una botella de champán, José María..., subamos con ella a la habitación..., tengo ganas...»

No supo decir más, fue suficiente.

Cruzaron el comedor casi abrazados. Hubo como un silencio despavorido, pánico. Hasta la orquestina dejó de tocar el *fox-trot* que estaba interpretando. Todos pensaron con ardor o nostalgia en los gestos del amor, al verlos deslizarse levemente hacia su habitación. Acaso alguno, o alguna, cerró los ojos ante una visión interior, arrebatada, cruda, demasiado concreta en su indecente pero tierno fulgor.

En la habitación, Mercedes corrió las cortinas de las muchas ventanas. Encendió y apagó lámparas, buscando una iluminación adecuada, mientras José María se aislaba en el cuarto de baño.

Estaba descubriendo ella el lecho, hasta entonces poco matrimonial –es decir, nada procreador, pero concupiscente, eso sí–, cuando notó un leve movimiento a sus espaldas. Se volvió, sorprendida. Una doncellita morena, graciosa de cintura y de andares, estaba intentando escabullirse, huyendo de su mirada y de la habitación. La detuvo con voz de mando, fue hacia ella. La chica, sorprendida sin duda por el imprevisto regreso de la pareja, se llevaba a la lavandería unas camisas, alguna ropa interior, probablemente recogida en la cesta apropiada del cuarto de los armarios.

Se acordó Mercedes del cuadro de la Gestileschi, horas antes, en Capodimonte.

Se acordó de la joven y bella sirvienta de Judit, se acordó de la herida de Holofernes, que ensangrentaba el lecho. Se acordó del encanto de Judit, se acordó del turbio bienestar sensual que le había provocado, insensatamente, aquella violenta escena de simbólica castración.

Pero no supo por qué se acordaba de todo eso al contemplar la gracia juvenil de la doncellita napolitana.

Una idea –¿puede llamarse «idea» a tan súbita iluminación, a tan repentino arrebato?–, una idea, por decirlo de alguna manera, aunque el término no refleje la violencia visceral del sentimiento, floreció en su mente.

–No te vayas, quédate –le dijo a la chica.

Ésta tal vez no entendió cabalmente las palabras castellanas. En cualquier caso, entendió los gestos de Mercedes. Entendió que la empujaba suavemente, llevándola de la mano para colocarla detrás de un cortinaje.

–*Aspetta e guarda* –repitió Mercedes.

Aguarda y mira.

No supo ni quiso saber Mercedes de dónde le venía semejante impulso, oscuro, excitante, irresistible: una pulsión imaginativa y perversa que la llevaba a ofrecer a la desconocida doncella napolitana la visión de su entrega a José María. Pero tampoco le importaba demasiado ignorarlo. Se dejaba mandar por un deseo fervoroso, deslumbrante, que arrasaba todos los preceptos de su buena educación, toda norma moral aprendida o intuida.

En ese momento entraba en el dormitorio su marido, desnudo ya bajo una bata de seda azul ribeteada de raso carmesí.

Pero Michael Leidson, a diferencia del amable y atento lector, no puede imaginar nada de eso. No ha oído todavía hablar del papel de san Agustín en el noviazgo de Mercedes. Hasta el momento, de la ceremonia expiatoria de La Maestranza sólo le han interesado los aspectos históricos, políticos. Por otra parte, sólo a éstos se ha referido la viuda durante la conversación que mantuvieron aquel mismo día, a la hora del almuerzo y la sobremesa.

Habrá que contárselo ahora que ha llegado la hora de la intimidad.

Y Mercedes se lo cuenta, morosamente, con detalles y pormenores, en un idioma de pasmosa precisión, aunque desprovisto de toda vulgaridad, de cualquier inútil procacidad: un idioma de amor, de ensueño y carne.

Esa primera vez, cuando José María volvió al dormitorio, nervioso pero decidido al ejercicio cristiano, y por tanto procreador, del matrimonio, no se dio cuenta de la presencia de Luciana (aunque nadie la conozca aún, ni Leidson, ni los esposos Avendaño, que sólo se enterarán dentro de un rato, en el momento de la complicidad erótica entre los tres protagonistas del acontecimiento, ni el atento lector, podemos anticipar dicho nombre en aras de una mayor legibilidad del relato, ya que, de todas formas, el Narrador no puede ignorar que la doncella se denomina Luciana –¡por favor!, pronúnciese a la italiana, suena mejor– puesto que es como Dios, conocedor de lo conocido y de lo ignorado, de lo existente y de lo inexistente), en cualquier caso, José María no se había dado cuenta del leve movimiento de un cortinaje, mientras Luciana se ocultaba por indicación de Mercedes.

Fue después, en el momento mismo en que, una vez satisfecha la concupiscencia con las habituales y prolongadas caricias, agustinianamente bestiales, iniciaba el ejercicio de la penetración matrimonial y por ende procreadora, fue en ese preciso –¿precioso?– momento cuando José María vio a Luciana. Es decir, a una doncella jovencita, anónima, surgida de pronto de detrás de unos cortinajes, adelantándose varios pasos en el dormitorio, contemplando, visiblemente fascinada, la escena primitiva de la posesión amorosa.

Naturalmente, José María no adivinó que la chica estaba allí por indicación expresa de Mercedes. Pensó, en un fogonazo mental, que la jovencita se había visto sorprendida por la llegada imprevista de ambos a la habitación. Pero eso fue lo de menos: lo importante fue que la aparición de Luciana –será más sencillo seguir llamándola por su nombre, aunque ninguno de los protagonistas lo sepa aún– excitó prodigiosamente su imaginación, aumentando por tanto su presencia palpable en el vaso virginal de la procreación.

Fue en el instante del placer, del quejido clamoroso, del goce inédito –por idealmente compartido, por la fusión de cuerpo y alma, por la certeza de tan incierto albor–, fue en ese instante cuando Mercedes se dio cuenta de que José María se había percatado de la presencia de Luciana, y de que eso multiplicaba su alegría.

Le murmuró al oído que ella había sido quien retuvo a la doncella en el dormitorio, lo cual –independientemente del feliz resultado de aquella iniciativa– le hizo preguntarse dónde habría descubierto Mercedes tantas y tan eficaces, aunque perversas, artes de amar.

En todo caso, todavía desnudos, jadeantes, mandaron a Luciana que se acercase al lecho matrimonial. Allí, la chica, obediente aunque temblorosa, se dejó desvestir por Mercedes, que sólo permitió, o decidió, que conservara sus medias de crudo algodón negro, con liga a medio muslo. Conste, sin embargo, que en los subsiguientes juegos eróticos, por placenteros que fueran, nada se produjo que menoscabase la virginidad de la doncellita, al menos desde el punto de vista del vaso de la procreación.

Quince días más tarde, a punto de abandonar Italia –después de Roma y Nápoles, habían estado en Florencia, y recorrido la región toscana–, en un precioso hotel a orillas del lago de Orta, a la hora de la cena, Mercedes había sorprendido la mirada de su marido sobre la camarera que servía un vino blanco, seco y fragante.

–Hasta ahora –dijo en cuanto se hubo apartado la sirvienta–, hasta ahora sólo has elegido tú...

–Elegir es mucho decir –contestó suavemente José María–. Me he limitado a organizar un poco lo inevitable..., mejor dicho, lo que aparentaba ser posible...

Es cierto que desde aquella tarde de Nápoles fue siempre José María el que tomó la iniciativa –aunque nunca fuera algo rutinario, ni siquiera ritual, sino una suerte de arrebato improvisado– de invitar a una tercera persona del sexo débil a ser testigo y parte en las batallas del amor –en el campo de plumas de las largas siestas libidinosas– de la pareja. A él le dejaba Mercedes distinguir primero el gesto, el duende, la mirada –oscura pero relampagueante–, la sonrisa provocativa, sumisa también, de alguna de las camareras o doncellas que les atendían en los sucesivos albergues italianos de aquel viaje de novios, y que hacían previsible la aceptación del envite que él formulaba.

En Siena, sin embargo, al regreso de una maravillosa excursión a San Geminiano, no fue una chica de servicio –servicial, sin duda, como todas las demás, aunque sus favores venéreos nunca fueran venales– la que participó con ellos en una de aquellas largas siestas. Fue una bellísima turista escandinava, sentada a una mesa vecina con un anciano y digno caballero –que resultó ser un marido de mucha mayor edad, aparentemente fuera de juego–, la que de pronto abandonó su almuerzo para acercarse a ellos, hablándoles en francés, lengua universal entonces para cualquier empresa diplomática o cultural, y el erotismo tiene que ver con ambos ámbitos, diplomacia y cultura.

–*Vous êtes fascinants de beauté, tous les deux* –dijo la rubia desconocida–. *Vous m'invitez?*

–*À quoi?* –preguntó José María, escuetamente.

–*À partager vos plaisirs* –dijo la nórdica belleza, con precisión inequívoca.

Desde luego fue invitada.

–Lo que quiero decir, Josemari –decía Mercedes aquella noche en el hotel del lago de Orta–, es que hasta ahora, desde la doncellita de Nápoles que nos resultó tan divertida, sólo has elegido, o hemos, si prefieres, chicas. ¿Por qué no nos buscamos alguna vez una mirada masculina?

A José María Avendaño se le derramó el vino de la copa que estaba saboreando al escaparse ésta de su mano, tan grande fue la sorpresa.

En ese preciso momento –es decir, en el momento en que Mercedes, en su minucioso pero extrañamente distanciado relato de su viaje de novios, veinte años antes, estaba contando aquella conversación en los parajes del lago de Orta, pocas horas antes de abandonar Italia, rumbo a Biarritz, donde pensaban terminar el veraneo–, en ese exacto momento Michael Leidson se dio cuenta de lo que estaba aconteciendo. De lo que iba a acontecer, más bien. Tal vez de lo que se esperaba de él.

Raquel, en efecto, acababa de entrar en el saloncito, viniendo del dormitorio contiguo. Se había inmovilizado ante ellos, Mercedes y él, sentados en el sofá, y comenzaba a desvestirse. Desanudaba los lazos que ajustaban su blusa a las muñecas y al cuello, desnudaba sus hombros y aparecía ante ellos, altanera y distante, pero ofreciéndose. Cuando comenzó a desabrocharse la larga falda negra, Leidson cerró los ojos, inerme ante tanta belleza desvelada.

Mercedes le cogió de la mano, murmurando:

–Tenía razón Dominguito: ¡gringo guapo!

A medianoche Benigno Perales oye un ruido de pasos en la galería. Un murmullo indescifrable. Se dirige a la puerta de su habitación, la abre con cautela. Allá, a pocos metros de distancia, Raquel está conduciendo al americano sin duda hacia el dormitorio de Mercedes.

Un dolor punzante cruza su pecho, lo crucifica.

Siempre ha estado enamorado de Mercedes, sin declararse jamás, claro está, ni siquiera aludir, aunque fuese ligera, irónicamente, a esa pasión absoluta que ha mantenido a lo largo de los años absolutamente secreta.

Benigno había nacido y se había criado en Quismondo. De niño fue compañero de juegos de los hermanos Avendaño: juntos iban a descubrir los nidos en los árboles, a cazar culebras –algunas las traían vivas a la finca, para dar el gran susto a la Satur y al mujerío de la cocina–, a montar a pelo los potros salvajes de la ganadería, a desafiar a las demás pandillas de chavales de Quismondo y de los pueblos vecinos.

Luego, de adolescente, a principios de los años treinta, Benigno se fue a Madrid en busca de trabajo. Hizo de todo: de peón de albañil, oficio por donde suele empezarse cuando no se tiene por donde empezar; de tramoyista en un teatro, luego –o antes, no consta con exactitud– en el circo Price; de cochero de simón. Lo esencial, sin embargo, fue su descubrimiento del movimiento obrero, de militancia, que le llevó a integrarse en un grupo de la CNT.

Cuando se produjo el pronunciamiento militar contra la República, Benigno Perales ya militaba en el partido comunista. Fue uno de los primeros voluntarios de las milicias del partido que luego se agruparon en el 5.º Regimiento.

A primeros de agosto de 1936, desde Toledo, donde formaba parte de las columnas milicianas que ponían cerco –desordenado, ineficaz– al Alcázar de Moscardó, Benigno, que ya había ascendido a puestos de responsabilidad por su vivísima inteligencia, por su espíritu combativo, requisó un coche y se fue a Quismondo con un grupo de compañeros armados, a enterarse de lo que pudiera haber ocurrido en la finca de La Maestranza.

Así supo de la muerte de José María, el más joven de los hermanos Avendaño. Su preferido, por otra parte. Y no sólo porque gracias a él había conocido a Mercedes, su imposible amor. (Así suele decirse en los tangos y cuplés, ¡qué se la va a hacer!: también las letras de los tangos dicen grandes verdades.)

En efecto, en abril, pocas semanas antes de su boda con José María, Mercedes estuvo unos días en La Maestranza, adonde no fue sola, la duda ofende, sino con su mamá, doña Constancia, en su papel de carabina, precaución esta aumentada y reforzada por la presencia del confesor de la novia, el padre Rupérez, activísimo aquellas últimas semanas de soltería en los ejercicios espirituales tendentes a preparar a Mercedes para el penoso aunque necesario sacrificio de su virginidad.

Fue entonces cuando Benigno vio a la señorita Pombo por primera vez. Entonces cuando el venablo del amor desesperado lo clavó contra la opaca pared del tiempo por venir.

> La dulce boca que a gustar convida
> un humor entre perlas destilado,
> y a no invidiar aquel licor sagrado
> que a Júpiter ministra el garzón de Ida,
>
> amantes, no toquéis, si queréis vida;
> porque entre un labio y otro colorado
> Amor está, de su veneno armado,
> cual entre flor y flor sierpe escondida...

En los sonetos de don Luis de Góngora, como puede verse, encontraba entonces Benigno Perales, genial autodidacto, las palabras convenientes para la expresión de su apasionado y amargo desespero.

Pero antes ya de la gloriosa aparición de Mercedes, era José María el hermano Avendaño preferido de Benigno. Porque era el más abierto a la discusión, el que le prestaba libros y discutía con él poemas de Alberti y de Miguel Hernández –*Sobre los ángeles* y *El rayo que no cesa*–, porque incluso le hablaba de Keynes y de sus teorías, con motivo de la visita del economista británico a Madrid, invitado por la *Revista de Occidente* a pronunciar en 1930 una conferencia. En suma, porque le trataba sin desdén ni arrogancia, como a un igual.

Por todo ello, la muerte del menor de los Avendaño le pareció a Benigno algo absurdo e injusto. Algo que le enfureció, además de entristecerlo.

Fue a La Prosperidad, la tienda de los Estrada –todavía vivía el padre de Eloy, que llevaba el negocio–, a hablar con éste y con Chema el Refilón. Los encontró allí, jugando a las cartas y bebiendo copas.

Estalló su ira.

–¡Aquí están los jabatos! –gritó–; ¡los valientes de la retaguardia! ¿Por qué no se os ve en el frente, coño, pegando tiros a los fascistas?

Ni a Eloy Estrada ni al Refilón les faltaron ganas para contestar por las malas, aun a riesgo de armar trifulca. Pero Benigno entraba en la tienda con el mono azul, uniforme miliciano en aquellos primeros tiempos de la guerra civil. Mono azul con correaje y las insignias de sargento, la estrella roja del 5.º Regimiento («Con el Quinto, quinto, quinto, / con el quinto Regimiento, / con Líster y con Modesto, / con el comandante Carlos, / no hay milicianos con miedo...») y al cinto un pistolón del nueve largo. Por si fuera poco, los tres milicianos que acompañaban a Benigno iban fuertemente armados con sendos *naranjeros*.

Así que Eloy y el Refilón tuvieron que tragarse los reproches y vituperios de Benigno:

–Contentos estaréis, ¿verdad?... A eso llamáis lucha de clases: asesinar al único liberal de la familia Avendaño, indefenso además... Pues ya que tenéis tantos cojones, os movilizo, machos... Os incorporo a una de las compañías de choque del 5.º Regimiento, a demostrar vuestra valía.

Eloy Estrada, tembloroso pero astuto, logró escabullirse de aquella situación. Con el pretexto de despedirse de su madre, que estaba en el piso de arriba de la casa, se escapó por una ventana que daba al campo abierto. No se molestó Benigno en organizar su persecución: ¡que le dieran por el culo, al mamón aquel! Chema el Refilón, en cambio, no sólo se dejó incorporar a filas en el 5.º Regimiento, sino que destacó bien pronto por sus dotes de combatiente, hasta el punto de ser reclutado, un año después, para las unidades de élite del XIV Cuerpo de Ejército de la República, al mando de Ungría, el famoso cuerpo de guerrilleros adiestrados para actuar en el interior de la zona franquista, en terreno enemigo: ejercicio arriesgado que ocasionaba bajas numerosas.

Ahora bien, si Benigno consiguió enterarse al detalle de los pormenores y peripecias de aquel 18 de julio en La Maestranza; si supo cómo había sido la muerte de José María Avendaño, en cambio no pudo saber a ciencia cierta qué había ocurrido con Mercedes y Raquel. Pues al parecer las dos mujeres habían desaparecido.

Obedeciendo un impulso, una intuición imperiosa que se manifestó clarividente, Benigno se fue con su patrulla de incondicionales a la finca de La Maestranza.

La mansión no había sufrido demasiados destrozos.

La ira de los braceros contra toda aquella riqueza no duró mucho: una breve racha de desahogo destructor antes de que el tropel de campesinos pobres abandonara el lugar. Desde entonces, la casa había permanecido abandonada. Sólo la Satur, a pesar de sus años, y la mujer de Mayoral, el intendente o capataz, que se había escondido en Madrid, venían un par de días por semana a una limpieza somera, a arreglar posibles desperfectos, naturales o malévolos.

Benigno estaba seguro de que Mercedes y Raquel se habían escondido en la casa misma. Nadie, en efecto, ninguno de los testigos que pudo interrogar, pocas semanas después del día de autos, había visto salir de la finca el Oldsmobile descapotable con el que Mayoral debía de haberse llevado a las dos mujeres.

Por ningún sitio apareció, ni en Quismondo, ni en sus alrededores, aquel automóvil, vistoso por otra parte, difícil de esconder por su color llamativo: rojo encendido.

Además, Benigno sabía, por habérselo oído contar a los hermanos Avendaño, compañeros de juego de su niñez, de su primera adolescencia, que existían en la casa pasadizos ocultos –algunos descubrieron los chavales en sus correrías y juegos de escondite–, así como una estancia secreta, donde, según la leyenda doméstica, el Indiano, el abuelo fundador, escondía a las amantes que instalaba a veces en su domicilio para poder gozar de ellas sin llamar la atención ni provocar la ira ni el llanto de la esposa legítima, muy tranquila y segura de su primacía en el dormitorio matrimonial.

Benigno estaba seguro de que Raquel y Mercedes, probablemente con alguna complicidad exterior –la de la Satur y la de Josefina, la mujer de Mayoral, parecía evidente–, seguían escondidas en alguno de los recovecos de La Maestranza.

Y así fue.

No tardó Benigno en descubrirlas –descubriendo, de paso, la famosa estancia secreta, donde se habían refugiado– atemorizadas, enflaquecidas, despeinadas, hasta greñudas, pero vivas, y Mercedes más hermosa que nunca, pensó Benigno, aunque tampoco Raquel le pareció desdeñable. Las rescató, pues, del encierro voluntario, les dio tiempo para que se bañaran y arreglaran un poco, se vistieran modestamente, a fin de no llamar la atención en las calles de Madrid, hostiles durante todos aquellos meses a todo lo que se pareciera, en hombres y mujeres, al atuendo burgués, y las acompañó con su escolta de milicianos a la capital, donde encontraron fácilmente refugio. Benigno Perales, caballeroso hasta el fin, no quiso saber dónde, para que, si se producía algún tropiezo, nunca pudieran pensar que fue por culpa suya.

A decir verdad, aquella noche de julio de 1956, en vísperas de la tradicional ceremonia expiatoria, no se acordó Benigno de todos estos episodios del pasado, veinte años antes. Sólo se han narrado ahora y aquí por respeto al amable lector, para hacerle cómplice en la legibilidad de este relato. Y es que, aunque el lector le lleve cierta ventaja al americano –mejor dicho, le llevaba: desde la reciente confesión de Mercedes al atónito Leidson, sabe éste tanto como aquél en cuanto al papel de los tratados de san Agustín y a la virginidad de la novia–, aunque el inteligente lector conozca, por tanto, suficientes datos de esta historia como para no perder el hilo del relato, no es puro capricho ni mero refocileo del Narrador el haber recordado algún episodio de la vida de Benigno Perales, que sin duda ayudará a mejor entender a este último, tal vez incluso a tener por él mayor simpatía.

Sea como fuere, la verdad es que Benigno no se acordó aquella noche de su expedición a Quismondo en agosto de 1936. Demasiado nervioso le habían puesto los acontecimientos recientes para semejante rememoración, que hubiera exigido sosiego reflexivo.

La presencia misma de Roberto Sabuesa, que seguramente le había reconocido, aunque no identificado, era en sí tan agobiante como para no hablar de los exabruptos del susodicho comisario de los cojones, recio ejemplar de la hispánica estulticia, bárbara y ciega.

Además, a Benigno le preocupaba la noticia del plante de los braceros que Mayoral había anunciado a José Manuel Avendaño y a Mercedes poco antes de la cena, y que ambos habían comentado después para los demás comensales.

No fue, naturalmente, el plante anunciado lo que a

Benigno le inquietaba. Esta noticia más bien le regocijaba, sino el comentario de Sabuesa declarando que siempre había un cabecilla en semejantes circunstancias, y en este caso Benigno suponía quién era, quién podía ser. Lo que le preocupaba, pues, es que el policía aprovechara su estancia en la finca para indagar en esta cuestión con el riesgo de que terminara descubriendo a los instigadores del plante del día siguiente.

Ahora bien, a dicha difusa preocupación, al malestar que ésta había provocado, se añadía en el espíritu de Benigno la excitación que suscitaron los regalos que José Ignacio, el Avendaño jesuita y culto, le había traído de Alemania. ¡Nada menos que un ejemplar del informe secreto de Jruschov para el reciente congreso del partido comunista ruso! Y por si fuera poco, un grueso volumen de acartonadas tapas azules que contenía los manuscritos económicos de Marx de 1857-1858, recopilados bajo el título de *Grundrisse der Kritik der Politischen Ökonomie*, título que no era del autor, sino de los editores, pero que subrayaba verazmente su contenido: *Elementos fundamentales de la crítica de la economía política*, en efecto. Estos textos de Marx, que algunos consideran como borradores de *El Capital*, pero que tienen entidad propia, y de más amplio alcance, de mayor singladura que su obra maestra, por otra parte inacabada, tal vez inacabable, dormían en los archivos hasta que fueron publicados en 1939 y 1941 en Moscú, lugar y fechas poco apropiados, dadas la circunstancias bélicas, para la repercusión pública erudita o popular de esa edición.

El volumen que José Ignacio Avendaño había traído a Benigno era una reimpresión de 1953, publicada en Berlín Este por Dietz Verlag, editor habitual de las obras de Marx.

Apenas le hubo entregado José Ignacio sus regalos, Benigno se encerró después de la cena en su cuarto para leer de un tirón, estremecido, sobresaltado, atónito, el informe secreto de Jruschov sobre el culto a la personalidad de Stalin y los crímenes de éste. Su primera reacción, una vez atenuada la impresión de sofoco y de cólera que le produjo la lectura, fue, al menos en apariencia, paradójica. Pensó que tan absurdos crímenes, tan irracional estrategia como la que Stalin había desplegado contra los supuestos «enemigos del pueblo», al ser desvelada y denunciada, aunque fuese de forma primitiva, sin elaboración teórica coherente que explicara las raíces sociales de tanto libertinaje despótico, restablecían en cierto modo una posible racionalidad de la historia de la revolución.

Lo históricamente irracional, en efecto, lo imposible de pensar, aunque tantos lo hayamos creído, al menos parcialmente, pensaba Benigno, era que Trotski o Bujarin fueran «agentes del enemigo» vendidos a los servicios del espionaje imperialistas. Al destruir la falsa veracidad de esa ingente mentira, el informe de Jruschov –más bien destinado a provocar emociones que a suscitar reflexión autocrítica, eso sí– permitía, sin embargo, una mirada nueva sobre la historia del comunismo. Historia trágica, sin duda, en la que los actores de semejante tragedia habían intercambiado sus papeles. No sólo porque las víctimas de tantas purgas, procesos, deportaciones masivas y calumnias recobraban su inocencia, sino también porque volvía a abrirse la posibilidad –sin duda frágil, trémula flor en el desierto glacial de un despotismo absoluto– de un renacer de la iniciativa, de la autonomía democrática, en los partidos comunistas del universo mundo.

A pesar de la emoción que le embargaba, de las ideas más o menos elaboradas que se disparaban en su mente

–así, por ejemplo, Benigno no pudo evitar, y se comprende, el recuerdo de Heriberto Quiñones, a quien había conocido en la época, inmediatamente posterior a la victoria franquista, en la cual éste había reconstruido la organización clandestina del partido en España; no pudo evitar el recuerdo de Quiñones, ferozmente torturado por la policía de los Sabuesa y demás ralea hasta el punto de haber sido transportado en una camilla, incapaz de moverse por sí mismo, hasta el piquete de fusilamiento; no pudo evitar el recuerdo de las calumnias que el partido, su dirección, al menos, los Carrillos y Pasionarias, habían vertido sobre aquel cadáver heroico, acusando a Quiñones de aventurero, de agente del espionaje inglés, ¡válgame Dios!, acusaciones repetidas hasta todavía hacía poco, en 1954, durante el V Congreso del partido comunista, y que esa noche, después de la lectura del informe secreto de Nikita Jruschov, pudo situar en un contexto global de perversión irremediable de las ideas y las prácticas del comunismo–, a pesar de su emoción, Benigno se apresuró, después de su lectura del folleto, el famoso informe impreso en alemán, a buscar un escondite para preservarlo, necesidad que la presencia de Sabuesa en La Maestranza hacía aún más imperiosa.

Pero la búsqueda de algún escondite seguro ocurrió después de medianoche, después de que oyera en la galería de la casa los pasos y leves murmullos que revelaron la presencia de Raquel y de Leidson, camino del dormitorio de Mercedes Pombo.

En ese momento, al ver desaparecer a Raquel y al americano en un recodo de la galería, se olvidó del informe secreto, se olvidó de Heriberto Quiñones, y hasta se olvidó de las incontables e inolvidables palizas que había sufrido al ser detenido en la racha represiva que siguió a la caída de Quiñones.

Se olvidó del comisario Sabuesa, de su crispada sonrisa de desprecio –¿o de odio?, ¿o de miedo?– en el despacho de la Dirección General de Seguridad, en la Puerta del Sol. Es mucho olvidar, sin duda, pero es que un dolor punzante le atravesó el pecho, obligándole a encogerse, a agazaparse en cierto modo dentro del sufrimiento que provocaba aquella imagen nocturna en el recodo de la galería.

Al salir de la cárcel, Benigno volvió a Quismondo, donde aún vivía una hermana de su padre, mujer de misa diaria y devoción irreprimible a la Purísima –«sin pecado concebida»–, devoción cristiana que las desgracias familiares habían acrecentado profundamente. Su hermano, en efecto, el padre de Benigno, había sido fusilado por los regulares cuando entraron en el pueblo, en octubre, camino de Madrid. Se decía que fue el mismo oficial del ejército de Franco, de la división de Yagüe, al mando de una columna compuesta por un tabor de regulares y un destacamento de la legión, el que, poco más tarde o poco antes de entrar en Quismondo, cambió por Numancia el nombre de Azaña –de la Sagra, en uno y otro caso–, por creer que tal denominación tradicional provenía de algún turbio homenaje a don Manuel, presidente de la odiada República.

En todo caso, el padre de Benigno fue juzgado sumarísimamente y fusilado por sus malos antecedentes y, sobre todo, por tener un hijo comunista, de sobra conocido. Su madre murió poco después, no por enfermedad, sino por soledad apesadumbrada. Para apurar las cuentas familiares, puede recordarse –aunque el hecho no tenga con nuestra historia ni relación ni consecuencia alguna, a mero título informativo, pues– que un primo de Benigno, en cambio, murió en el frente de Madrid durante el sitio de la ciudad, en un combate cuerpo a cuerpo en la Ciudad Universitaria, pero del otro lado, en una bandera de Falange.

Corrían por entonces los primeros años cincuenta y enseguida se enteraron en La Maestranza de que Benigno había regresado a Quismondo al salir de la cárcel. Un buen día, José Manuel y Mercedes se presentaron en la casa de Purificación Perales, la tía de Benigno, que le había concedido a su sobrino techo y cubierto sin condiciones ni límite de tiempo, a pesar de ser madre de un muerto falangista.

O precisamente por ello, váyase a saber.

Al recién excarcelado le propuso un acuerdo –un pacto, más bien, una especie de contrato moral– el Avendaño primogénito, hombre de dinero (lo hubo desde siempre en la familia, pero José Manuel lo hacía prosperar infinitamente) y de poder, bien introducido en las esferas dominantes del Régimen.

–Tú y yo sabemos quiénes somos, Benigno –vino a decirle a éste–. Sabemos lo que nos separa irremediablemente a golpes de sangre. Pero también sabemos lo que compartimos en la memoria de la infancia, que sigue siendo sagrada para mí. Te propongo que vuelvas a La Maestranza, que es en cierto modo tu casa, a trabajar como secretario de Mercedes, que lleva la hacienda, y de bibliotecario: hay que poner orden allí, establecer un catálogo, ¡nadie sabe ya encontrar un libro en tamaño barullo! A cambio de esa labor y del sueldo que percibas (ya lo discutiremos si estuvieses de acuerdo), yo no te pido que cambies de opiniones, ni que traiciones tus fidelidades, sino tan sólo que no hagas nada que pueda recaer sobre mi familia, que menoscabe o dificulte mi situación social en este Régimen...

Y Benigno Perales aceptó el pacto porque, en verdad, no pensaba volver a ninguna actividad de partido mientras sus dirigentes máximos siguieran siendo los mismos que calumniaron a Quiñones y que poco antes habían mandado asesinar a León Gabriel Trilla, desde la impune comodidad del exilio.

Así, instalado hacía unos dos años en La Maestranza, conviviendo a diario con Mercedes Pombo, Benigno había sufrido en silencio el delicioso dolor tantálico de un amor irrealizable.

A medianoche, ya se ha dicho, Perales cierra la puerta entreabierta para ver deslizarse por la galería las sombras de Raquel y del americano, el «gringo guapo». Así le había apodado Domingo Dominguín, según contaba Mercedes, al anunciarle, unas semanas antes, la venida de Leidson a la última ceremonia expiatoria. «Un tipo simpático, inteligente y hasta guapo», había dicho Dominguín hablando de Leidson, según le contó Mercedes. «Podrías aprovechar la ocasión para matar a tu cuñado José Manuel y fugarte con el gringo, ya que nunca quisiste fugarte conmigo.»

Se habían reído ambos: Mercedes, al recordar la frase de Domingo. Y Benigno, al recordar a Dominguín. Siempre le era grato el recuerdo de Dominguín, como lo era el trato con él cada vez que iba a La Companza, la otra finca grande de la comarca donde el fundador de la dinastía, don Domingo, había trabajado de bracero en su juventud y que compró más tarde con el dinero ganado como matador y empresario taurino.

Fue Domingo precisamente quien le dio un ejemplar del periódico del partido comunista *Mundo Obrero* una tarde en La Companza, y es que, naturalmente, Domingo conocía los antecedentes políticos de Benigno.

–Ya sé que ahora vas por libre –le dijo Domingo aquella tarde en el salón grande de La Companza, adornadas sus paredes con cabezas astadas de algunos de los toros más nobles y bravos que habían matado los Dominguín, padre e hijos–, aunque no sepa por qué, tus razones tendrás, pero te propongo que celebremos en Quismondo un pequeño congreso clandestino para elegirte secretario del interior. Serías nuestro consejero político: fíjate qué ventaja, en vez de tener que esperar las consignas de fuera, París o Praga, vendríamos a consultarte a Quismondo, y nuestra teoría la llamaríamos marxismo-peralismo, en vez de marxismo-leninismo, que suena mucho menos castizo, ¿no?

Benigno se reía sin duda de buena gana, pero al mismo tiempo le recorría el espinazo cierto escalofrío. ¿Cuántos dirigentes comunistas del interior habían sido expulsados, calumniados y hasta asesinados por intentar, precisamente, crear un centro autónomo de dirección clandestina?

Sin embargo, nada le dijo a Domingo de aquella siniestra memoria. Le dijo tan sólo, para seguirle la broma, que podrían imaginarse dos alas o corrientes del marxismo de Quismondo: el ala marxista-peralista y el ala marxista-dominguinista.

Eso de las dos alas del partido le recordó a Domingo una anécdota que alguien le había contado recientemente: el partido no es una gallina ni una golondrina, no necesita tener dos alas, decía alguien en aquel episodio.

Pero ¿quién le había contado esa anécdota y con qué motivo, en qué contexto? Después de varias copas de orujo de más, en el salón grande de La Companza, Domingo se acordó de pronto. Se lo había contado Agustín Larrea, o sea Federico Sánchez, en la terraza de Ferraz, alguna noche de aquéllas, y el autor de la frase era un comunista checo, listo y chepudo. Pero ¿dónde lo habría conocido Agustín? Eso quedaba sin esclarecerse.

Aprovechó Domingo el recuerdo súbito para soltarle a Benigno, a bocajarro, algo que a éste le sobresaltó por imprudente.

–Un día de éstos me traigo a La Companza a Federico Sánchez y habláis, seguro que os entendéis...

A Benigno se le derramó la mitad de la copa de orujo. Se puso serio.

–¡Ni a mí me digas cosas así, Domingo, ni siquiera a mí!

Por el tono, se dio éste cuenta de que el otro no estaba dispuesto a seguir escuchándole; cambió inmediatamente de conversación. Ahora bien, a Benigno le quedó, a pesar de todo, después de su legítima reacción ante la imprudencia de Domingo, cierto sinsabor: le hubiera gustado saber algo más de ese Federico que acababa de aparecer en la prensa clandestina, desde la celebración del V Congreso del partido comunista.

Pero eso fue en La Companza, y ahora estamos en La Maestranza, a medianoche, entre el 17 y 18 de julio. Benigno acaba de cerrar la puerta de su habitación y recuerda la frase de Dominguín acerca del «gringo guapo», y en esa frase, lo que más le ha llamado la atención es lo que se refiere a José Manuel: «Podrías aprovechar la ocasión para matar a tu cuñado...».

Aunque nunca lo hubiera dicho, también él había

pensado más de una vez lo mismo que Domingo: para recobrar su libertad, algún día Mercedes tendría que matar a José Manuel y fugarse, pero ¿con quién? Con Raquel probablemente, el ser que le era más próximo, más cómplice, más dispuesto a arriesgarlo todo por su felicidad. Si es que, tratándose de Mercedes, todavía podía esperarse alguna felicidad en lo que le quedaba por vivir.

En cuanto se instaló en La Maestranza, una vez concluido el acuerdo con José Manuel, Benigno intuyó –luego tuvo de ello evidencia– que el primogénito de los Avendaño, amo y señor de la finca y de la familia, ejercía sobre las dos mujeres, rescatadas de la muerte, de la cárcel al menos, por su intervención en agosto de 1936, una especie de feudal derecho de pernada.

¿Desde cuándo? No era una historia reciente, sino, por todos los indicios, algo habitual y hasta ritualizado, un secreto a voces entre el personal de la finca. Tal vez desde el final de la guerra civil, cuando la familia Avendaño recuperó bienes y posesiones, dinero y autoridad, tras la victoria del Generalísimo.

Sea cual fuese el comienzo de esa relación posesiva, el caso es que en 1955, cuando Benigno llegó a La Maestranza, pudo percatarse de ella, comprobarla. Cada vez que aparecía en la finca, donde Mercedes vivía la mayor parte del año salvo contadas estancias en Madrid y el tradicional veraneo en la playa del Sardinero, en Santander, José Manuel hacía constar sin recato ni pudor su situación de dueño de la casa y propietario de los cuerpos de ambas mujeres.

A la una y a la otra –a Mercedes y a Raquel, alternativamente, y a veces al mismo tiempo– se las veía pasar la noche en las habitaciones del cuñado de la viuda (que algunos braceros llamaban «Cuñadísimo», en alusión a un conocido e influyente político de los primeros tiempos de la dictadura; denominación que permitía atrevidas y soeces sentencias, chascarillos y adivinanzas onomatopéyicas: «El Cuñadísimo está encoñado, pero ¿qué hará el Cuñadísimo con el coño de Raquel mientras tiene a su cuñada encañonada?».)

Hay que admitir que la lengua más viperina en esos dimes y diretes era la de la vieja Satur, que tenía, además, una explicación personal para semejante situación de «imperio de la guarrería» (así se expresaba la vieja cocinera, que nunca dejaba de insistir en que el mejor de los Avendaño –el único bueno en realidad, aunque el tercero fuese cura– había sido el señorito José María), explicación que se fundaba en lo que ella había descubierto en Biarritz, adonde fue a reunirse con Mercedes y el señorito –cuando éstos volvieron del viaje de novios por Italia–. En Biarritz me di cuenta, contaba la Satur a media voz, de que a los dos les gustaba hacerse el amor en presencia de una tercera persona, aunque ya nadie estaba dispuesto a seguir creyendo sus fábulas o fabulaciones, y ella insistía, creedme, por favor, en Biarritz hubo al menos un tercero, un fotógrafo inglés, joven, guapísimo, y yo diría que más bien marica, que aceptó un papel en aquel enredo, más por el señorito José María que por la señorita Mercedes...

O sea que en La Maestranza se las veía a las dos, Raquel y Mercedes, pasar la noche en las habitaciones de José Manuel, o entrar en éstas a la hora de la siesta.

Aquel 17 de julio, en cualquier caso, a medianoche, Benigno pudo comprobar casualmente que los relatos de la Satur, por lo menos en lo que se refiere a los sucesos de Biarritz en aquel lejano verano de 1936, no eran mera fábula, mero vapor calenturiento.

Cuando hubo cerrado la puerta de su habitación, después de vislumbrar las siluetas de Raquel y del americano, camino del dormitorio de Mercedes, seguramente, Benigno se propuso ir a esconder el informe secreto de Jruschov en la biblioteca de la casa, lugar ideal para ello. En cualquier otro momento hubiera dejado tranquilamente aquel folleto en su escritorio: a nadie le interesaba en La Maestranza hurgar en sus pertenencias personales. Pero la presencia del comisario Sabuesa en la finca lo complicaba todo, le incitaba a ser particularmente prudente.

En la planta baja, apenas penetró en la biblioteca, el salón del Indiano, Benigno volvió a sentir el extraño bienestar, a la vez relajado y excitante, que siempre le producía el entorno de las estanterías repletas de libros, la mayoría de ellos hermosamente encuadernados, recubriendo hasta el techo las paredes de la sala, que ocupaba toda un ala de la mansión y se elevaba hasta la altura de un segundo piso, iluminada de noche por multitud de lámparas bien dispuestas para la comodidad de la lectura, y de día por la transparencia multicolor de una vidriera que constituía su cubierta.

Benigno había decidido esconder el folleto de Jruschov en alguno de los tres volúmenes de las obras de Donoso Cortés que había descubierto recientemente en un montón de libros sin clasificar, una preciosa edición encuadernada a media piel, en el espesor de cuyas tapas se le antojaba posible abrir delicadamente con una hoja de afeitar una hendidura en la cual ocultar las páginas del informe secreto.

Lo más curioso de aquella edición de Donoso Cortés era que se trataba de una traducción al francés, publicada en París en 1862 por la Librairie d'Auguste Vaton, Editeur, 50 rue du Bac, con una introducción de Louis Veuillot, conocido periodista ultramontano y polemista, acérrimo defensor de la infalibilidad pontificial, director del diario *L'Univers*, y a Benigno le había hecho gracia descubrir en traducción francesa la altisonante prosa del marqués de Valdegamas.

De los tres volúmenes de las obras de Donoso Cortés, Benigno eligió uno al azar que resultó ser el tomo tercero, enteramente dedicado a la traducción del famoso *Ensayo sobre el catolicismo, el liberalismo y el socialismo*. Antes de buscar la mejor manera de hendir con delicadeza la tapa del libro, lo hojeó, éste se abrió por casualidad al comienzo del capítulo sobre el libre arbitrio, en la página 139. Leyó unas líneas, primero distraídamente, luego con creciente interés. *«Le libre arbitre de l'homme est le chef-d'oeuvre de la création, et, s'il est permis de parler ainsi, le plus prodigieux des prodiges divins...»* Iba Benigno a abandonar la lectura de tan retóricas sentencias –ni siquiera la traducción al francés, idioma por esencia racional y comedido, quitaba hierro grandilocuente a la prosa castellana– cuando se detuvo en su propósito de cerrar el libro.

*«C'est invariablement par rapport au libre arbitre que toutes choses s'ordonnent, de telle sorte que la création serait inexplicable sans l'homme, et l'homme inexplicable s'il n'était libre. Sa liberté explique l'homme et en même temps toutes choses. Mais qui expliquera cette liberté sublime, inviolable, sainte; si sainte, si sublime et si inviolable que Dieu, qui l'a donnée, ne peut l'ôter; que par elle l'homme peut résister, d'une résistance invencible, à Dieu, de qui il la tient, et, épouvantable victoire, vaincre Dieu?»*

En ese momento de su lectura, Benigno sintió la necesidad de sentarse, de coger papel y lápiz, y de traducir al castellano –al suyo propio, sin duda, ya que el original de Donoso Cortés no le era asequible– las sentencias de éste:

«... de manera que la creación sería inexplicable sin el hombre y el hombre inexplicable si no fuese libre. Su libertad explica al hombre y explica al mismo tiempo todas las cosas existentes. Pero ¿quién explicará tal libertad sublime, inviolable, santa; tan santa, tan sublime y tan inviolable que Dios, que la ha otorgado, no puede suprimirla, y gracias a la cual el hombre puede resistirse, con invencible resistencia, a Dios, de quien la obtuvo, y, ¡espantosa victoria!, puede vencer a Dios?».

Leídas así, con calma, las frases de Donoso Cortés le parecieron dignas de reflexión. Pero no tenía tiempo, tampoco estaba en condiciones en aquella precisa y urgente situación para mucho pensar. Tenía que esconder cuanto antes el texto de Jruschov, que la presencia del comisario Sabuesa en la finca convertía en algo peligroso.

Cerró el volumen, prometiéndose volver a estudiar más adelante el capítulo sobre el libre arbitrio del hombre en el ensayo de Donoso Cortés, y palpó las tapas del tomo tercero buscando el lugar más espeso por donde hendirlas suavemente.

Así es como tuvo la sorpresa de descubrir que ambas tapas del volumen ya habían sido rasgadas y ajustadas de nuevo cuidadosamente con algún pegamento. Así es como descubrió Benigno Perales, aquella noche de julio, dos manuscritos de José María Avendaño, dos cuadernos, uno de ellos diario íntimo, redactado en un lenguaje escueto, por momentos casi telegráfico, pero de una absoluta precisión.

Escondido en la tapa anterior del libro, se encontraba el diario redactado por José María durante el viaje de novios, en el cual se relataban, concisamente, las peripecias eróticas del viaje, desde el día originario de Nápoles y de Capodimonte: de Judit y de Luciana.

El segundo documento –ambos estaban escritos en un finísimo papel cebolla de buena calidad, con una caligrafía diminuta–, escondido en la tapa posterior, no era propiamente un diario íntimo, sino una serie de apuntes, notas y reflexiones sobre temas históricos y políticos: desde el resumen de una conversación en Madrid, en 1930, con John Maynard Keynes –así se explicaba que hubiese en la biblioteca un libro de éste, *General Theory*, de 1936, enviado desde Londres con una dedicatoria cordial–, hasta la relación pormenorizada de una entrevista en Nápoles con Benedetto Croce, durante el viaje de novios, pasando por una serie de apuntes críticos sobre ensayos o conferencias de Ortega y Gasset, Manuel Azaña y Fernando de los Ríos.

En realidad, Benigno Perales no tuvo tiempo ni humor de leer detenidamente esta segunda serie de reflexiones por el sofoco que le produjo el primer texto, o sea, la cruda –y tanto más por ser escueta– confesión de José María en lo que concierne a su enredado viaje de bodas, al oscuro placer de voyeurismo activo y pasivo, descubierto en Nápoles, gracias a Mercedes, con la deliciosa Luciana, y ulteriormente practicado por la pareja con algunas otras chicas serviciales.

Hasta Biarritz por lo menos, donde aparecía de pronto un chico en el diario, un tal Timothy, joven fotógrafo inglés. Pero al llegar a este episodio, Benigno, virtuoso y hasta puritano, cerró los ojos, optó por no saber, no enterarse, y abandonar la lectura de las páginas del diario íntimo.

Más tarde, más adentrado en aquella noche de insomnio, ya de regreso a su habitación, Benigno se dio cuenta de que el segundo documento –se había llevado, en efecto, el cuadernillo que contenía las reflexiones de José María sobre diversos temas histórico-filosóficos, para leerlo detenidamente, dejando en cambio el diario íntimo en su escondite originario, que volvió a cerrar cuidadosamente, mientras colocaba en la otra tapa del volumen de Donoso Cortés el informe secreto de Jruschov– se terminaba con una nota encabezada por la inscripción: «Maestranza, 15 de julio 36», y que decía así, sibilinamente: «Fotos: Enciclopedia Toreo».

Pensó, como es lógico, que aquella indicación significaba que en algún volumen dedicado a la tauromaquia –no faltaban en la biblioteca, ¿sería alguno de los tomos de Cossío?– se ocultaban fotografías. Pero ¿cuáles?

Recordó que Timothy, el joven inglés de Biarritz, era fotógrafo, según constaba en el diario secreto de José María Avendaño. Temió lo peor: no, ni hablar, no iría a buscar esas fotos en ninguno de los volúmenes de la biblioteca taurina de La Maestranza, ¡ni pensarlo!

## 5

*Gott mit uns:* luego se acordaría.

Estaba Lorenzo sentado en el asiento delantero, abriendo la portezuela del cuatro-cuatro, cuando se acercó el chico de la gasolinera. Vio la hebilla reluciente del cinturón militar que el muchacho utilizaba para sujetarse los pantalones de trabajo, de un azul descolorido.

Leyó la inscripción marcial y triunfalista: *Gott mit uns.* Se acordaría, desde luego, se lo contaría a los amigos de Madrid. A Domingo le haría gracia; también a Javier.

Pero en ese momento no tuvo tiempo, quizá tampoco ganas, de formularse explícitamente los interrogantes o hipótesis que se le ocurrieron atropelladamente.

¿Por qué un cinturón del ejército alemán? ¿Lo habría comprado el adolescente empleado de la gasolinera en un puesto del Rastro, durante algún viaje a la capital? Y, en ese caso, ¿lo habría comprado por interés? ¿Porque le interesaba el ejército alemán, su historia, sus andanzas bélicas? ¿O lo habría comprado por mera casualidad, sin saber a qué se refería, ignorante de que aquella invocación religiosa estaba en idioma germano, y menos aún de lo que significaba? Tal vez –otra hipótesis imaginable– alguien de la familia, un hermano mayor, un tío, el propio padre, quién sabe, habría estado en la División Azul y hubiese vuelto de Rusia con aquel cinturón.

Horas después, al caer la tarde, recordaría que la insólita jornada había comenzado –si es que puede saberse a ciencia cierta cuándo comienza en realidad un acontecimiento; si es que lo sucedido aquel día de verano de 1956 no había comenzado realmente años atrás: veinte años, día por día, el 18 de julio de 1936– bajo la invocación del dios de los ejércitos. De uno de ellos, al menos: uno de los dioses y uno de los ejércitos.

Así, en el porche de la casa grande de La Maestranza, en el mismo lugar –no podía ignorarlo, ya que había estado oyendo durante toda su infancia los interminables relatos de su madre, y los complementarios, aún más detallados y morosos si cabe, de Raquel y de la Satur; así como los de Mayoral, más breves y tajantes, testigos como fueron los cuatro de una parte al menos del acontecimiento; pero también los de su tío José Manuel, que no lo había sido, lo cual no le impedía contar a Lorenzo, sin duda con santo afán pedagógico, deseoso de grabar en su memoria de niño las enseñanzas de aquella muerte antigua, cómo fue el asesinato de su padre–, en el mismo lugar, pues, en que José María había estado oteando la llegada del tropel de braceros en armas, Lorenzo se acordaría de que la jornada que acababa de transcurrir había comenzado bajo la invocación de un dios forastero, tal vez bárbaro, godo o gótico: *Gott*, en todo caso.

Pues que los coja confesados el *Gott* de los cojones, piensa Lorenzo, con una risa silenciosa y brutal. El Dios de las batallas, de las guerras civiles, de las sangrientas cruzadas: que los coja de mala manera, que los empitone por la ingle, por el mismísimo ojo del culo, que los parta por la mitad, que los malamuertee.

Pero eso es al atardecer, al caer la tarde, cuando todo ha terminado –si es que puede saberse exactamente cuándo un acontecer termina de verdad, cuándo ha acontecido del todo y se agotan sus posibilidades de seguir surtiendo efecto– en el porche de la casa de campo.

Alguien, sin duda Isabel, toca al piano una pieza melancólica, una melodía cuyas notas se desperdigan por el aire espeso del atardecer, como sílabas sueltas de un poema olvidado.

Veinte años antes, bajo otro sol del mismo julio, su padre había salido al porche de La Maestranza al oír la voz sobresaltada de Mayoral.

Eran las tres en punto de la tarde y acababan de sentarse a la mesa del almuerzo. Estaba Raquel llenando los vasos de un agua fresquísima, que empañaba el cristal. Entonces se oyó desde fuera la voz de Mayoral, descompuesta.

–¡Señorito, señorito José María!

Salió del comedor al porche de la casa, y Mayoral hacía gestos desaforados.

En la carretera de Quismondo, más allá de la hilera de chopos, se vislumbraba el movimiento confuso de un tropel de gente. Y de cabalgaduras, probablemente. Su padre se adelantó hasta la balaustrada y mandó a Mayoral que trajera los gemelos.

La luz de julio se desplomaba plomiza sobre el paisaje.

Entre el temblor de las delgadas capas de aire cálido, removidas por algún brusco ramalazo de viento, a su padre le pareció distinguir en el centro del remolino polvoriento la forma achaparrada de una camioneta. Durante un instante, por encima de las cabezas indistintas de los hombres apretujados en la plataforma del vehículo –adivinado, supuesto, más que realmente visto– refulgieron múltiples destellos.

–Escopetas –dijo.

No hacía falta decir mucho más. Pero acaso no fuesen sólo escopetas, sino también hoces alzadas. Y guadañas.

Lorenzo podría contárnoslo.

Aunque él no asistió a la muerte de su padre. No fue testigo de aquel acontecimiento. Además, si hubiera que expresarse con rigor, ni siquiera debería utilizarse por ahora la palabra «padre». No lo era, en efecto, todavía, aquel hombre joven que salió al porche de La Maestranza el 18 de julio de 1936, a las tres de la tarde.

Ni era su padre ni nunca supo que fuera a serlo.

Moriría sin saberlo, pocos minutos después. Aquel día no lo sabía nadie. Lorenzo no era todavía hijo de José María Avendaño. No era hijo de nadie. Mejor dicho, no era nadie. Ni nada, casi nada. Sólo un confuso movimiento visceral, un coágulo ovulándose, ovillándose, en las profundidades placentarias –placenteras– del vientre materno. Sólo quince días después de la muerte de su marido se percataría Mercedes Pombo de que estaba embarazada, de que su viaje de bodas con José María había tenido –sin duda en Biarritz, era fácil echar la cuenta– ese desenlace habitualmente calificado de feliz.

Pero el 18 de julio, cuando salió aquél, recién casado, todavía risueño, al porche de La Maestranza, ni él ni nadie sabían que hubiera engendrado a Lorenzo.

Éste, veinte años después, día por día, podría contar cómo su padre –ahora sí que lo es, extrañamente; aquel desconocido, aquel joven muerto, aquel personaje fantasmal, o fabuloso, ni tan siquiera coetáneo, con la vida del cual la suya no habría coincidido ni un solo segundo, personaje de otro tiempo, pues, de otra historia, ahora sí que es padre suyo, padre mío que estás en los cielos de la muerte desde antes de serlo–, podría contar cómo su padre había salido de la casa al oír la voz de Mayoral, llena de pánico, para ver acercarse en furiosa comitiva a los braceros de Quismondo.

Y podría contarlo porque durante los años de su niñez había estado oyendo, un tanto atemorizado, los relatos pavorosos, interminables, de aquella antigua muerte.

Pero eso fue al atardecer, cuando hubo terminado la ceremonia expiatoria, en gran parte frustrada por el plante de los braceros, cuando habían ya salido de la finca rumbo a Madrid José Manuel y el comisario Sabuesa, furiosos los dos, aunque por razones muy diferentes.

Ahora Lorenzo está todavía en La Prosperidad, la tienda de Eloy Estrada, mientras el chico de la gasolinera le está llenando el depósito del cuatro-cuatro.

Acababa de bajar del coche, había pensado vagamente que ojalá fuera verdad aquella invocación del *Gott mit uns*, o sea, «Dios con nosotros», o sea, que nos cogiera confesados, como suele decirse más castizamente. Sobre todo en un día como aquél, tan lleno de muerte. Y entonces apareció el dueño, Eloy Estrada.

–Bienvenido, Lorenzo.

Se le notaba algo extraño en su forma de adelantarse hacia él, como si quisiera darle alguna noticia, impaciente por ello, en sus gestos, su tono de voz, un nosesabequé de sombrío en los ojos.

Está raro el Eloy, pensó: nervioso y tristón, o preocupado.

Desde que Lorenzo tiene uso de memoria, desde que recuerda haber asistido a la conmemoración del 18 de julio instaurada por José Manuel Avendaño, en su oficio de *pater familias*, recién terminada la guerra civil –y asistió al cumplir los diez años: o sea, desde hace otros diez precisamente–, desde entonces Lorenzo recuerda que ese famoso día de julio siempre parecía ser de fiesta –tal vez con algo de gravedad añadida, de solemnidad, pero día de festejo en todo caso– para Eloy Estrada.

Y no sólo por la compra excepcional que hacían en la tienda en aquella ocasión los señores de La Maestranza para sus numerosos invitados. No sólo por el ajetreo, cada año repetido, de coches de autoridades de la provincia –y alguna vez hasta de la capital– que rompía la monotonía de la vida quismondeña. También, sin duda, por alguna razón oculta. Como si Eloy Estrada tuviera algo personal, apasionado, en relación con aquel lejano acontecimiento.

–¿Usted, Eloy, estaba en Quismondo cuando lo de mi padre?

No podía hacer la pregunta más escuetamente, no podía dársele una formulación más neutra, menos agresiva. A pesar de ello, Eloy Estrada reaccionó con febrilidad: tuvo un gesto brusco, se le derramó el vino tinto que estaba bebiendo. En la pechera de su camisa blanca, la roja mancha de vino pareció un súbito derrame de sangre.

Luego dijo palabras confusas.

Que no, que no estuvo en Quismondo, pero que sí, sí que estuvo, pero que no se enteró de nada, no recuerdo nada, Lorenzo, bueno, sí, la radio, los partes de unos y otros, los llamamientos, las proclamas de ese general que luego se hizo famoso en Sevilla, Queipo de Llano, sí, recuerdos así, pero de la muerte de José María Avendaño, de la muerte de tu padre, Lorenzo, no recuerdo nada, me enteré al día siguiente, o a los dos días, ya no sé, pero por lo que me han contado en el pueblo, al frente de la tropa aquella de braceros iba Chema el Refilón, que acaba de morir en Burgos, en el penal de Burgos quiero decir, y lo entierran hoy, ya lo sabes, ¿no?, lo entierran en la finca, en la misma cripta que tu padre, Lorenzo...

Pero Lorenzo no sabe nada.

No sabe nada del Refilón, ni quién era, ni por qué, ni por dónde, ni cuándo, ni a cuento de qué se le enterraba hoy con su padre, ni por qué había muerto en el penal de Burgos: Lorenzo no sabe nada de nada.

El chico de la gasolinera –una de esas de manejo manual, de bombeo a mano– sacaba en ese momento la manga del depósito del cuatro-cuatro, sin duda lleno.

Lorenzo salió de La Prosperidad, cogió de su bolsillo unos billetes, pagó la gasolina. Al chico del *Gott mit uns* le dejó una propina generosa.

–Bueno, Eloy, nos vamos viendo...

Entonces, en el último momento, cuando ya Lorenzo se inclinaba para meterse en el coche –Isabel no se había movido de su asiento, no había mirado nada, ni a nadie, absorta en sabe Dios qué ensoñación, ensimismada en no se sabe qué mismidad–, en ese último momento salió a la acera Eloy Estrada y soltó la noticia que le ponía nervioso.

–En la finca hoy va a haber lío –dijo–. Hay plante de los braceros...

Lorenzo interrumpió su movimiento hacia el asiento delantero del automóvil, se volvió.

–¿Plante? ¿Por qué? ¿Qué piden los braceros?

Eloy Estrada le explicó atropelladamante:

–Pues no piden nada... Pero ya no quieren hacer la función del asesinato de tu padre, Lorenzo... Dicen que basta ya, que ellos no estuvieron aquí cuando la muerte, ni saben de todo aquello... Y que ha llegado la hora del olvido... Insisten en que el contrato laboral no les puede obligar a semejante actuación... En fin, que se niegan a hacer la función...

A Lorenzo lo del plante le parecía muy bien. Estuvo a punto de mostrar su alegría. Ya era hora, por Dios, incluso por *Gott*, ya era hora de que terminase aquella bárbara ceremonia.

Se acordó de que había mandado desde Florencia una postal a Mercedes –cuando pensaba en su madre, siempre la nombraba por su nombre, Mercedes, o acaso, en broma, haciendo alusión íntima y jocosa al *Tenorio* de Zorrilla, que habían leído juntos, «Mercedes del alma mía»–, una postal en la que, al anunciar su llegada a la finca con Isabel, le recordaba su promesa de que fuese la última vez.

A Eloy Estrada, por su parte, no le importaba que fuese la última vez, muy al contrario, ni le preocupaba que los braceros se negasen a hacer la función. Lo que le inquietaba, poniéndole los nervios de punta, era, en el contexto particular del plante, con los líos que éste podía acarrear, la presencia en la finca del comisario Sabuesa.

Por si fuera poco –pero no le es posible al Narrador afirmar que Estrada tuviera la firme intención, ni es posible saber, a estas alturas del relato, si había tomado de verdad la decisión de contárselo a Lorenzo, siquiera resumidamente–, por si fuera poco, Eloy, en el reservado de La Prosperidad donde el comisario estuvo almorzando la víspera, y aprovechando un momento en que Sabuesa se había encerrado largamente en el baño, había ojeado los documentos que éste traía consigo aquella mañana y que dejó en la mesa, imprudentemente.

Al fajo de documentos –193 páginas, escrupulosamente numeradas– sólo tuvo tiempo de echarle un rápido vistazo, suficiente para enterarse de que se trataba de los interrogatorios de estudiantes y profesores que algo tenían que ver con las algaradas universitarias de febrero de ese año; insuficiente para memorizar los nombres de los mencionados, también para saber si había en los documentos policiales alguna referencia a Lorenzo Avendaño.

Después de los sucesos estudiantiles de febrero, que tanto comentario habían suscitado, la familia envió a Lorenzo a Italia. Eloy recuerda que hubo una especie de consejo de familia, al cual asistió también el jesuita, habitualmente afincado en Alemania. Se reunieron en La Maestranza y el resultado concreto de aquella discusión fue la salida precipitada de Lorenzo rumbo a Italia para «ampliar estudios»: ésa fue la explicación que se dio a la gente.

De ello podía deducirse –y Estrada no tardó en hacerlo– que, aunque Lorenzo no formara parte del grupo de los emblemáticos detenidos de febrero, los más notorios de entre los revoltosos, «los cabecillas», al decir de Sabuesa, por alguna razón correría peligro permaneciendo en Madrid.

Así que puso tierra y tiempo por medio y se largó a Italia, de donde acababa de volver.

¿Iba Estrada a contarle a Lorenzo que el comisario Sabuesa se interesaba por él? ¿Iba a decirle que había estado escudriñando atentamente la postal que envió desde Florencia, aunque hubiese aparentado luego falta de interés? ¿Iba a decirle que además, *last but not least* –Lorenzo tenía la manía, orteguiana y cursi, proclamaba Isabel en sus momentos imprevisibles pero mortales de crítica despiadada a su adorado hermano, de citar expresiones extranjeras, de idiomas vivos o muertos, desde el inglés o el alemán, al latín o griego–, Sabuesa también tenía entre sus papeles una nota en que se resumía el currículo familiar y universitario de Lorenzo y que terminaba con una observación que Eloy se había aprendido de memoria, pero que no entendió del todo?

La nota concluía así, en efecto, después de la enumeración de los datos biográficos: «Lorenzo Avendaño. Parece muy amigo de JP, o sea de una de las cabezas visibles de la subversión. Se le ha visto almorzar regularmente con éste. (Vigilar La Taurina, en Alcalá.) Sería un enlace ideal para Federico Sánchez. Aprovechar la ceremonia de Quismondo para indagar: ponerle alguna trampa...».

Aun así, aunque no puede saberse con seguridad si Eloy Estrada estaba realmente dispuesto a contárselo a Lorenzo, en aquel encuentro mañanero junto a La Prosperidad, el caso es que no tuvo materialmente tiempo de hacerlo.

Isabel acababa de volverse hacia su hermano: su mirada era toda negrura y desafío.

–Oye, Lorenzo, ¿has decidido que me muera de hambre y de aburrimiento? ¿Quieres que se enfríe el desayuno de Satur, que me está esperando?

Lorenzo, entonces, se metió en el coche sin perder un minuto. Arrancó el cuatro-cuatro y nos quedaremos sin saber lo que Eloy Estrada había decidido decirle a Lorenzo, qué fragmento de la verdad, o la verdad entera tal vez: la que él conocía.

Nos quedaremos sin saberlo. Al menos, por ahora.

«... con esos ojos y esas ojeras...»

¿Por qué flotan de pronto en su memoria esas palabras? No lo sabe Lorenzo, no sabe por qué han surgido, sueltas, aisladas, fuera de todo contexto, cuando ha visto llegar a Raquel, cruzando hacia él el porche de La Maestranza con su andar armonioso.

Poco antes, nadie salió a recibirlos a Isabel y a él.

Aparcó el coche junto a otro automóvil con matrícula de Madrid, en el amplio espacio recubierto de arenilla blanca, cuidadosamente rastrillada. Fue hasta el porche, se derrumbó en una de las butacas de anea. Isabel ya corría hacia la cocina, hacia el desayuno y la cháchara de la Satur: hacia su paraíso infantil, en suma.

Se quedó solo. Un silencio profundo le rodeaba: espeso y cristalino a la vez. El aire de la mañana esparcía olores de campo y de jardín. Tal vez predominaba el de la yerbabuena. Tuvo otra vez la sensación, certidumbre más bien, de años anteriores, la de siempre: la misma de siempre. Aquí estaba en su sitio, en el lugar esencial de su vida, en la morada misma de su ser y de sus sueños, de su estar en el mundo.

En la morada misma de aquella muerte antigua, no puede olvidarlo.

Desde que tuvo dieciséis años –desde hace cuatro, pues– Lorenzo hacía el papel de su padre en aquella especie de auto sacramental que su tío se había inventado para perpetuar el recuerdo del asesinato de 1936; para inmortalizar aquella muerte absurda y prolongar, de generación en generación, una mala conciencia de culpabilidad entre los braceros de la finca.

Era algo que José Manuel había exigido de él, algo que le atemorizaba, además de repugnarle, pero que, por demasiado joven, no supo cómo oponerse.

A pesar de todo, estaba en efecto en la morada de su ser, como si al encarnar la figura de su padre muerto se engendrara a sí mismo, heredero legítimo de la raza aventurera de los Avendaño, aunque él aún no existiera realmente en la jornada de aquella muerte antigua.

Era sobrecogedora aquella certidumbre, pero no angustiosa.

Entonces, en el silencio de la mañana, oloroso y denso, le llegó a los oídos una algarabía mujeril que provenía de la cocina: había llegado Isabel, ¡niña Isabel!

Con ese alegre griterío de fondo, apareció Raquel y, al verla acercarse con su andar armonioso, leve y altanero, deslizándose danzarina sobre las baldosas del porche, brotó en la mente de Lorenzo aquella frase aislada, sin duda incompleta, fuera de todo contexto, «con esos ojos y esas ojeras», que provenía probablemente de algún poema, alguna copla o canción, pero que ahora, en el porche de La Maestranza, viendo acercarse a Raquel, emergieron solas, y no hubo nada en torno a ellas, ni antes ni después, como si hubiesen surgido de la nada tan sólo para anunciar la llegada de Raquel.

En la mesita más próxima a la butaca que había elegido Lorenzo para derrengarse en ella, baldado por una noche en vela y el cansancio del viaje en el cuatro-cuatro desvencijado, Raquel depositó una bandeja con una tacita de café solo, fuerte, aromático, unas galletas, y un vaso grande de agua fresca: lo que a él le apetecía a esas horas.

–Lorenzo, qué alegría –decía a media voz, mirándole de frente.

Un atisbo de emoción sensual le hizo olvidar todo su cansancio. De pronto, aunque siguiera sin recordar de dónde procedían, se acordó de algunas palabras más en torno a las que había rondado su memoria.

¿A quién esperas tan de mañana
con esos ojos y esas ojeras:
enjauladita como las fieras
tras de las rejas de tu ventana...?

No estaba seguro de que fuese exactamente así, pero en fin, era algo parecido.

Siguió sin recordar la procedencia de aquellas palabras, ¿de qué canción, de qué copla, de qué poema acaso?

Raquel se puso de rodillas junto al sillón de anea.

–Cuánto tiempo sin verte, Lorenzo, qué alegría...

Se acordaron de lo mismo, lo adivinaron: supieron que habían recordado lo mismo al mismo tiempo.

Ella, de rodillas a sus pies, había reclinado su brazo izquierdo en el pecho de Lorenzo y con la otra mano acariciaba suavemente su rostro: sus párpados, sus pómulos, sus labios.

Se acordaron de lo mismo, con fervor, con gratitud, sin nostalgia ni amargura.

El año en que Lorenzo cumplió los dieciséis –cuatro años antes, por tanto, puede calcularse y proclamarse, si el amable lector es amante de la precisión cronológica–, en 1952, recibió en su casa de Madrid la visita, inhabitual y hasta insólita, de su tío José Manuel.

Lorenzo recuerda perfectamente que estaba bregando con un texto poético de Ovidio, de difícil versión por su sutileza concisa y enigmática, cuando sonó un toque en la puerta de su habitación, en la casa de Alfonso XII, esquina Juan de Mena, y entró su tío José Manuel diciendo:

«¿Se puede, Lorenzo?». Y fue para decirle, prolijamente, con referencias numerosas pero un tanto desordenadas, pensó Lorenzo, a la reciente historia de España, a la de la Cruzada en particular, que había alcanzado la edad no sólo de la razón, sino de hombre, de heredero de su padre, alevosamente asesinado, que en paz descanse, y que por tanto...

En fin, resumiendo lo que fue larga perorata, que a partir del próximo mes de julio, de la próxima ceremonia expiatoria, le tocaba a él, personalmente, hacer el papel de José María Avendaño, su desgraciado padre, en La Maestranza.

Lorenzo ya había asistido en los últimos años, desde que cumplió los diez, a la dichosa ceremonia. Ya había visto a su padre –mejor dicho, al hermano de su padre, al jesuita José Ignacio, que hizo el papel hasta aquel año de 1952, precisamente, y que lo dejó entonces por haber envejecido demasiado, según José Manuel, artífice de todo aquel tinglado, y muy atento al aspecto realista del esperpento dramático–, lo había visto salir al porche de La Maestranza al oír la voz descompuesta y desaforada de Mayoral.

Y el papel de Mayoral seguía haciéndolo Mayoral, que gritaba con la misma voz descompuesta, desaforada, como aquel día de julio, veinte años antes, cuando vio llegar el tropel armado por la carretera de Quismondo.

Todo fue diferente, sin embargo, aquel día de hacía cuatro años, cuando cumplió los dieciséis e hizo por primera vez el papel de su padre: no era lo mismo ser actor en aquel simulacro que mero espectador. Al final, cuando los braceros descargaron la salva de sus escopetas, Lorenzo se cayó de bruces en el porche de la casa, como si hubiese sido, de verdad, mortalmente herido. Con tanta naturalidad, tan patético abandono de todo el cuerpo, que Mercedes Pombo, sobresaltada, pensó fugazmente que alguna escopeta, por accidente o por malevolencia, habría podido permanecer cargada de perdigones, o de alguna bala de las que se utilizaban en la comarca los días de caza mayor.

Pensó así, y se abalanzó sobre el cuerpo yacente de Lorenzo, lo cual dio aún más rasgo y rango de verosimilitud a aquel momento de la ceremonia. José Manuel Avendaño, el primogénito, cínico como de costumbre, estuvo a punto de aplaudir el espontáneo juego escénico. Sin llegar a tanto, todos los demás espectadores quedaron impresionados por la veracidad emotiva de la fingida muerte de Lorenzo, por el dolor de su madre, no fingido éste.

Pero ni Raquel ni Lorenzo se han acordado de aquel momento de hace cuatro años. Se han acordado, naturalmente, de lo que sucedió después. Se han acordado del amor, no de la muerte.

Cuatro años antes, cuando hubo terminado la parte teatral de la ceremonia, aquella especie de auto sacramental que el Avendaño primogénito había escenificado con todo detalle, tuvo lugar la habitual homilía religiosa, esa vez oficiada por un obispo coadjutor de Toledo, y luego el asimismo habitual discurso de José Manuel, dirigido a los campesinos para recordarles su miserable condición de asesinos, o de descendientes de asesinos, y enumerarles de paso los principios esenciales del Glorioso Movimiento.

Después hubo, también era habitual, un almuerzo multitudinario servido al aire libre, pero a la sombra de la centenaria arboleda de La Maestranza, por el mujerío cocineril de la Satur, bajo la vigilante mirada de Raquel: banquete más que simple almuerzo, que reunía a moros y cristianos, o sea, a braceros y a propietarios del contorno, amén de autoridades civiles y eclesiásticas; banquete presidido por el propio Lorenzo, ungido desde aquel día, simbólicamente, por el recuerdo de la sangre de su padre, como legítimo heredero de todas las vidas y las muertes de la estirpe.

Pero Lorenzo, como era de temer, y como algunos –algunas, más bien– habían temido, a disgusto con la circunstancia y consigo mismo, bebió demasiado, a pesar de los intentos para impedirlo de Mercedes, sentada a su lado, y de Raquel, que se daba cuenta y se acercaba de vez en cuando para vaciar en el suelo las copas de vino tinto.

Cuando ya se estaban sirviendo los postres, se levantó de pronto de su asiento, pidió silencio a golpes rítmicos de cuchillo contra el cristal de una copa vacía, y anunció que iba a recitar un poema de circunstancias.

Mercedes palideció, temiéndose lo peor.

Y fue lo peor, en efecto. No por el poema mismo, que era de Rafael Alberti y que fue espléndido –sigue siéndolo, por cierto–. Fue lo peor, en una circunstancia como aquélla, desde el punto de vista del escándalo público.

A estas alturas de su relato, el Narrador modestamente debe confesar sus dudas, subrayar alguna incertidumbre.

Y es que no sabe exactamente a qué atenerse en cuanto al poema de Alberti que Lorenzo recitó, o declamó, casi proclamó, aquel día. Aquel 18 de julio de 1952, cuando acababa de cumplir los dieciséis años y su tío José Manuel le obligó a hacer el papel de su padre en la ceremonia expiatoria.

Tiene el Narrador, en efecto, dos versiones distintas de dicho poema, aunque ambas procedan de Domingo Dominguín. En una de ellas –la primera, por otra parte–

Lorenzo recitaba un fragmento del poema «Madrid-Otoño», que se encuentra en el libro *De un momento a otro*, escrito entre 1934 y 1938.

Lorenzo, en la primera versión de Domingo, recitaba con pasión, con una maestría retórica poco previsible a su tan corta edad:

Estos inesperados
retratos familiares
en donde los varones de la casa, vestidos
los más innecesarios jaeces militares,
nos contemplan, partidos,
sucios, pisoteados,
con ese inexpresable gesto fijo y oscuro
del que al nacer ya lleva contra su espalda el muro
de los ejecutados...

Fueron estas últimas palabras, fue esta durísima evocación del muro de los ejecutados lo que provocó la airada, indignada reacción de José Manuel Avendaño, que interrumpió a su sobrino echándole violentamente en cara lo que consideraba grosera y blasfema mofa de la muerte de su propio padre, prohibiéndole, terminantemente, que continuara recitando el poema de Alberti.

En la segunda versión de Dominguín, idéntica a la primera en cuanto a los pormenores del acontecimiento, Lorenzo recitaba otro poema en los postres del almuerzo multitudinario. Recitaba una poesía anterior, del libro *El poeta en la calle*, aquella que ostenta y enarbola por título la primera frase del *Manifiesto comunista.*

Recitó pues Lorenzo, según esta segunda versión, aquel poema-manifiesto: «Un fantasma recorre Europa / y las viejas familias cierran las ventanas...» (aquí, sin duda, el Narrador, que también tuvo una relación íntima, apasionada, con todos esos versos de Rafael Alberti, no podrá evitar, por fugaz que sea, un recuerdo personal, infantil: el del 14 de abril del año 1931, en el barrio de Salamanca de Madrid, cuando oyó cerrarse ruidosamente, como ofendidas, ventanas y contraventanas de las viejas familias del vecindario, al ver las oriflamas tricolores republicanas que su madre –la del Narrador, quede claro– instalaba en los balcones de su casa, en el cruce de Alfonso XI y de Juan de Mena). Lorenzo siguió recitando el comienzo de aquel poema de Alberti, que prosigue así: «y las viejas familias cierran las ventanas, / afianzan las puertas, / y el padre corre a oscuras a los Bancos / y el pulso se le para en la Bolsa / y sueña por las noches con hogueras...», y así, todo seguido, con voz firme, clara y potente, hasta el verso terrible, «los campesinos pasan pisando nuestra sangre», y entonces un rumor sordo, algo así como un sordo sollozo colectivo, recorrió la asistencia, hasta allí petrificada en un silencio atónito –¿o agónico?– y José Manuel Avendaño se puso a gritar, enfurecido, mandando a su sobrino que se callara, por Dios y por todos los santos, por los clavos de Cristo, ya está bien.

Como puede verse, la diferencia entre las dos versiones de Domingo Dominguín, aunque curiosa desde un punto de vista literario, no altera realmente la trascripción de los hechos acontecidos. Lo esencial no cambia de una versión a otra.

El hecho es que José Manuel había interrumpido a su sobrino cuando estaba recitando un poema de Alberti.

Como no se sabe con certeza qué poema era, tampoco puede saberse qué verso pudo provocar la ira descomunal del tío de Lorenzo. En cualquier caso, Lorenzo enmudeció, demudado, ante la cólera brutal de José Manuel Avendaño, y ésta fue la señal inequívoca que dio por terminado el festejo conmemorativo.

Se disolvió el ágape y los comensales se alejaron del lugar en grupos taciturnos o burbujeantes de murmullos. Lorenzo permaneció sentado a la mesa, con la cabeza hundida entre los brazos cruzados sobre el mantel. Luego, largos minutos más tarde, saliendo de su postración, buscó a su madre con la mirada. Pero ésta había desaparecido, como todas las personas que habían estado sentadas en la cabecera del banquete.

Cerca de él sólo quedaba Raquel, atenta y protectora. Pero Lorenzo necesitaba ver a Mercedes, con urgencia desesperada.

Necesitó la inmediata presencia de su madre, su cariño, su regazo, su atención. Tenía que contarle de inmediato su vivencia de aquella tétrica ceremonia, cómo se había desvivido en ella. Tenía que contarle la certidumbre a la que había llegado esa mañana, sobrecogedora tal vez, pero no angustiosa: serena, luminosamente desesperada. Y es que había pensado que al encarnar, en aquel odioso simulacro, la figura de su padre muerto –y muerto antes de ser realmente su progenitor, antes de saberlo, en cualquier caso–, en cierto modo se engendraba a sí mismo, heredero legítimo de la estirpe aventurera de los Avendaño.

Lorenzo se puso a correr hacia la casa grande de La Maestranza, sin atender a las advertencias de Raquel, que sin duda temía lo que le esperaba allí.

En la puerta misma del apartamento de Mercedes –saloncito, dormitorio, baño y cuarto de los armarios–, situado al fondo de la galería principal, Raquel consiguió interponerse. «No entres», le dijo a Lorenzo, «tu madre estará durmiendo la siesta...» Pero esa información, tan vulgar y corriente, tan inocente, la formulaba Raquel en un tono dramático, como si estuviese anunciando alguna catástrofe.

Lorenzo la apartó de un empujón y entró a la fuerza en el saloncito contiguo al dormitorio de su madre. No estaba ésta durmiendo, estaba fornicando. Tal fue la palabra, de catecismo o de clase de religión, que a Lorenzo se le ocurrió, «fornicación», para calificar la escena que se ofrecía a su mirada.

Desnudo de cintura para abajo, pero todavía con la camisa inmaculada y la corbata negra de la ceremonia fúnebre, espatarrado en el sofá, y diciendo a media voz palabras deliberadamente soeces, su tío José Manuel era cabalgado por Mercedes, medio desnuda, que movía las nalgas al frenético compás de las brutales instrucciones que pronunciaba él, y a las que ella correspondía con gemidos cada vez más agudos, embelesados, y entrecortadas exclamaciones de placer.

Lorenzo cerró los ojos con la desesperada ilusión de suprimir la realidad de aquella escena primitiva –en todos los sentidos de la palabra–, mientras gritaba desconsoladamente.

Todo fue desorden y tumulto después.

Se desacopló la pareja sorprendida. Mercedes se puso en pie, bajándose las faldas arremolinadas. José Manuel se apartó, saltando a trompicones, en busca de alguna prenda con la que ocultar sus erectas vergüenzas. Entretanto, Raquel había agarrado a Lorenzo y forcejeaba para arrastrarlo fuera de la habitación.

Lo consiguió, ya que él apenas oponía resistencia.

Luego le fue conduciendo por el largo pasillo hasta su propio cuarto y le tumbó en la cama, sumido en un profundo y jadeante sollozo sin lágrimas.

Cuando Lorenzo se hubo serenado, tumbado en la cama de Raquel, ésta le contó la historia de Mercedes –la suya, también, en cierto modo– desde aquel infausto día de julio de 1936.

Cómo Benigno Perales las había rescatado a las dos, escondidas en la habitación secreta, especialmente instalada para las amantes del abuelo Avendaño; cómo las había llevado a Madrid, y cómo habían sobrevivido en la capital, sitiada, adusta, bombardeada, durante unos años de zozobra y sobresaltos, con numerosos cambios de domicilio; lo difícil que había sido, en marzo del año 1937, resolver los problemas del alumbramiento de los gemelos, Isabel y él mismo, y los de su crianza en los años posteriores, hasta el final de la guerra civil; cómo, en aquel momento, había reaparecido José Manuel, vencedor entre los vencedores, prepotente, y cómo éste había prontamente reorganizado la vida de la familia y asumido su dirección; cómo Mercedes, tan joven madre desamparada, se había encontrado sometida a la autoridad de José Manuel, eficaz, restauradora del bienestar y de los privilegios de antaño, dueño y señor, objetivamente, de su destino y del de sus hijos, sobre todo por razones materiales; cómo, un día del año 1941, en La Maestranza, adonde José Manuel solía venir sin su mujer, una cursilísima de Valladolid que odiaba la finca y la vida de campo, que sólo aspiraba a los fastos de la vida de sociedad capitalina, cómo, pues, la tarde de aquel día de la primavera de 1941, cuando Mercedes se retiró a su apartamento, después del almuerzo, para unas horas de descanso y de lectura –de soledad, en suma–, cómo, por tanto, José

Manuel impuso su presencia, y la acompañó, diciéndole, en tono suave pero categórico, en el umbral del saloncito, «Hoy, Mercedes, supongo que ya lo habrás adivinado, voy a ejercer mi derecho de pernada»; cómo ella se revolvió, asombrada, «pero ¿qué estupidez estás diciendo?», y él se lo explicó tranquilamente, como se explican las evidencias, como se cuentan las cosas que ocurren normalmente, cada día; le explicó a Mercedes que siendo como era joven y hermosa –en realidad añadió algún comentario más preciso y grosero, hablando de lo cachonda que estaba, «calientapollas», aun no siendo coqueta, de lo calientes que nos pones a todos con sólo cruzar las piernas al sentarte en el salón–, siendo lo que era, por tanto, a sus gloriosos veintiséis años, no iba a permanecer mucho tiempo viuda, virgen y mártir, soltera en fin, y que él no estaba dispuesto a permitir que nadie le arrebatara el uso o goce de tan divino cuerpo, que nadie se le adelantara en semejante propósito, y que, por tanto, repito, voy a ejercer hoy mismo, a esta hora tan apropiada, propicia, de la siesta, mi derecho de pernada, que me viene de ser el primogénito de los Avendaño y tutor de tus hijos, y mientras le decía todo eso, se introdujo con ella en su dormitorio, y bien pronto en su cuerpo, con una violencia calculadamente bestial, habría dicho san Agustín –pero no es verosímil que José Manuel hubiera leído la más mínima línea de los tratados sobre el matrimonio cristiano del santo obispo de Hipona–, y de verdad, en san Agustín, aquella tarde, sólo pensó Mercedes en el momento en que su cuñado, sin demasiadas premisas ni delicados ni pacientes preliminares altruistas, la poseyera en el sofá hasta dejarla exhausta de placer y abrumada por un horrorizado sentimiento de culpabilidad, oscuramente delicioso.

Raquel, claro está –y se supone que ningún comprensivo lector habrá tenido la mínima duda a este respecto–, Raquel no relató a Lorenzo la historia de Mercedes aquella tarde de 1952, el año en que cumplió los dieciséis, tan prolija y procazmente como ahora lo hace el Narrador, el cual no tiene necesidad narrativa alguna, tampoco obligación moral, de edulcorar la salobre y salaz realidad de los hechos. Se limitó a narrar los episodios principales, insistiendo sobre todo en los procedimientos autoritarios, casi despóticos, que el primogénito de los Avendaño había puesto en práctica para ejercer lo que siguió llamando, con cinismo –pero asimismo para mantener claramente su relación con Mercedes fuera del ámbito de la santa legitimidad matrimonial–, su *derecho de pernada.*

En todo caso, ya serenado, Lorenzo escuchó aquel relato con los ojos cerrados. Oía la voz de Raquel y volvían a su mente las imágenes crudas que acababa de contemplar y que, al desplegarse de nuevo en su memoria, como en una especie de pantalla cinematográfica, encuadradas por su curiosa imaginación retrospectiva, adquirían extrañamente, más allá de la repulsiva sorpresa que habían suscitado en su flagrancia, un poder irreprimible de excitación erótica.

Y es que Raquel, mientras le contaba la historia de Mercedes, su madre, le estuvo acariciando con la sabia y precisa dulzura de sus dedos y sus labios expertos, iniciándole en el descubrimiento deslumbrante de los placeres de la carne.

–Cuánto tiempo sin verte, Lorenzo, qué alegría...

Ella está de rodillas, a los pies de Lorenzo. Se han acordado de lo mismo, mientras Raquel le acaricia suave, ligeramente, el contorno del rostro, sus pómulos, sus labios.

–¿Qué va a pasar hoy en la finca, qué quieren los braceros, quién es el Refilón? –pregunta Lorenzo atropelladamente.

Raquel se ríe.

–Muchas preguntas a la vez –dice, pero se aparta de Lorenzo, se sienta en un escabel de anea que anda suelto por allí cerca, y las contesta.

Le cuenta primero quién fue el Refilón: que había sido compañero de juegos infantiles de los señoritos, como Benigno Perales, aunque menos; que estaba en Quismondo, por casualidad, al comenzar la guerra civil; le contó lo esencial. Que estaba con los braceros, aquel día, pero que, por lo que ella sabe, por lo que él mismo dijo luego, el Chema, que no venían con mala intención, nadie quería matar a los dueños, lo que querían era ocupar las tierras de La Maestranza, colectivizar la finca, ésa era la palabra mágica que Raquel recuerda muy bien, la que ¡váyase a saber por qué! electrizaba a los braceros y a los campesinos sin tierra; colectivización: los ponía cachondos. En todo caso, nunca se supo por qué alguna escopeta se disparó contra el señorito José María, y luego hubo, por una especie de contagio mortífero, temor y rencor entremezclados, una descarga a mansalva hasta que el señorito cayó acribillado.

¿Pero qué pintaba hoy el cadáver del Refilón en La Maestranza, por qué iba a ser enterrado en la misma cripta que su padre?

–¿Quién te ha contado eso? –quiere saber Raquel.

–Pues Eloy Estrada hace un rato en La Prosperidad, ¿quién va a ser?

–¿Y te contó dónde estaba él aquel 18 de julio? –pregunta Raquel, irritada.

–No sabe, no se acuerda, recuerda los partes de la radio, las proclamas de unos y otros, pero por más que se esfuerza no consigue recordar lo que hizo aquel día, según me ha dicho esta mañana –aclara Lorenzo.

–Pues lo mismo le dijo ayer al gringo guapo, que ya no se acuerda. Menudo farsante el Eloy ese.

Naturalmente lo del «gringo guapo» le ha llamado la atención a Lorenzo. Quiere saber a quién alude Raquel y ésta se sonroja, recordando cosas que no quiere contar, aunque las recordara complacida, pero se sobrepone a su emoción íntima y le explica someramente lo que sabe de Leidson, el americano, a qué ha venido a La Maestranza. Eso de «gringo guapo» para hablar del americano lo había inventado Domingo Dominguín, aclara Raquel, y así lo llamaban Mercedes y ella. Bueno, la señorita Mercedes y yo.

Lorenzo sabía que su madre y Dominguín eran bastante amigos, que almorzaban juntos de vez en cuando: en Horcher, muy cerca de la casa de los Avendaño, cuando Domingo no estaba «fregado», como solía decir, o sea, sin un duro; o en algún tabernucho de los alrededores, cuando los negocios de la plaza de Vista Alegre no funcionaban.

Pero nunca le había hablado Domingo de aquel historiador americano. También es verdad que no tenía obligación de contarle todo.

Raquel estaba explicándole que Eloy Estrada, a pesar de su interesada desmemoria, estuvo en La Maestranza cuando los campesinos mataron a su padre. Y al frente de la tropa, además, aunque él mismo no hubiese podido disparar: no llevaba escopeta.

Meses más tarde, cuando los nacionales entraron en Quismondo camino de Madrid, lo detuvieron. Pero volvió al pueblo muy pronto, libre de cargos y de culpas. A mí, decía Raquel, nadie me quitará de la cabeza que compró su libertad poniéndose al servicio de las nuevas autoridades. Debe informar de lo que pasa en Quismondo y en la comarca. Estoy segura, seguía diciendo Raquel, de que lee el correo de alguna gente, porque es él quien recibe las sacas que llegan de Maqueda, desde hace siglos, y él lo clasifica, y es un chico del ayuntamiento, el tontito del pueblo, el que lleva luego las cartas a quien corresponda. Además, fíjate Lorenzo, este comisario Sabuesa que viene a La Maestranza por segunda vez es uña y carne del Eloy: ayer, sin ir más lejos, al llegar de Madrid se paró en la tienda y estuvo almorzando allí en un reservado, solo con Estrada durante horas.

Pues ya que hablaba de Sabuesa, comentaba Lorenzo, la presencia del comisario en la finca, en las circunstancias del plante de los braceros, le ponía nervioso a Eloy Estrada.

–Daba la impresión de que estuvo a punto de decirme algo a ese respecto, algo que le preocupaba.

–A Eloy sólo le preocupan sus negocios –dijo Raquel, tajante–. Y le van bien, requetebién.

Luego, para divertir a Lorenzo, le contó la absurda discusión de la cena de la víspera acerca de la virginidad. Raquel contaba muy bien, tenía don y duende para los relatos. Sabía no perderse en detalles inútiles, demorarse en cambio cuando era necesario, resaltar los episodios significativos. Además, sus comentarios sobre la psicología de los personajes casi siempre eran atinados.

Ella había estado en un rincón del comedor durante toda la cena, atenta a lo que necesitaran, e incluso adelantándose a lo que desearan los comensales, yendo del uno al otro, silenciosa y eficaz. Eso no le impidió escuchar la conversación y memorizar los momentos más interesantes.

La discusión sobre la virginidad la reprodujo con tal precisión y vivacidad expresiva que Lorenzo acabó riéndose a carcajadas. Eso sí, se le heló la risa, como es lógico, cuando Raquel rememoró la grosera y grotesca exclamación del comisario acerca de la mariconería de todo macho que acepte casarse con una mujer desflorada.

Lorenzo se inclinó hacia ella, acarició con el dedo, levemente, el relieve pulposo de su boca.

–Pues yo sí que me casaría contigo –dijo.

Raquel se encogió de hombros, sonriente.

–¡Pero si tengo edad de ser tu madre!

–Pues por eso, Raquel... Como no puedo casarme con la mía, porque está prohibido, primero, y porque es propiedad del tío José Manuel, también...

Ella dio un respingo, se enderezó, le cerró la boca con la mano.

–Se terminó, Lorenzo, eso se ha terminado, todo lo malo se termina hoy.

Pero Raquel no tuvo tiempo de decir qué era todo lo malo, ni qué se terminaba, ni por qué.

A toda prisa llegaba Mayoral. Visiblemente inquieto, malencarado, malhumorado, acercándose a grandes zancadas.

–¡La Guardia Civil! –grita–. Acaba de llegar.

–¿Y por qué? –pregunta Lorenzo.

–Los ha llamado el comisario –explica Mayoral–. Vienen por lo del plante, a buscar al cabecilla. Siempre hay un cabecilla, les ha dicho el comisario.

Raquel se revuelve, se pone enseguida en movimiento.

–Voy a avisar al señorito José Manuel –dice.

Y se va con Mayoral hacia el interior de la casa.

A Lorenzo le cuesta volver a la realidad, al mundo donde existen la Guardia Civil y la Brigada Político-Social. Permanece sentado, absorto en sus ensueños.

«Lorenzo Avendaño. Parece muy amigo de JP, o sea de una de las cabezas visibles de la subversión. Se le ha visto almorzar regularmente con éste. (Vigilar La Taurina, en Alcalá). Sería un enlace ideal para Federico Sánchez. Aprovechar la ceremonia de Quismondo para indagar: ponerle alguna trampa.»

José Manuel vuelve a leer por tercera vez la nota que le ha entregado Eloy Estrada.

–Me lo aprendí de memoria –dice éste–, luego lo puse por escrito para poder enseñárselo a usted, don José Manuel.

Eloy está nervioso.

Y es que no está seguro de que le convenga de verdad hacer lo que está haciendo: tal vez le hubiera valido más quedarse con la información descubierta el día anterior, y no comunicársela a los Avendaño. A fin de cuentas, la suerte del señorito ese, Lorenzo, le traía sin cuidado. Más le hubiese valido dejar que ocurrieran las cosas que estaban escritas, si lo estaban. Pero un oscuro instinto le llevaba a hacerles un favor a los Avendaño. ¿Quién tiene más poder a la larga, quién manda más, mejor y más tiempo: los Avendaño o un policía de un gobierno que hoy es así y que mañana puede ser asá?

Optó por avisarles: a José Manuel, en particular, que era quien mandaba en la familia. Primero estuvo a punto de decírselo al propio Lorenzo en la gasolinera de La Prosperidad. No, habría sido un error. El muchacho, enterado de que Sabuesa sospechaba algo de él, hubiese sido capaz de cualquier barrabasada. No, lo mejor era informar a José Manuel en persona: ya sabría qué hacer. Además, así se garantizaba discreción y eficacia.

Por tanto, después de pensárselo mucho, de darle mil vueltas, cogió la moto y se fue a la finca, una hora después de que Lorenzo repostara gasolina en el surtidor de La Prosperidad, de que hablara con él.

Ante su insistencia, la urgencia que invocaba, Saturnina le acompañó hasta el patio de los naranjos, donde estaba José Manuel desayunando.

Ésa fue la primera sorpresa de aquel día sorpresivo: José Manuel desayunando solo, y no en su habitación, ni en la de Mercedes, sino en el patio de los naranjos. No es que fuera mal sitio para desayunar, más bien al contrario, pero no era el habitual en aquellos días de julio.

Muy temprano, se le había visto entrar en la cocina a medio vestir –con las botas puestas, pero en chaqueta de pijama– y pedir a Saturnina que le preparara el desayuno, que se lo llevara al patio de los naranjos. «Mucho café muy fuerte, un zumo de pomelo y pan con aceite.» «¿Para ti solo?», preguntó Saturnina, sorprendida. José Manuel masculló una frase poco comprensible, porque la dijo muy deprisa y en voz baja, en la cual sólo destacaron dos palabras crudas, «puta» y «coño», y luego, serenándose, contestó en voz alta, inteligible: «¿Con quién crees que puedo desayunar a estas horas, a no ser contigo?» «Pues conmigo», dijo ella sin dudarlo. Y de hecho, cuando le llevó la bandeja del desayuno al patio de los naranjos –lo que había pedido más un trozo de manchego fresco y un poco de membrillo, que solía apetecerle por las mañanas–, Saturnina se sentó a su lado, y le acompañó con un vaso de leche tibia.

Y esperó a que él hablara.

–¿Cuántos años llevas con nosotros, Saturnina? –preguntó al cabo de un rato.

José Manuel no decía nunca Satur, siempre Saturnina.

–Todos –dijo la anciana cocinera–. He nacido en la finca.

–¿Cuántos años enterada de todos los secretos de la familia, quiero decir?

–Todos –reiteró la Satur–. Siempre ha habido secretos, siempre me he enterado.

–Sí, es verdad –dijo él–. Desde lo del abuelo que llegó de Cartagena de Indias y que le ganó la finca a su primo, en una partida de cartas... La finca y la dueña de la finca, la mujer del pobre primo... Un Avendaño de segundo apellido, que tuvo que pegarse un tiro... Una historia divertida cuando la cuentas tú, pero sabes que no es del todo verídica...

–Las historias verídicas del todo sólo le interesan a la Guardia Civil... Esta casa y tu familia se prestaban a la fantasía... Sigue siendo así.

–¿Cómo contarás lo que está sucediendo ahora en La Maestranza? –preguntó José Manuel.

Ella le miró, dio un suspiro profundo.

–¿A quién voy a poder contárselo? No me dará tiempo a contar la leyenda de hoy a los hijos de Lorenzo y de Isabel... A ellos sí que podría interesarles...

–Cuéntamela a mí, Saturnina... A ver si lo entiendo.

Ella contemplaba al primogénito de los Avendaño todavía vivos, después de tanta guerra colonial o civil, tantos siglos de aventura. Le tocó la mano, suavemente, con cierta ternura. Algo sarcástica, sin embargo.

–Algún día tenías que desayunar solo, Manuel –dijo la anciana.

Que siempre prescindía del primer nombre de los dos hermanos. Al mayor le llamaba Manuel y al segundón Ignacio, a secas. Sólo al hermano pequeño le había llamado por su nombre completo, José María. Y más a menudo, Josemari.

–Tienes una mujer muy guapa pero que te aburre, Manuel. Sólo de pensar en ella te dan ganas de bostezar. No sé cómo habrás conseguido acercarte lo bastante para embarazarla dos veces... De tanto aburrirte ni te pone cachondo, ya lo sé. Llevas años respetándola como a la Virgen de Fátima, ya me imagino lo que habrás inventado para que no se asombre ni se sienta humillada por tanto descuido, por tamaño desprecio, para que no se intranquilice pensando que te satisfaces con alguna otra hembra: le habrás contado que para que fructifiquen los negocios te has hecho del Opus, con voto de castidad, y que, en vez de polvos, le regalas millones, algo así habrás inventado, Manuel, que te conozco muy bien... Pero tú, a la única que has querido de verdad, lo que se llama querer, es a Mercedes Pombo. Yo estaba en el Sardinero con vosotros, siempre estaba con vosotros en los veraneos, en aquella época, en Biarritz, en el Sardinero; por eso de la confianza, y algo también por la cocina, porque sabía guisar todo lo que os gusta, lo castizo y lo aliñado, las migas y los potajes de garbanzos y las mollejas, así como la langosta a la americana, o el solomillo Rossini, todo lo que os gusta, vamos, y entonces vi aparecer a Mercedes, cuando ella y Josemari se hicieron novios, eso fue en el 34, el año que terminó mal, huelgas por todas partes, y la revolución de Asturias, y allí apareció también nuestro generalito, bueno, generalísimo, matando mineros en vez de matar moros, pero antes de eso, en el verano, apareció Mercedes, Josemari la conoció en una fiesta del Club de Tenis del Sardinero, y se enamoraron, se hicieron novios, y os la presentó a Ignacio, que ya iba para cura, y a ti, Manuel, que ya ibas para vivalavirgen, que ya estabas casado con la señorita de Trévelez, que es de Valladolid, guapísima pero cursi como el arroz con leche, y además estrecha de esfínteres, ya estabas requeteaburrido. Y Mercedes te deslumbró, y siempre has pretendido, has presumido de que te habrías quedado con ella, quitándosela a tu hermano pequeño, si no hubieras estado casado ya, si no hubieses sido un caballero, pero eso era pura pretensión, te lo puedo decir, pura y putera vanagloria, porque Mercedes sólo miraba a Josemari, ni se daba cuenta aquel verano de que existían otros hombres, has tenido que esperar a que muriera tu hermano para hacerte con ella, pero hoy se termina toda esa historia, porque Lorenzo tiene veinte años y su madre le prometió ese regalo de aniversario y ya no entrarás nunca más en su dormitorio, ni nunca más se abrirá de piernas cuando tú lo desees, Manuel, vas a tener que buscarte otra ganga...

Él la interrumpe, furiosamente.

–¿Sabes lo que me hizo anoche?

Saturnina se reía de buena gana. Terminó de beberse el vaso de leche y contestó entre carcajadas.

–Lo sé, Manuel... Te cerró la puerta y metió al americano en su habitación. También estaba Raquel, ¿verdad? Tú sabrás lo que hicieron, o lo imaginarás, porque ya te ha sucedido a ti eso mismo, eso de estar toda la noche con las dos... Pero tal vez no sucediera nada, tal vez sólo hicieron el paripé, para que entendieras que ya no eres el amo...

Aparece una chica de la cocina, apresurada, a decirles que ha llegado Eloy Estrada, y que necesita hablar ahora mismo con el señorito José Manuel.

–Vete a ver lo que quiere, Saturnina, y tráemelo aquí si te parece urgente de verdad.

«Sería un enlace ideal para Federico Sánchez. Aprovechar la ceremonia de Quismondo para indagar: tenderle alguna trampa.»

José Manuel Avendaño acaba de leer en voz alta las últimas líneas de la nota de Sabuesa que Eloy Estrada ha descubierto y copiado.

Sigue en el patio de los naranjos, pero ya ha terminado de desayunar, y se ha ido Eloy. Está tomándose una copa de orujo: la jornada promete ser agitada.

Las últimas líneas de la nota del comisario se las ha leído a Benigno Perales, a quien ha mandado venir. Le ha parecido, en efecto, que éste es quien más posibilidades tiene de ser escuchado, atendido y entendido por Lorenzo.

A él no le haría ni caso.

–¿Quién es Federico Sánchez? –pregunta José Manuel.

Benigno le dice lo poco que sabe: un nombre nuevo en la clandestinidad comunista, aireado por la propaganda del propio régimen con motivo de las manifestaciones de febrero. Se han publicado algunos artículos suyos en la prensa clandestina, incluido un discurso en el V Congreso del partido, celebrado en el extranjero, probablemente en Praga, donde fue nombrado miembro del Comité Central, hace año y pico.

–Más no puedo decirte –concluye Benigno.

–Según Estrada, el comisario Sabuesa está convencido de que ese Sánchez (será un seudónimo, ¿no?) está en Madrid; convencido también de que lo va a detener uno de estos días...

Benigno recuerda lo que Domingo le dijo, imprudentemente, unos meses antes, algo que él no quiso oír hasta el final. Le dijo Domingo que si le interesaba conocer a Federico Sánchez éste irá a hablar con él a La Companza. Recuerda que le interrumpió, que no quiso saber nada. «Ni a mí me cuentes eso», le había dicho a Dominguín abruptamente.

Aquella propuesta de Domingo, por indiscreta o imprudente que fuera, parecía demostrar que aquel Federico Sánchez, un fantasma tan mencionado, estaba en España, que no era uno de esos de fuera que tan escasa confianza le merecían a Benigno.

Era posible, pues, que el comisario tuviera razón: tal vez estuviese viviendo en Madrid.

Pero José Manuel había vuelto a la nota de Sabuesa y leía de nuevo en voz alta otra de sus frases.

–«Parece muy amigo de JP, o sea de una de las cabezas visibles de la subversión...» Sigue hablando de Lorenzo. ¿Tienes idea de quién puede ser ese JP?

Benigno tenía una idea clarísima, no le cabía la menor duda sobre el nombre completo que se ocultaba tras las iniciales. Además, y por si fueran pocos los datos objetivos que conocía, Javier Pradera había estado almorzando en La Companza hacía unas semanas, a comienzos del verano. Había venido a Quismondo con Dominguín y con otro chico de su edad, aunque muy diferente, un poco charlatán, le pareció, dicharachero al menos, que pronunciaba la erre arrastrada, palatal más que labial, como los franceses, y que acabó identificando como Enrique Múgica, sobre el que la prensa falangista había estado publicando larguísimos reportajes que parecían de novela de espías por entregas, acerca de su papel en la revuelta estudiantil de febrero.

Múgica acababa de llegar de San Sebastián, adonde había tenido que volver, después de su encarcelamiento tras los hechos de febrero. Utilizaba el pretexto de un trámite universitario para retomar contacto con la organización comunista estudiantil y discutir con Pradera el conjunto de la situación: balance y perspectivas, según el habitual lenguaje codificado, la jerga más bien, del partido.

Estuvieron hablando solos un rato, luego se reunieron con los demás comensales.

Después del almuerzo se acercó a tomar café, desde La Maestranza, Lorenzo Avendaño, cabalgando una bicicleta extrañísima, solemne y rígida como un pastor de la religión protestante, pero ello tuvo su explicación: era un artefacto holandés con freno de pedal, pesado pero «inasequible al desaliento», decía Lorenzo, mofándose de la conocida consigna falangista.

Y quedó claro que JP y Lorenzo congeniaban, que sus lecturas y preocupaciones coincidían.

O sea, que no estaba mal informado el cabrón de Sabuesa.

Pero Benigno Perales no le dijo nada de todo eso a José Manuel Avendaño.

–¿JP? Pues no caigo, así, de sopetón. Tal vez se me ocurra algo repasando los nombres de los amigos de Lorenzo.

Y en eso llegan corriendo Raquel y Mayoral al patio de los naranjos.

–La Guardia Civil, señorito –grita Mayoral, con la voz ronca, descompuesta, de hace veinte años.

Pero hace veinte años no llegaba la Guardia Civil, llegaba el tropel en armas de los braceros sin tierra.

José Manuel pregunta, enfurecido:

–La Guardia Civil, ¿y por qué? ¿Quién la ha mandado venir?

Mayoral explica que ha sido a petición del comisario Sabuesa, para indagar en el asunto del plante.

José Manuel está fuera de sí.

–¿Sabuesa? –grita–. ¿Y quién se lo ha permitido? En esta casa sólo mando yo, aquí no manda ni el comisario ni el obispo ni Cristo que lo fundó.

Y se va hecho una furia, seguido por Mayoral, con largas zancadas.

Benigno y Raquel se quedan solos. Curiosamente, las mismas rimas que rondaban la memoria de Lorenzo hace un rato rondan ahora la de Benigno, mirando a Raquel:

> ¿A quién esperas tan de mañana
> con esos ojos y esas ojeras,
> enjauladita como las fieras
> tras de las rejas de tu ventana...?

Pero Benigno sabe muy bien de dónde proceden esas rimas: se acuerda.

–¿Dónde está Lorenzo? –le pregunta a Raquel–. Tengo que hablar con él cuanto antes...

–Hace un ratito estaba en el porche. ¿Pasa algo?

–Va a pasar –dice Benigno.

Y se va en busca de Lorenzo.

–Parece de película –dice Isabel–. De película rusa, claro, de esas tan horrendas que tanto te gustan a ti.

Lorenzo dio un respingo, denegó enérgicamente con la cabeza.

–Ni me gustan tanto ni son tan horrendas, Isabel.

–No discutas, Lorenzo: te gustan y son horrendas.

Eran ya las once de la mañana y estaban en una de las galerías interiores abierta a un patio, al rumor de las fuentes. La Satur les había traído un piscolabis, porque la comida se retrasaría, les dijo, a pesar de que la ceremonia iba a ser hoy, por fuerza, más breve –misa de funeral cantada y sanseacabó–, este último 18 de julio.

–Bueno, Satur –había dicho Lorenzo–, último en esta casa, pero lo que es en España todavía nos quedan bastantes, por desgracia.

La Satur no opinaba nunca cuando se trataba de política.

–¿Te gusta el bocadillo que te he preparado?

Le encantaba: un bocadillo de tortilla de patatas, jugosa, dorada, suculenta. Y con el bocadillo, una jarrita de vino tinto de la casa, recio, tal vez demasiado –18 grados de alcohol–, pero que entonaba.

Hacía un rato ya que la Satur los había dejado solos. Isabel volvió a la carga.

–La que vimos juntos en París, *El juramento*, era horrenda y te gustó.

Había en aquella película, que trataba los problemas de la colectivización de las tierras, una secuencia increíble. A Stalin le presentan en la Plaza Roja de Moscú una armada de tractores nuevos, recién salidos de las fábricas del plan quinquenal. Durante el desfile, uno de los tractores se para, de pronto averiado, y el mecánico no consigue poner en marcha el motor. Se acerca Stalin, echa un vistazo, toca no se sabe qué puñeta y el tractor arranca de buenas a primeras. Mano de santo, pues, mano de rey taumaturgo: una secuencia ejemplar para ilustrar lo que ha sido el «culto a la personalidad».

–No me gustó, me interesó –dijo Lorenzo escuetamente.

–No me vengas con sofismas, Lorenzo –dijo ella.

Lorenzo no replicó, no le apetecía en ese momento una discusión con su hermana acerca del «culto a la personalidad» que acababa de ser denunciado por el informe secreto de Jruschov en el XX Congreso del partido ruso.

Isabel bebió un sorbo de vino. No había pedido bocadillo, pero el tinto de la finca le gustaba: lo saboreó.

–¿Se puede saber en qué se parece todo esto a una película soviética? –preguntó Lorenzo.

–Pues en todo –se apresuró Isabel, perentoria–. Los braceros, el plante, el tractorista, que es el cabecilla naturalmente, como Dios manda, o mejor, mandan los manuales de marxismo que no te gustan nada. Oye, Lorenzo, ¿y por qué te gustan las películas rusas y no el manual de Kostantinov de marxismo-leninismo si son iguales? Quiero decir, igual de pesados, primarios, bienpensantes, aburridos. Pero vamos, que es de manual lo que está pasando: en la finca vivían nuestros braceros, sufridos, curtidos, resignados, trabajando de sol a sol sin protestar jamás, y nos llega un tractorista, porque tío José Manuel ha metido en La Maestranza la explotación intensiva de la tierra, acabando con la dehesa y los bucólicos pastos de ganado medieval, lo que llamáis los clásicos y tú la vía prusiana al capitalismo, o sea, ha metido tractores, y llega un mecánico de un taller de Madrid, un proletario de verdad, y les infunde conciencia y espíritu de clase. ¿No está en los manuales, precisamente, lo del papel de vanguardia de la clase obrera?

Lorenzo se echó a reír, se abrazó a su hermana, la besó.

–Oye, Isabel, esta mañana estás genial... Bueno, tal vez me pase: ingeniosa, eso es.

–Pues entonces ¿qué? ¿Te intereso o te gusto?

Isabel le miraba a los ojos, desafiante.

–Me gustas –dijo él–, pero no voy a degustarte...

Bebió un largo trago de vino, de pronto se le había resecado la boca.

–Lo que vas a conseguir, sinvergüenza, es disgustarme –contestó Isabel, en voz baja.

Se miraron, se rieron a carcajadas: desde niños les había divertido jugar con las palabras, inventándolas cuando fuese preciso. Escuchaban con fervor los cuentos de la Satur, no sólo por la historia en sí, también porque el lenguaje de la anciana tenía un sabor particular, un vocabulario sorprendentemente rico y lleno de vocablos olvidados o en desuso.

Se rieron y la chica ocultó su rostro contra el hombro de su hermano.

Después del desayuno y de la cháchara chismorrera con la Satur y su séquito mujeril en la cocina, Isabel había subido a su habitación para ducharse y cambiarse de ropa. Ahora, en la galería, llevaba pantalones vaqueros y botas campesinas, con un ancho cinturón de cuero que subrayaba la finura del talle, y una camiseta ajustada que ponía de relieve la firmeza de sus pechos menudos.

Isabel y su hermano gemelo se parecían, no es insólito, como dos gotas de agua, y ella procuraba acentuar el parecido con su melena corta, muy de chico, y sus camisas masculinas, amplias, de dos o tres tallas por encima de la suya, en las que se difuminaba su torso, disimulando así la turgescencia... (al llegar a esta palabra, mejor dicho, cuando le llega esta palabra, tiene el Narrador la impresión de que, precisamente, le llega de un remoto pasado, de una remotísima lectura infantil; se deja llevar, pues, por las asonancias y resonancias que despierta esa palabra que le viene de antaño, y enseguida se recompone en su dichosa memoria la frase, o el fragmento de frase, de la que procede: «la deliciosa turgescencia de un seno de mujer»; Dios mío, cuántos años, cuántas vidas y muertes acumuladas desde entonces, desde esa frase de una novela del Oeste, de Zane Grey, autor que, con Emilio Salgari, fue el más leído durante la infancia y la primera adolescencia, autor de aquella novela cuyo título no recuerda, una de tantas, donde un vaquero solitario y valiente descubre de pronto, en el difícil trance de una emboscada o tiroteo, que su joven compañero de armas es una compañera, y lo descubre por aquello precisamente, por la «turgescencia, la deliciosa turgescencia de un seno de mujer», de pronto, en plena refriega, por azar desvelada; y el Narrador, al acordarse de Zane Grey, se pregunta si la figura de Isabel Avendaño no se habrá forjado, o amasado como arcilla adánica, en su memorioso subconsciente gracias al recuerdo postergado pero inolvidable de aquel muchacho de una novela del Oeste, súbitamente revelado como muchacha por la «deliciosa turgescencia» de un seno descubierto en el ardor desordenado de un tiroteo, ¿y si así fuera?, si aquella palabra que tanto intrigó y excitó al Narrador, todavía niño, por desconocida y sugerente, si tal vez aquella palabra hubiese navegado por los cauces de su sangre, de su intimidad –abrasadora sangre, tímida intimidad–, hasta ir engendrando esta figura de Isabel, tan real como la de aquella muchacha imaginaria de Zane Grey, esta Isabel que ahora está escondiendo el rostro en el hueco del hombro de su gemelo, al que tanto se parece y aún más quisiera parecerse, hasta confundirse con él, o que la confundan con él, hasta fundirse ambos en una sola imagen, esta Isabel abrazada a Lorenzo, figura andrógina, con sus vaqueros y su melena corta, que hoy no lleva una camisa de hombre demasiado amplia, sino una camiseta ajustada que subraya la deliciosa turgescencia de sus menudos senos de mujer).

En cualquier caso, Isabel y Lorenzo no se atreven a mirarse, se ocultan mutuamente la mirada que un oscuro y culpable deseo podría hacer refulgir peligrosamente.

Hasta la tardía aparición de la sangre menstrual –tan tardía que Mercedes llegó a preocuparse y llevó a su hija a un especialista, que no supo decir gran cosa, que todo parecía normal, que había que esperar a que la naturaleza decidiera, mientras Isabel, orgullosa en cierta manera de esa especie de anormalidad suya, se alegraba de aquella tardanza que prolongaba su semejanza con Lorenzo–, hasta entonces Isabel había vivido su infancia a lo *garçon*, compartiéndolo todo con su hermano gemelo: todas las horas del día, los juegos y los estudios primerizos. Juntos habían descubierto, más tarde, el movimiento de los astros y de los imperios, el alfabeto de la imaginación; juntos habían leído –la biblioteca de La Maestranza, aun antes de que Benigno la ordenara más o menos, fue inagotable fuente de maravillas– a los poetas y a los filósofos; juntos habían conocido las primeras pandillas y peleas, las primeras complicidades aventureras y venturosas, más o menos lícitas, con otros chavales y chavalas en el Retiro, tan próximo a su casa de Madrid, o en Quismondo.

Isabel odió la radical diferencia que estableció entre ella y Lorenzo el fluir de la sangre femenina: tardó en aceptarla, en asumirla. Durante los primeros tiempos hizo lo imposible para ocultarla y ocultársela. Luego se acostumbró a desaparecer de la vida de Lorenzo durante los días de la menstruación, como si tuviera vergüenza de ser diferente, tan radicalmente diferente, como si esa diferencia le repugnara.

Fue aquélla la ocasión en que Isabel descubrió que la relación con su madre podía ser singular: personal, específica. No sólo filial, sino también femenina. Tuvo con Mercedes largas conversaciones que la ayudaron decisivamente a entenderse a sí misma, no sólo como gemela de Lorenzo, gemela de varón, idéntica en apariencia –y con el deseo de acrecentar en la medida de lo posible dicha identidad, dicha identificación–, sino como diferente, como perteneciente a otra forma de ser, de estar en la humanidad, compartida con los varones, desde luego, pero como hembra, como eslabón autónomo de la estirpe femenina.

De esa estirpe, Isabel acabó asumiéndolo, la sangre es seña de identidad, de esencial diferencia, Mercedes se lo explicaba con paciencia y delicadeza: sangre menstrual que sólo interrumpía, provisionalmente, el embarazo; y definitivamente, la menopausia; sangre, por tanto, de la fecundidad; sangre de la virginidad, entregada a un hombre para ungirlo no sólo como dueño y señor de su cuerpo, sino como compañero del alma y de los sueños; o arrebatada por aquél en un acto de toma de posesión, de violencia que nunca podría excluir del todo –por muy legítima que apareciera–, por mucha ternura que circulara entre los cuerpos jadeantes, la viril arrogancia fálica.

En alguna de aquellas conversaciones, a lo largo de largas tardes en La Maestranza, tal vez en el patio de los naranjos; o tal vez en Madrid, en la terraza de la casa de Alfonso XII que dominaba la escalinata de una puerta monumental del Retiro, al final de la calle de Antonio Maura, alguna de aquellas tardes (pero ¿quién era el amigo de José María que les recitaba sus poemas, en el Sardinero, al comienzo del noviazgo, o sea hacia 1934 o 1935? No se acuerda del nombre de ese amigo, pero no, no era José María del Río Sainz, se acuerda en cambio de algunos versos: «se acabarán las tardes, pero LA TARDE queda; / la clara y la perenne que hay en mi fantasía, y que cuando ya todas traspongan la vereda, / ha de hallar –no sé dónde ni cómo– el alma mía»), alguna de aquellas tardes, en alguna de aquellas largas conversaciones, Mercedes le contó a Isabel, y nunca se sintió tan próxima de su hija, le contó algo de su viaje de novios por Italia, aquel lejanísimo mes de junio de 1936.

No le dijo nada de Luciana, claro está, la doncellita napolitana, ni de la belleza nórdica que se les ofreció en Siena, ni del joven Timothy, el fotógrafo inglés de Biarritz, aunque se acordara de dichos episodios al contar otros de aquel viaje de novios, menos excitantes pero igualmente verídicos. Le contó a Isabel cómo y por qué se había demorado la peripecia, o ceremonia íntima, de la desfloración hasta la estancia en Nápoles y, de paso, le reveló la posibilidad multifacética, nunca mejor dicho, del placer carnal sin menoscabo de la sacrosanta virginidad –sacrosanta, antes de la boda, aclaraba Mercedes, por lo menos en nuestras sociedades patriarcales, orientadas a la supervivencia procreativa más que a la vivencia placentera–, y en ese contexto, naturalmente, algo le dijo a Isabel de san Agustín y de sus sugerentes consejos acerca del matrimonio cristiano.

Así ocurrió una vez que Lorenzo entró en el salón de Alfonso XII, que se prolongaba en terraza hacia la perspectiva del Retiro, en concreto hacia el paseo de las Estatuas y el estanque, y las sorprendió leyendo juntas, muy arrimaditas, un mismo libro, que resultó ser un volumen de la Biblioteca de Autores Cristianos, el tomo XXXV de las *Obras completas* de san Agustín, que contiene la parte tercera de los escritos antipelagianos, y muy especialmente el tratado sobre *El matrimonio y la concupiscencia*, y al acercarse Lorenzo y verlas leyendo así y murmurando al alimón no pudo contener la risa y les largó irónicamente, «pero si parece que estáis leyendo un libro erótico», y «algo de eso hay», contestó Isabel, pero luego se puso colorada, lo cual intrigó a Lorenzo, que les quitó el volumen de las manos y se asombró ruidosamente al constatar que era de san Agustín, asombro que se transformó en curiosidad irónica cuando vio en la portada el título de uno de los escritos: *El matrimonio y la concupiscencia*, precisamente, y quiso burlarse de ellas diciendo a Isabel, «seguro que te interesa más la concupiscencia que el matrimonio», a lo que ella contestó, para hacerle rabiar, «te lo diremos cuando seas mayor, Lorenzo», y claro que se puso rabioso.

Sea como fuere, al contar a Isabel –aunque omitiera ciertos episodios– la historia de su viaje de novios, Mercedes se dio cuenta de que una oscura coherencia gobernaba el decurso de las jornadas de aquel viaje: desde el lienzo de Artemisia Gentileschi en el Museo de Capodimonte hasta la obra de García Lorca, *La casa de Bernarda Alba*, que Federico mismo les leyó, una noche de julio, en casa de Eusebio Oliver; es decir, desde la *Degollación de*

*Holofernes por Judit,* virgen judía, ofreciendo el sacrificio de su doncellez para salvar a los suyos, hasta la muerte de Adela, hija menor de Bernarda, desflorada por Pepe el Romano, para deshonra de la familia –¿no gritaba la madre, Bernarda Alba, desesperadamente, contra toda evidencia, cuando descubre que su hija menor se ha ahorcado: «¡Descolgarla! ¡Mi hija ha muerto virgen! ¡Llevadla a su cuarto y vestirla como una doncella! ¡Nadie diga nada! Ella ha muerto virgen...»?–, desde el comienzo hasta el final del viaje de novios, pues, un flujo de sangre femenina fue, sin duda oscuramente, el agobiante, infausto signo del destino.

Pero Isabel se ha apartado de su hermano, vuelve a beber un trago de vino tinto.

–Te lo digo, Lorenzo –dice–: parece de película rusa...

–Bueno, pues bien, pero no digas que son horrendas, hay de todo.

Las películas rusas las habían descubierto dos años antes, en 1954. Acababan de cumplir los dieciocho, y Mercedes los había enviado a París, dos meses enteros, en verano, «para que se espabilaran», dijo, antes de ingresar en la universidad.

Naturalmente en París descubrieron no sólo las películas rusas, sino el cine en general: el buen cine clásico y moderno de todos los continentes, que la mierdosa situación de censura mojigata y de provincianismo cultural de la sociedad española de la época les había impedido conocer.

Se dieron un atracón fílmico, yendo de los cines de estreno a los de barrio, de las sesiones especiales de los cineclubes a las sesiones de la filmoteca: se pasaron la vida consultando carteleras y programas.

Mucho más eficazmente que los libros de historia que habían tenido entre manos durante los años del bachillerato, la realidad del mundo se les desveló en algunas ficciones cinematográficas: *To be or not to be*, de Lubitsch; *Las uvas de la ira*, de John Ford; *El acorazado Potemkin*, de Eisenstein, *I vitelloni*, de Fellini, entre otras, y por citar tan sólo las primeras que se le ocurrían a Lorenzo.

Pero París no fue sólo una fiesta de cines y de librerías. Desde este último punto de vista, el de los libros, Isabel y Lorenzo tenían menos retraso que colmar: la biblioteca de La Maestranza estaba llena de autores interesantes, o sea prohibidos; así, por ejemplo, en ediciones inglesas y francesas –y también en alemán, por supuesto, su lengua original– había obras de Marx, y de los marxistas germánicos de los años treinta, sin olvidar las traducciones al castellano de algunos textos clave de aquél, realizadas y anotadas por Wenceslao Roces para las ediciones Cénit.

París fue también una ventana abierta a los acontecimientos de la época, una atalaya sobre el paisaje histórico.

Stalin había muerto el año anterior y ya comenzaba a crujir la rígida armazón del imperio soviético; en Berlín, pocos meses después de la desaparición del «padre de los pueblos», había tenido que intervenir el ejército soviético –fue la primera, pero no la última vez– contra las manifestaciones obreras, apoyadas por la mayoría de los ciudadanos de la Alemania oriental: todo ello provocaba discusiones, reflexión autocrítica, y también desconcierto y desánimo en la izquierda europea, debate convulsivo y reflexión colectiva que tuvieron en París, como es lógico, como era de prever, uno de sus focos y foros más vivos y productivos.

Por si fuera poco, comenzaba el principio del fin de la era colonial, lo cual provocaba en Francia conflictos exasperados, dado precisamente el retraso que la tradición centralista y estatalista de este país había supuesto para la solución de los problemas de la independencia o autonomía de los diversos países del imperio colonial, solución que la Gran Bretaña había ya puesto en marcha desde hacía años.

En 1954, pocos meses antes de que Isabel y Lorenzo se instalaran en París, el campo atrincherado del ejército colonial francés había capitulado ante las tropas del Viet-Minh en Dien-Bien-Phu, preludio de la derrota definitiva de Francia en Indochina. Y pocas semanas después de su estancia en la capital francesa, en noviembre de aquel año 1954, comenzaba la insurrección argelina.

Durante aquellas semanas de efervescencia intelectual, de dudas y de opciones arriesgadas –Lorenzo volvió de París decidido a buscar un contacto con las actividades comunistas clandestinas, de las cuales Benigno Perales, aunque orgánicamente distante, algo le había insinuado en los últimos tiempos–, Lorenzo halló un refuerzo ideológico en un largo reportaje que Jean-Paul Sartre publicó aquel verano, al regresar de un viaje por la URSS.

En su defensa e ilustración de la política soviética, de la necesaria alianza de los intelectuales con el partido comunista, Sartre llegó a escribir, nuevo Pangloss reencarnado, que «hacia 1960, en todo caso antes de 1966, si la situación económica de Francia sigue estancada, el nivel de vida medio en la Unión Soviética será de un 30% a un 40% superior al francés...».

Pero Isabel se había apartado de su hermano, ofreciéndole de nuevo una mirada interrogante.

–¿Te acuerdas de nuestras lecturas en París hace dos años? –le pregunta a Lorenzo.

–Me acuerdo –dice él.

–¿Te acuerdas de *La gitanilla* de Cervantes? –insiste ella.

–¿Te acuerdas del *Quijote*? –replica él.

Se ríen de nuevo, cómplices en la leve alegría, irónica y tierna, de la memoria.

En el apartamento que unos amigos de Mercedes Pombo habían puesto a su disposición, con el servicio correspondiente, para alojar a Isabel y Lorenzo durante su estancia en París, había una apreciable biblioteca (y el Narrador se pregunta, en el momento de puntualizar este verídico detalle de su relato, si no será la presencia de ricas bibliotecas en todos los lugares en que Lorenzo ha tenido la oportunidad de vivir, si no será esta circunstancia uno de los mayores privilegios de tan, en cierto modo, privilegiada existencia), y en dicha biblioteca habían encontrado las obras de Cervantes, pero, curiosamente, no en español. Lorenzo había leído el *Quijote*, del cual hasta entonces le había apartado la ritual y convencional admiración académica, en una edición alemana, barata y popular, de Tauschnitz. Isabel, por su parte, había devorado las *Novelas ejemplares* en una versión francesa: *La gitanilla* fue, por tanto, *La petite gitane*.

–Pues bien, en *La gitanilla* –decía Isabel–, todo gira en torno a la virginidad de Preciosa, que ésta quiere preservar como único tesoro en su posesión...

Y Lorenzo la interrumpía, declamando un romance de Lorca:

–«Niña deja que levante / tu vestido para verte. / Abre en mis dedos antiguos / la rosa azul de tu vientre. / Preciosa tira el pandero / y corre sin detenerse. / El vientohombrón la persigue / con una espada caliente...»

Isabel bate palmas de alegría y excitación.

–Pues sí, tienes razón, Lorenzo. No había caído en ello... También se llama Preciosa la gitanilla de Lorca.

–Y también –dice él– protege su virginidad..., aunque no sepa del valor de cambio y de uso de su tesoro tanto como la de Cervantes...

–¿Te acuerdas del final del romance? –pregunta Isabel.

Lorenzo se lo recita en voz baja, con los ojos cerrados, como se dicen al oscurecer palabras de amor o de nostalgia, como se dice el sabor de la vida. O de la muerte.

> Preciosa, llena de miedo,
> entra en la casa que tiene,
> más arriba de los pinos,
> el cónsul de los ingleses.
> El inglés da a la gitana
> un vaso de tibia leche,
> y una copa de ginebra
> que Preciosa no se bebe...

Permanecen en silencio unos instantes, acunados por la música del romance lorquiano.

Luego, al cabo de ese silencio, Isabel murmura casi al oído de su hermano:

–Ya sabes lo que he decidido, Lorenzo, ya te lo dije esta mañana: me tienes que desvirgar tú.

Lorenzo no se sobresalta; lo sabía, en efecto, ya se lo había dicho Isabel aquella madrugada, cuando él volvió a casa y ella estaba esperándole.

Con tamaña contundencia se lo había dicho por primera vez aquel día, pero desde los tiempos de la estancia en París, dos años antes, había estado rondando en las conversaciones de Isabel ese antojo, ese deseo de ser desflorada por él, aunque siempre, hasta ahora, lo había dicho de forma más bien alusiva, en tono más bien jocoso, como una gracia o broma privada, íntima.

Muy al contrario de la gitanilla de Cervantes, aquella Preciosa –la de Lorca, siglos después, era una imagen poética, patética, en la cual se expresa con perfección literaria el casi mítico, en todo caso fascinado terror, u horror, del poeta andaluz ante la sangre femenina de la fecundidad, ante esa señal de otredad radical, tal vez hostil, o al menos incomprensible, angustiosa obsesión sobre la cual Lorca edifica la trilogía trágica de *Bodas de sangre, Yerma* y *La casa de Bernarda Alba*–, muy al contrario, por tanto, de la gitanilla de Cervantes, para la cual la virginidad era prenda o tesoro que convenía administrar de la mejor manera, tanto sentimental como materialmente; muy al contrario también de la opinión y el hábito predominantes en la sociedad, Isabel, y no se sabe muy bien por qué caminos, a causa o por culpa de qué vivencias (no ha tenido, en todo caso, el Narrador la posibilidad de investigar la raíz u origen de la determinada actitud de la muchacha a este respecto, no puede en este caso, remitirse, ni remitirnos –incluyendo en esta primera persona del plural a todos los posibles lectores– a ningún documento ni testimonio fidedigno), Isabel, en cualquier caso, había decidido hacía ya tiempo librarse lo antes posible de esa maldita –para ella, para otros sacrosanta– virginidad, conquistando lo que consideraba su libertad de mujer mediante el sacrificio voluntario, y si fuera gozoso, mejor, de su doncellez.

En París lo había intentado dos años antes, sin conseguirlo.

Mercedes Pombo, su madre, los había enviado allí a Lorenzo y a ella «para que se espabilaran», y se habían tomado en serio el consejo. Isabel, sobre todo, porque Lorenzo, desde que Raquel le inició en los placeres de la carne aquel 18 de julio de sus dieciséis años, después del alboroto provocado por su recitación de Alberti, después del odioso descubrimiento de la brutal fornicación de su madre con tío José Manuel, había seguido espabilándose con Raquel, experta, sumisa, audaz, espléndidamente educativa en esos menesteres, y no sólo en los corporales, por cierto, también en los gestos y los modos del alma y la ternura; así que, en París, dos años más tarde, Lorenzo prosiguió su exploración de la eterna feminidad *–das ewig Weibliche*, decía en alemán, cuando le daba por lo que su hermana denominaba «cursilería orteguiana»– con la ayuda embelesada de alguna que otra amiga de Mercedes, todas ellas casadas y acaso jóvenes madres de familia, pero intrigadas y seducidas por la inteligencia, el alegre desparpajo y la guapeza varonil de Lorenzo, primero, atracción confirmada *post festum*, por el imaginativo vigor que el joven Avendaño demostraba en las refriegas del amor adúltero; Isabel, sobre todo, decidió espabilarse, pero sus tentativas fueron fracasando.

En una ocasión creyó reunidas las condiciones ideales para pasar del dicho al hecho. El candidato elegido por ella para sacrificarle su flor y nata era un argentino de unos treinta años, guapo, inteligente, rico –y hasta podía decírsele el conocido y ripioso pareado, porque se llamaba Federico–, con el cual salió Isabel varias veces, todas placenteras, pero llegada la hora posible de la verdad se descubrió que el argentino era un tipo muy convencional que sólo se permitía contemplar la desfloración de Isabel –perspectiva, por otra parte, que se le antojaba deseable, porque estaba enamorado– dentro de un estricto marco de noviazgo y casamiento. Y cuando la chica insistió, formulándole claramente su deseo de hacerse mujer con él, incluso sin intención ni necesidad matrimonial por parte alguna, ni la suya ni la de él, sino como un acto de unión libre y adulta, el argentino se puso furioso, se indignó ante semejante propuesta escandalosa.

Para ese viaje, le dijo a Isabel, me voy de putas, para nada te necesito a ti, muñeca, ¿cómo puedes imaginarte que me case con una mujer desvirgada, o sea, desvergonzada? Pero desvirgada por ti, hombre, no seas estúpido, decía Isabel. Que te entregues a mí, argumentaba el Federico aquel morbosamente serio, por las buenas, sin más, quiere decir que te hubieras entregado a cualquiera, que ya no eres cosa mía, pero ¿no lo entiendes, Isabel, no entiendes que para ser mía tienes que serlo de verdad, en el sacramento del matrimonio?

En una palabra, no hubo nada que hacer.

La discusión, en un bar a la moda de Montparnasse, de mullidos sillones y sofás, todo de caoba y palosanto, terminó abruptamente. Cansada de sofismas y soflamas, Isabel le tiró a la cara su copa de champán y se largó dejándolo plantado.

La segunda ocasión –si nos referimos sólo a las ocasiones de verdad, dejando de lado los flirteos tan efímeros como inevitables– también se frustró, pero esta vez por muy diferentes razones. El chico, un madrileño de «buenísima familia», decía extrañamente Mercedes, que nunca parecía prestar atención ni interés a la situación social ni al escalafón jerárquico de los padres cuyos retoños frecuentaba Isabel, aquel chico, pues, rechazó inmediatamente la posibilidad de desflorar a la muchacha porque no quiero privarte, le decía, sería una canallada, de ese tesoro que constituye en nuestras sociedades tu virginidad, pero en cambio, sin deshonrarte ni desvalorizarte para cualquier pacto matrimonial digno de tu estatuto familiar, sí te propongo que exploremos juntos los caminos del placer, enseñarte cuantas cosas pueden hacerse gozosamente sin menoscabo alguno de tu doncellez.

Pero si lo que yo quiero es menoscabo precisamente, contestaba Isabel airada. Lo que yo quiero es dejar de ser virgen, aunque no conozca de inmediato el placer. Lo que quiero es poder disponer libremente de mi cuerpo, sin ese temor o ese tabú que me aparta de vosotros, que me hace diferente. Lo que tú me propones, en cambio, por muy atrevido que parezca, y aunque resulte agradable, sólo confirma el tabú de la virginidad. Además, ya sé lo que es, al menos teóricamente.

El madrileño se extrañó, ¿cómo que ya sabes?, un tanto perplejo, más bien escandalizado. Pero no pongas esa cara de bobo, le decía Isabel, todos los modos del amor no procreativo están en san Agustín, en su tratado sobre el matrimonio y la concupiscencia.

El chico se quedó boquiabierto, no supo qué decir. La mención del santo obispo de Hipona le resultaba visiblemente incomprensible.

No le dijo Isabel al novio virtual, que en ese mismo momento acabó de serlo –y no sólo por la egoísta desfachatez de su propuesta, ni por su ignorancia relativa a los tratados de san Agustín, sino también, conviene aclararlo, porque había resultado ser hincha del Real Madrid, y a Isabel eso se lo tenía terminantemente prohibido Lorenzo, partidario incondicional de los equipos periféricos, igual daba la Real Sociedad que el Barça, y por muy buenos que fueran los jugadores merengues, que solían serlo–, no le dijo Isabel, en cualquier caso, al joven madrileño que fue su propia madre, con la ayuda de san Agustín, quien le había contado detalladamente los procedimientos eróticos no procreativos.

En definitiva, Isabel volvió de París con alguna experiencia nueva del baile agarrado, del manoseo y del beso profundo, pero tan virgen como había llegado.

Aquella madrugada del 18 de julio, al volver Lorenzo a casa vio que las luces estaban encendidas. Isabel le esperaba, bebiéndose un anís con hielo y agua: mucho hielo, una pizca de agua. Seguro que no era el primero.

Se tiró Lorenzo en un sofá, desperezándose.

–«¿A quién esperas tan de mañana, / con esos ojos y esas ojeras, / enjauladita como las fieras, / tras de los hierros de tu ventana?» Bueno, fiera sí que lo eres, o que lo estás, pero enjauladita, ni hablar...

–¿Dónde has estado golfeando? –pregunta Isabel.

Y mientras le pregunta, viene a tumbarse junto a él y lo olfatea.

–Pues no –concluye–. No parece que hayas estado con ninguna de esas amigas desvergonzadas de mamá. Todas te pegan un olor a perfume francés... carísimo... Suelen ser muy ricas y muy putas.

–He estado en casa de Domingo –dice él–, en la terraza de Ferraz... A gusto, divertido...

–Vaya noticia –dice ella–. Con él siempre estás a gusto, divertido.

Lorenzo se ríe, ella le reprocha que se ría como un tonto, sin ton ni son.

–Pues tiene ton y son –dice él, riéndose aún más–. ¿Sabes lo que se me ha ocurrido?

No lo sabe, mueve la cabeza negativamente, incorporándose junto a su hermano, mirándole a los ojos.

–Se me ha ocurrido que podríamos pedírselo a Domingo como un favor...

–¿Pedirle el qué?

–Que te desvirgue, seguro que lo haría.

–Pero ¿no está casado? –se extraña Isabel–. ¿No me dijiste que Carmela es guapísima y simpática?

–Pues claro. Tendría que saberlo también ella, y estar de acuerdo. Podría hacerle gracia.

–A mí no me hace ninguna –dice Isabel rotundamente–. No rehúyas tu responsabilidad, Lorenzo.

Él se indigna, aparenta indignarse, por lo menos.

–¡Lo que nos faltaba! Así que yo soy responsable de que sigas siendo virgen...

–Tú –dice ella–, sólo tú. ¿Tanto te cuesta imaginarlo, tanto te repugna?

Él quiere explicárselo una vez más. Isabel no le deja hablar.

–No me vengas con el cuento de siempre: la prohibición del incesto como un paso adelante en el proceso de civilización. Aunque fuera así, aquí no estamos en un curso de antropología, ni de psicoanálisis, Lorenzo. Aquí estamos tú y yo, iguales y diferentes, y a nadie querré nunca tanto como a ti, y lo mismo te ocurre a ti, ¿para qué ocultártelo?, y te pido un favor, sólo tú puedes hacérmelo sin provocar herida ni rencor ni remordimiento. Y me dices que el peligro es que te enamores, pero si no pasa nada, hijo, enamórate, mejor estarás enamorado de mí, que todo te lo consentiré, hasta que te desenamores, que me olvides, y me apartaré de ti cuando lo decidas y lo desees, mejor así que seguir cepillándote tanta casada infiel, de buena familia y de mala vida...

–No me digas locuras –dice Lorenzo, enronquecido.

Ella le habla al oído, mientras se abraza a él, aún más estrecha, más atrevidamente.

–Tienes razón, no diré más locuras: las haré...

Y están en el salón de la rotonda, en la casa de la calle Alfonso XII, donde años atrás, de niños, la Satur les había cantado aquel romance popular, «de los árboles frutales, me gusta el melocotón, y de los reyes de España, Alfonsito de Borbón», y están en el salón de la rotonda, ya emerge el sol naciente por encima de los árboles del Retiro, por encima del monumento a Alfonsito de Borbón precisamente, que se alza sobre la superficie brillante y mansa del estanque, y el sol refulge en los cristales de la rotonda, y al subir hacia aquella atalaya barroca, hace un rato, Lorenzo se ha dado cuenta de que todos los sofás, sillas y sillones de la casa, todos los muebles de delicada marquetería, habían sido enfundados de blanco para el veraneo, dando a la casa un aspecto fantasmal, o fantasmático, pero no pudo acordarse, ¿cómo acordarse si aún no había nacido?, no pudo saber, pues, ni siquiera adivinar, que veinte años antes, casi día por día, en otra madrugada de julio, al volver paseando de la casa de Eusebio Oliver, muy cercana, donde Federico García Lorca les había estado leyendo su última obra, *La casa de Bernarda Alba*, al volver a su casa, también Mercedes Pombo y José María Avendaño, sus padres, habían subido al salón de la rotonda, enfundados de blanco sus sillones y sofás, y Mercedes fue a buscar en la nevera una jarra de horchata fría, y anotó mentalmente que el hielo estaba derritiéndose, que habría que reponerlo, pero Lorenzo no puede saber ni adivinar nada de lo que entonces ocurrió, aquel amor gozoso y desgarrado de madrugada, último amor entre ambos, pocas horas antes del tropel confuso por la carretera de Quismondo, pero...

Pero llega Benigno, apresurado, gritando.

–¡Por fin, Lorenzo! Te ando buscando por toda la casa, tenemos que hablar.

A Isabel no la divierte nada la irrupción de Benigno, sudoroso, apremiante, en ese preciso momento.

Ellos estaban solos, evocando en su memoria enternecida la alegría desgarradora de aquella misma madrugada. Evocando el sol naciente contra los cristales de la rotonda, por encima de la arboleda del Retiro, del paseo de Estatuas, el sol creciente sobre los muebles fantasmales, enfundados de hilo blanco («una tristeza de hilo blanco para hacer pañuelos», ¡Dios mío!). Y Lorenzo en mis brazos, recordaba Isabel, a punto de sucumbir, y yo besándole la comisura de los labios, el lóbulo de la oreja, mordisqueándole, y el temblor de su ingle bajo el atrevimiento de mis dedos. Y esa evocación viene a interrumpirla brutalmente Benigno y ya no estamos en el ensueño de mis sueños, piensa Isabel. Ya estamos otra vez en La Maestranza, en el relato de la realidad o en la mera realidad del relato, ¡qué fastidio!

Pero a Benigno Perales no le importa nada la negra y hostil mirada de Isabel. Ha venido a hablarle a Lorenzo del comisario Sabuesa, a avisarle de sus aviesas intenciones, y así lo hará, sin miramientos con los caprichos de Isabel.

–Pues claro: Avenarius, Federico Sánchez, ¡ahora sí que lo entiendo!

Están en la biblioteca de La Maestranza, solos los dos, y no ha sido fácil abandonar a Isabel, enfurecida.

Lorenzo le ha entregado a Benigno Perales los papeles que Dominguín le había dado para él la antevíspera en

Madrid, en su casa de Ferraz. Unos ejemplares del periódico *Mundo Obrero* y de la revista *Nuestra Bandera.* Benigno ha escondido los primeros entre los libros que se acumulan en una estantería cercana y ha dejado el ejemplar de *Nuestra Bandera* en su mesa de escritorio, para ojearlo mientras habla con Lorenzo.

*Nuestra Bandera* es una publicación clandestina de pequeño formato y de ciento diez páginas impresas en papel cebolla. *Revista de educación ideológica del Partido Comunista de España,* reza su subtítulo. El ejemplar que Benigno ojea lleva el número 15, su precio anunciado es de tres pesetas, y el pie de imprenta dice *Madrid, 1956,* sin más precisiones.

Así pues, ya habrá podido comprobarse, este número de *Nuestra Bandera* que Dominguín le ha dado a Lorenzo para Benigno Perales es el mismo que don Roberto Sabuesa ha estado examinando el día anterior, 17 de julio, y el sumario que ahora descubre Benigno ya ha sido estudiado por el comisario y comentado en su agenda personal.

Los autores que firman los artículos de la revista del partido son conocidos de Benigno: son los dirigentes de siempre, los de fuera, cuyos nombres le infunden un extraño sentimiento, mezcla de respeto y de radical desconfianza. Respeto histórico por el papel que aquellos hombres habían desempeñado durante la guerra popular contra el fascismo; desconfianza radical –más aún: rechazo doloridamente indignado– por la actitud de los mismos en los asuntos internos del partido en España, bajo la dictadura. ¿Cómo olvidar, por ejemplo, las calumnias contra Heriberto Quiñones o el asesinato de Gabriel León Trilla?

Pero entre los nombres tradicionales, archiconocidos, que figuran en la cubierta de la revista clandestina –Carrillo, Delicado, Ardíaca, Azcárate–, Benigno descubre con sobresalto el de Federico Sánchez. «Ortega y Gasset o la filosofía de una época de crisis»: éste es el título del artículo de Sánchez que se anuncia en la portada de *Nuestra Bandera.*

Entiéndase: no es el nombre de Ortega y Gasset ni la mención un tanto rimbombante de la «filosofía de una época de crisis» lo que hace que Benigno se sobresalte. Es la inesperada reaparición de Federico Sánchez. José Manuel acaba de leerle la nota del comisario Sabuesa, que revela su convicción de que el tal Sánchez algo puede tener que ver con Lorenzo Avendaño; que revela también su decisión de prepararle al muchacho alguna trampa a este respecto, durante su estancia en La Maestranza.

O sea, ese nombre que parece estar de moda entraña un peligro, constituye una amenaza.

Primero comenzó siendo el nombre de un personaje nuevo, pero fantasmal. Salió en la prensa del Régimen con motivo de las manifestaciones estudiantiles de febrero. Y también en la Pirenaica, con algún artículo sobre la estrategia comunista en la universidad. Luego, un buen día, Dominguín le mencionó ese nombre, como el de alguien que podría venir a verlo a La Companza. Y ahora resulta que un comisario de la Brigada Político-Social, que parece interesarse particularmente por el dicho y dichoso Sánchez, cualquiera que sea su verdadero nombre, se desplaza a Quismondo, en apariencia para asistir a la puñetera ceremonia expiatoria, pero en realidad para seguir investigando en ese asunto.

Por eso, Benigno Perales se ha sobresaltado y ha comenzado a leer a toda prisa el artículo de Sánchez que se publica en *Nuestra Bandera,* hasta llegar a la frase que todo lo explica: al menos todo lo que atañe a la exclamación de Sabuesa.

«De hecho», escribe Sánchez en su artículo, «esa solución del problema crucial de toda filosofía es, desde hace cosa de un siglo, el clavo ardiendo a que pretenden asirse todos y cada uno de los pensadores de la burguesía liberal. Ya en 1894, el señor Avenarius pretendía *revolucionar* la ciencia, superando la oposición entre materialismo e idealismo con su *famosa* "coordinación de principio", desenmascarada por Lenin en *Materialismo y empiriocriticismo*...»

Y Benigno Perales levanta la vista del papel que está leyendo y exclama:

–Pues claro: Avenarius, Federico Sánchez, ¡ahora sí que lo entiendo!

Lorenzo le mira, encogiéndose de hombros.

–Pues yo no –dice.

Benigno se lo explica: el chillido del comisario Sabuesa al final de la cena de anoche; la conversación, antes, sobre Ortega y Avenarius, precisamente, con su tío jesuita y con Leidson, el historiador americano –«el gringo guapo», murmura Lorenzo, y Benigno hace un gesto afirmativo–, y termina diciendo: Aquí está la explicación.

Le subraya a Lorenzo el párrafo de Federico Sánchez en que éste habla de Avenarius.

–Seguro que el comisario estuvo escuchando nuestra conversación sobre Ortega –dice Benigno–. Ese nombre de Avenarius, que tanto mencionamos los tres, le sonaba de algo. De pronto se acordó, y se puso a chillar. Se acordó del artículo de Federico Sánchez...

Lorenzo se asombra.

–¿Se acordó? O sea, ¿sugieres que ya lo había leído? ¿Y por qué le interesa Ortega y Gasset al comisario Sabuesa?

–Ortega no le interesa nada, le deja frío su filosofía, y sus raíces en Avenarius todavía más –dice Benigno–. Lo que le interesa es Federico Sánchez... Por eso ha venido a La Maestranza. Por Federico Sánchez y por ti.

Lorenzo se sobresalta, mientras Benigno concluye.

–Está convencido de que conoces a Federico Sánchez... Tiene la intención de seguirte la pista hasta él...

Lorenzo se ríe, muy seguro de sí, algo fanfarrón.

–Pues va dado, el cabrón –afirma.

A Benigno no le convence esa reacción.

–¿Qué me dices de La Taurina?

Lorenzo casi se enfada.

–Óyeme, ¿es un interrogatorio?

–No, una mera advertencia.

Benigno saca de su bolsillo y pone sobre la mesa la nota de Sabuesa que Eloy Estrada descubrió en la tienda y que se aprendió de memoria, antes de trascribirla para José Manuel Avendaño.

Lorenzo lee la nota, mientras Benigno le explica su procedencia.

–Ya lo estás viendo –añade Benigno–, «Vigilar La Taurina, en Alcalá». Y al final, lo más gordo: «Aprovechar la ceremonia de Quismondo para indagar: ponerle alguna trampa...».

–No sé qué trampa puede ponerme, pero lo de La Taurina es preocupante –comenta Lorenzo–. Suelo ir a esa tasca, es cierto...

–¿Con Pradera?

–No sólo con él, pero con él también...

La última vez que estuvo en La Taurina con Javier Pradera, recuerda Lorenzo, ocurrió algo raro. Hacia el final del almuerzo Javier le dijo de pronto, «en la mesa de allá, no te vuelvas, hay un tipo extraño, que sólo está pendiente de nosotros. Por la edad y la pinta puede ser policía o militar. Como ya hemos pagado, nos largamos, ahora, ya», y en efecto, se pusieron en pie y se fueron, y luego, en la calle, se separaron enseguida y cada cual cogió un taxi diferente, y sanseacabó. La última imagen del tipo aquel lo mostraba de pie, pidiendo la cuenta a gritos, acalorado, sorprendido por la rapidez de la salida iniciada por Pradera.

Éste tenía una explicación para aquel incidente, se la dijo la vez siguiente. Resultaba, en efecto, que ese día Pradera se había puesto para almorzar con Lorenzo una americana deportiva, de *tweed*, y unos pantalones de franela gris, no excesivamente bien planchados, pero sin cambiarse la camisa y la corbata del uniforme de teniente del Cuerpo Jurídico del Aire, al cual pertenecía todavía, ni quitarse los zapatos negros reglamentarios. A aquel tipo, pues, presumiblemente un militar, suponía Pradera, le habría llamado la atención esa forma incorrecta de vestir, y por ello les había vigilado.

Explicación plausible, pero que la nota de Sabuesa no parecía confirmar. Una cosa estaba clara en todo caso: a La Taurina ya no podían volver nunca más. Lástima, porque se comía bien y barato.

–Pero vamos –pregunta Benigno–, ¿a Federico Sánchez lo conoces?

Lorenzo le mira a los ojos.

–No lo sé –contesta–. Pero aunque lo supiera no te lo diría.

–Me parece muy bien –dice Benigno, visiblemente satisfecho, golpeándole cariñosamente la espalda–. Pero si el tipo existe y tienes forma de mandarle algún recado, cuéntale todo esto: que tenga muchísimo cuidado.

Lorenzo supone que sí, que conoce a Federico Sánchez, pero no quiere explicarle a Benigno por qué lo supone. No quiere darle los datos que le permiten suponer que lo conoce. En realidad, tiene la certeza íntima, aunque no la confirmación, de que así es.

Dos meses antes, más o menos, en mayo, una tarde ya soleada, casi veraniega, estaba citado con Javier Pradera en una terraza de Doctor Esquerdo. Allí estaba también Rafael Sánchez Ferlosio y un estudiante con el cual Lorenzo ya había tenido alguna conversación, Fernando Sánchez Dragó –uno de los detenidos de febrero–, así como otro muchacho que le era desconocido, que Javier le presentó como Clemente Auger, creyó entender. Hablaron de lo divino y de lo humano, de todo lo que cupiera entre ambos términos: de cine, de libros, de toros y hasta de chicas, fueran novias o no.

En ésas, se sentó con ellos un tipo de unos treinta años, que todos parecían conocer y a quien todos trataban con cierto respeto –no, no es la palabra, piensa ahora Lorenzo: más que respeto, con una especie de complicidad intelectual, alerta pero deferente–, en cualquier caso, la conversación siguió por los mismos derroteros, aunque Lorenzo tuviera la impresión, tal vez absurda o infundada pero imposible de ahuyentar u olvidar del todo, de que aquel desconocido estaba examinándole a él, Lorenzo Avendaño; la impresión de que estaba siendo sometido a una especie de examen, de que las preguntas de aquel desconocido acerca de sus lecturas no eran totalmente gratuitas o inocentes. Así, se dio cuenta de que el desconocido –alguno de los presentes le llamó Agustín en un momento dado, pero otros le interpelaban con el nombre de Federico, y a nadie parecía extrañarle esa ambigüedad–, el desconocido, en cualquier caso, Agustín o Federico, sea como fuere, conocía perfectamente sus andanzas, sabía que llevaba unos meses en Italia, y que allí iba a volver, hasta fin de curso, después de unos días de vacaciones en Madrid, y lo de Italia provocó súbitamente una discusión más seria, menos deslavazada, en torno a Gramsci, que Lorenzo había comenzado a estudiar, que Pradera y Auger también habían leído, parcialmente al menos, y en esa discusión intervino el desconocido, Agustín o Federico, comentando la opinión de Gramsci sobre el papel de los intelectuales en las luchas político-sociales en España, durante el siglo XX, opinión original, que les llevó a hablar de la actualidad madrileña.

Fue más o menos a esas alturas de la tarde y de la discusión cuando, con irónico goloseo conceptual, Ferlosio entabló un análisis semántico del lenguaje del partido comunista –en realidad, la palabra misma, «partido», nunca fue pronunciada, pero era evidente que se hablaba del lenguaje de la organización comunista–, y decía Ferlosio, burlón pero sin agresividad, que existían en cierto modo tres niveles de expresión en el lenguaje comunista. Así, por ejemplo, le decía Ferlosio a ese Agustín o Federico, a veces tú nos hablas en primera persona del singular: «he pensado», «creo que», «me parece», para darnos una opinión o una orientación. En una segunda forma o modo verbal, ya no dices «yo», dices «nosotros», te pasas al plural, no sé si mayestático: «hemos pensado», «nos parece», «hemos decidido». La primera persona del plural os da espesor histórico, os identifica, os hace diferentes, señala vuestro territorio; así tenemos *Nuestra* Bandera, *Nuestras* Ideas, *Nuestro* pueblo. Y alguno de los presentes, tal vez Pradera, añadía jocosamente, *Nuestra* Dolores, *Nuestro* Stalin, ¿no es así? Y por último, concluía Ferlosio, en las más solemnes o peliagudas ocasiones, y por ello las más discutibles, surge el «se», el «*Man*» heideggeriano, la instancia suprema, anónima y aparatosa, porque es la instancia del aparato, la instancia lejana del poder de fuera: París, Praga, Moscú: «se ha pensado», «se ha decidido», «se va a hacer»...

Todos se rieron de buena gana, empezando por el desconocido, Agustín Larrea o Federico Artigas –los apellidos también acabaron saliendo a relucir, tan diferentes como los nombres, y a nadie parecía preocuparle esa incoherencia, como si nombre y apellido fueran lo de menos, como si la identidad de aquel desconocido no necesitara ser nombrada, identificada con nombre y apellido, para ser admitida, reconocida por todos ellos.

Pero no le cuenta a Benigno ese recuerdo de un atardecer, en una terraza de Doctor Esquerdo.

Tampoco le cuenta que ha vuelto a ver a ese personaje del que cabe suponer que es Federico Sánchez, y fue ayer mismo, o sea la víspera de este 18 de julio, en la terraza de Ferraz, en casa de Domingo Dominguín. Esa noche todos le llamaban Agustín, o Larrea, cuando empleaban su apellido supuesto: todos, el propio Domingo, Carmela, su mujer, y los dos hijos mayores, chico y chica, Dominguito y la Patata, que estuvieron en la terraza hasta las tantas, no hubo forma de mandarles a la cama, y en un momento dado, Dominguito, el chaval, le cantaba al Agustín aquel una cancioncilla insolente, pero la cantaba cariñosamente, en la cual «Larrea» rimaba con «brea», última palabra de un verso que decía «y te huele el culo a brea», pero, sea como fuere, anoche, él, Lorenzo, les contó a los presentes, y estaban Pradera y su novia, una hermana de Ferlosio, rubia extremeña como Carmela Oliver, la mujer del médico en cuya casa, veinte años antes, estuvo Lorca leyendo *La casa de Bernarda Alba* (pero en este instante del relato, el Narrador tiene que pedir perdón a los lectores, porque se le ha ido la mano, o la imaginación o la nostalgia: es imposible que Lorenzo pueda comparar ninguna belleza femenina con la de Carmela Oliver, ya que no puede haberla conocido, y al Narrador, por tanto, mil perdones, se le ha ido la mano, el ensueño, sin duda por culpa de esta dura alegría del escribir, y le ha atribuido a uno de sus personajes sentimientos o recuerdos o anhelos personales), en cualquier caso, y eso sí que podía comprobarlo Lorenzo, la hermana de Ferlosio, novia aquella noche de Pradera, era una belleza aguileña y desenvuelta, y estaba en la terraza de Ferraz con Javier, con un tal Alberto Machimbarrena, que hablaba poco y bebía mucho, y con los Aldecoa, Josefina e Ignacio, y tal vez alguno o alguna más; a todos los presentes, pues, Lorenzo Avendaño les contó un episodio de su estancia en Italia, fijaos qué coincidencia, decía Lorenzo, estuve una noche en casa de María Zambrano, en Roma, y había algunos exiliados españoles, republicanos, y uno de ellos era un tal Semprún Gurrea, y yo conocía ese nombre, fíjate, porque el año pasado estuve leyendo en la biblioteca de La Maestranza la colección completa de la revista *Cruz y Raya*, que mi padre había mandado encuadernar, y en el sumario de varios números sale ese nombre, Semprún Gurrea, y por pura casualidad había yo leído los ensayos de éste en dicha revista, tal vez porque me llamó la atención el título del primero que se publica –y era José Bergamín el director, seguro que os acordáis– que era algo así como «Fadrique Furió Ceriol, consejero de príncipes y príncipe de consejeros», un título como de Feuerbach, o del joven Marx, ¿verdad?, y se lo digo, que le he leído, y él se sorprende y se emociona, ¿cómo es posible que un mozo de veinte años, se pregunta y me pregunta, en la España de hoy, haya leído *Cruz y Raya* y sus artículos? Y yo le hablo de la milagrosa biblioteca de La Maestranza, y él, entonces, me pregunta mi nombre, y cuando le contesto Lorenzo, Lorenzo Avendaño, por poco se me desmaya: fijaos, era bastante amigo de mi padre, y asistió en casa de Eusebio Oliver, dos o tres días antes del alzamiento militar en Marruecos, a la lectura de Lorca, y por poco se nos desmaya, digo, y nos quedamos todos sobrecogidos, y el más sobrecogido parecía precisamente ese Agustín Larrea, que Lorenzo supuso era Federico Sánchez, de verdad tocado, conmovido, y tuvo la impresión de que estuvo a punto de decir algo, algún comentario a lo que acababa de contar, pero no, movió la cabeza negativamente y dijo, sin más: «Desde luego, parece de novela».

Pero extrañamente conmovido, eso sí.

Sin embargo, Lorenzo no le cuenta nada de esto a Benigno; no le dice nada acerca de Federico Sánchez; no le dice que está seguro de haberlo visto ayer mismo.

–De verdad –dice Lorenzo, no veo qué trampa puede ponerme ese comisario.

Benigno entonces le informa de los últimos acontecimientos.

–Sabuesa está furioso. Ha llamado esta mañana a la Guardia Civil para que indague lo del plante, y eso, a tu tío José Manuel, le ha sentado como una patada en los huevos, como una ofensa personal: le ha pedido cortés pero firmemente al sargento de la Benemérita que se retire con sus hombres, porque no hay aquí nada que indagar, que la ceremonia expiatoria es algo privado, no obligatorio, y que de todas formas los Avendaño habían decidido juntos que ésta iba a ser la última vez. Pero luego, cuando se retiró la Guardia Civil, tuvo con Sabuesa una discusión acalorada, a grito pelado, y en esta casa mando yo, aullaba José Manuel, y a mí no me da usted lecciones de lealtad, comisario, seguía chillando, con el Generalísimo estuve de caza hace tres semanas, bueno, que aquello terminó como el rosario de la aurora, y no sé qué va a pasar en la misa cantada y en el almuerzo, después...

Pero una voz le interrumpe, la voz de Mercedes Pombo.

–No va a pasar nada, Benigno. Acabo de hablar con José Manuel... Después de la ceremonia religiosa se vuelve a Madrid.

–¿Y Sabuesa se queda? –pregunta Lorenzo.

Mercedes mira a su hijo, con ojos destellantes de cariño, de admiración.

–Hola, Lorenzo. Todavía no nos hemos visto. Gracias por la postal de Florencia. No, Sabuesa se va también. Tu tío se lo ha exigido.

Había entrado en la biblioteca sin que se dieran cuenta. Ahora está junto a la mesa de escritorio y recoge, para contemplarlo, el ejemplar de *Nuestra Bandera.*

–*Revista de educación ideológica del Partido Comunista de España* –dice leyendo el subtítulo, y añade sibilina–: Menudo programa.

Deja el ejemplar de la revista clandestina otra vez en la mesa y le pregunta a Lorenzo.

–A Leidson, el historiador americano, ¿lo has conocido ya?

–¿Al gringo guapo? –pregunta Lorenzo, insolente.

–¿No es gringo, no es guapo? –dice Mercedes, tranquila.

Nadie lo pone en duda, ella prosigue.

–Habla con él, Lorenzo. Es un tipo interesante.

Luego se vuelve hacia Benigno.

–El comisario ya se acuerda de dónde te vio por primera vez, acaba de decírmelo. En la Puerta del Sol: tú estabas en los calabozos, él en su despacho.

Los mira, tiene una leve sonrisa.

–Bueno, ahora vamos a la misa cantada... Y vamos todos... Todos, ¿verdad? Dile a tu hermana, Lorenzo, que se vista como una mujercita, no como un gañán, que si no la echo de la capilla.

Los mira otra vez, vuelve a sonreír.

–Es la última vez, ya lo sabéis.

Los mira, tiene una leve sonrisa.

–Bueno, ahora vamos a la misa cantada... Y vamos todos... Todas, ¿verdad? Dile a tu hermana, Lorenzo, que se vista como una mujercita, no como un gañán, que si no la echo de la capilla.

Los mira otra vez, vuelve a sonreír.

–Es la última vez, ya lo sabéis.

## 6

Oye la voz a sus espaldas, no se vuelve.

Una voz de hombre, sorda, le llama por su nombre –es decir, por aquel otro nombre suyo–, pero lo hace levemente, sin insistencia ni estridencia, tal vez con un dejo de acento extranjero: anglosajón, como si el que habla a sus espaldas quisiera hacerle comprender que le ha reconocido pero que respetará su soledad, su anonimato, si así lo desea.

No se vuelve, en cualquier caso.

–Federico –ha dicho la voz leve, sorda–, Federico Sánchez...

No se vuelve, sigue con la mirada puesta en el cuadro que estaba contemplando cuando ha oído su nombre, bueno, aquel antiguo nombre suyo ya en desuso. Más que llamada, por cierto, fue una especie de apelación o de constatación. Como si el desconocido que ha pronunciado aquel antiguo nombre, suavemente, en voz baja –no necesitaba, por otra parte, levantarla, porque el silencio era profundo, denso, aquella mañana, en la sala del palacio de Villahermosa–, quisiera ante todo hacerle saber que le ha reconocido, identificado, pero sin ninguna urgencia, sin ninguna exigencia, sin necesidad de comunicación incluso, sin esperar, por tanto, una respuesta.

Federico, Federico Sánchez, sí, pero no se vuelve, como si no fuera con él.

¿No va conmigo? Sí, cómo no, me concierne de alguna manera, piensa. Yo fui aquél. Lo fui de verdad, a fondo, tiene que ver conmigo. Puede ser, incluso, que aquel seudónimo tenga más que ver conmigo que mi propio nombre; bueno, tal vez exagere: nunca se sabe de antemano lo que mejor, y más esencialmente, le identifica a uno.

Aun así, le entra una especie de pereza, o de desgana, al oír ese nombre de antaño, al pensar en todo lo que significa, en los recuerdos que lleva consigo: momentos jubilosos y frustraciones; al imaginar qué tipo de conversación, acaso de inquisición, puede yacer escondida, agazapada, dispuesta a dispararse, en semejante interpelación. ¡Federico Sánchez!

La última vez que había surgido ese vocativo sí que se volvió. Era José Antonio H. con voz temblorosa, conmovido sin duda, pero agresivo, pidiendo cuentas amargamente, tal vez con desesperación. Casi gritando: tú llegaste a mi casa, decía, me convenciste, tu mensaje no era de paz, sino de lucha, viniste a traernos el riesgo, la incertidumbre, y aceptamos el riesgo, la incertidumbre, y un buen día te largas... No me largo, había contestado, me largan... Te largan, había dicho José Antonio H., porque no querías seguir luchando con nosotros. Mentira, dijo él, quería seguir luchando, pero de otra manera. Bueno, se sentaron en un café, estuvieron hablando, inútilmente. Porque en realidad a H. no le importaba tanto quién había tenido razón en aquel debate de comienzos de los sesenta, si ellos, unos cuantos, él, o la dirección del partido –además, era ya una discusión obsoleta: era tan evidente que habían tenido razón ellos, él contra la dirección, lo había demostrado con tanta fuerza, con tanta evidencia, el curso de la historia que parecía irrisorio volver a discutirlo años más tarde–, lo que todavía le dolía a José Antonio H., lo que seguía doliéndole, era la impresión de que los había abandonado.

Pero hoy no se vuelve hacia esa voz anónima, leve, con un ligerísimo acento anglosajón. No sabe, no contesta, se niega.

Insiste más bien en su inmovilidad absorta, en la rigidez de su postura. Sigue abstrayéndose en la contemplación de aquel cuadro, por cierto fascinante.

No por su tema, desde luego. La degollación de Holofernes es un ejercicio habitual de la pintura renacentista y barroca: un clásico, casi un tópico. Así, a bote pronto, sin siquiera reflexionar ni rebuscar en la memoria, recuerda varios pintores que han tratado ese tema, de Miguel Ángel a Boticcelli, de Giorgione a Caravaggio. Pero este lienzo es singular, de una belleza espeluznante.

Aquella mañana de otoño de 1985 había entrado en el palacio de Villahermosa a visitar una exposición de pintura napolitana, con la intención de contemplar, muy particularmente, un cuadro de Artemisia Gentileschi. De ésta, al llegar, no sabía nada, apenas el nombre: todo lo fue aprendiendo en el catálogo de la exposición, que compró al entrar. Entonces creyó recordar que algún cuadro de su padre, Orazio Gentileschi, estaba colgado en el Museo de Bellas Artes de Bilbao: a más no llegaba su saber.

Pero de esta degollación de Holofernes le habían hablado, subrayando su pavorosa belleza, su interés, unos días antes en una cena. Tal vez Natalia. Sí, Natalia, seguro. También Javier había insistido en la insólita y cruenta, cruda, belleza del cuadro, instándole a ir a verlo sin falta.

Entró, pues, en el palacio de Villahermosa con la intención deliberada –además, naturalmente de echar un vistazo general a la muestra de pintura napolitana, *De Caravaggio a Giordano*, según rezaba el subtítulo del catálogo– de contemplar detenidamente el cuadro de la Gentileschi que Natalia y Javier tanto le habían incitado a ver.

Con razón: era escalofriante.

Lo primero que llamaba la atención era la blancura nevosa de los hombros de Judit, sus pechos casi desnudos, cuya belleza subrayaba la sombra que en el lienzo aislaba, realzándola, su mutua redondez. Judit, en aquel cuadro, lucía un vestido azul, muy escotado. Pero ¿lucía realmente? Era el vestido, en efecto, de un azul poco lucido, poco reluciente, más bien apagado, como recluido en su propia densidad. No era un azul que reluciera sobre el lienzo, triunfante, iluminándolo, sino que más bien lo impregnaba, lo empapaba, difuminando por la superficie del cuadro una nocturnidad diáfana que se armonizaba con el sordo color rojo del vestido de la sirvienta de Judit, adecentado éste, sin escote ni hombros desnudos, ni senos sugeridos, mostrados más bien en el caso de su ama, pero aquélla, la sirvienta, contrariamente a la tradición pictórica –bastaría recordar un cuadro anterior del Caravaggio sobre el mismo tema de *Judit y Holofernes*–, la sirvienta, en el cuadro de Artemisia Gentileschi, era joven y hermosa, y sujetaba a Holofernes mientras su señora le degollaba limpiamente, o sea, de un tajo de su corta y ancha espada que podía calificarse de limpio por lo decidido, lo tajante, precisamente, aunque produjera borbotones de sangre que ensuciaban las sábanas del lecho instalado en la tienda de campaña del general enemigo de los judíos.

Había contemplado, absorto, estremecido, el cuadro, que, a pesar de la sangrienta brutalidad de la escena representada, contenía una equívoca carga erótica, sin duda por la juventud y hermosura de las dos figuras femeninas, por sus manos entrecruzadas sobre el cuerpo del hombre, que igual podrían haber estado acariciándolo en vez de degollándolo; por esa sangre derramada que podría estar pagando el precio simbólico de la virginidad de Judit, sacrificada al general asirio para irrumpir en su intimidad, asesinarlo y salvar a su pueblo de una dominación invasora.

Estremecido, en todo caso, frente al cuadro de Artemisia Gentileschi.

Entonces, como ya le había ocurrido otra vez años atrás en La Haya, en el Museo del Mauritshuis, ante un lienzo célebre de Vermeer, *La vista de Delft*, entonces, de pronto, insensatamente –es decir, sin que el sentido profundo de lo que estaba ocurriéndole fuese inmediatamente legible, descifrable–, la nebulosa de historias, de deseos, de situaciones, de realidades y de ficciones, de verdades y de inventos que rondaba su imaginación desde hacía algún tiempo, en ese mismo instante todo aquello cristalizó, adquirió una oscura coherencia: una idea de novela tomaba cuerpo.

A primera vista no parecía que hubiera mucha relación entre los temas novelescos que habían ido constituyendo esa nebulosa –literalmente, una masa de materia narrativa, difusa y luminosa– y el cuadro mismo de Artemisia Gentileschi, y sin embargo así era.

Al igual que las peripecias y complejos vericuetos de la novela que terminó titulándose *La segunda muerte de Ramón Mercader* se engarzaron y entramaron de pronto, en Holanda, antaño, ante *La vista de Delft*, sin que hubiese para ello una explicación racional indiscutible, lo mismo volvía a ocurrir un día de otoño en 1985, unos quince años después, en el palacio de Villahermosa ante un cuadro de Artemisia Gentileschi: como una diosa griega surgida del océano materno o del cerebro paterno, la novela de aquella antigua muerte de 1936 surgió en su mente, de pronto, de cuerpo entero.

De nuevo sonó la voz a sus espaldas, leve.

–Federico –decía–, Federico Sánchez: soy Leidson, el historiador, el gringo, me conoces.

Leidson, sí, lo había conocido. En Ferraz, en casa de Domingo Dominguín, justamente. Luego leyó algún libro suyo. Leidson: su presencia, su voz, a sus espaldas, precisamente ahora, era un guiño inconfundible del destino.

Leidson también le había oído a Domingo contar la historia de aquella antigua muerte.

Se volvió: Michael Leidson, en efecto, el gringo guapo. ¿Quién lo había apodado así? Tal vez Carmela, la mujer de Domingo. O la niña, la Patata: ocurrencia de mujeres en todo caso.

Desde luego, iba a ser un personaje de la novela.

–No –le corrige Leidson–, la primera vez no fue en casa de Domingo. Fue antes, en El Callejón: un almuerzo con Hemingway y gente del toro...

Estaban en el bar del Palace. Se multiplicaban las copas, los recuerdos, incluso las nostalgias: hablaban.

–Ese día yo estaba citado con Hemingway, aquí mismo, él me invitó a acompañarle. Tú y yo nos conocimos entonces, ¿no te acuerdas?

Pues sí, se acuerda.

El amable lector, si lo desea, también puede acordarse. Ya se ha mencionado dicho almuerzo de El Callejón, aunque no se haya dicho en su momento que había asistido el Narrador, comensal más bien silencioso pero atento. Y no ha mencionado el Narrador su presencia, en parte, por ejemplar modestia; en parte, asimismo, para no interferir en la objetividad del relato con las digresiones y disquisiciones a las que, para bien o para mal, está acostumbrado.

En cualquier caso, había llegado a dicho almuerzo con Domingo Dominguín y éste le presentó como Agustín Larrea, amigo suyo, opositor a una cátedra de Sociología.

–¿Sociología? –preguntaba Hemingway estrechándole la mano–. ¿Sabe usted lo que decía Pepe Bergamín de la sociología?

Larrea lo sabía –o sea, yo, Narrador, lo sabía muy bien–, recordaba cuál era la definición bergaminiana de la sociología. Y es que Bergamín había sido amigo de siempre de la familia, desde la infancia madrileña. Pero hizo un gesto negativo, de ignorancia. No conviene llamar la atención, de ninguna manera, conviene hacerse el tonto, no distinguirse, cuando se trabaja en la clandestinidad política.

Hemingway prosiguió con su inconfundible acento yanqui, que no entorpecía la fluidez de su castellano:

–Pues dijo que la sociología es una ciencia vaga, sin domicilio conocido. –Se reía Hemingway, contento con la definición de Pepe Bergamín.

–¿Vaga y maleante? –preguntó Larrea, siguiéndole la broma.

Hemingway se reía aún más y le dio en el hombro un amago de golpe con el puño cerrado. Pero de repente se puso serio.

–¿Es usted de verdad sociólogo, Larrea, no periodista?

Y es que Hemingway, que lo había sido, brillantemente, desconfiaba de los periodistas en general y odiaba, en particular, a la mayoría de los corresponsales de la prensa franquista: no quería ningún contacto con éstos.

Intervino entonces Dominguín, garantizándole a Hemingway que Larrea no era periodista.

Sea como sea, en el curso de aquel almuerzo Dominguín contó por primera vez la historia de la ceremonia expiatoria.

Alguien acababa de evocar un episodio de la guerra civil, para hablar de ello dijo «nuestra guerra», como solía decirse en aquellos tiempos, y Hemingway comentó dicha expresión.

–«Nuestra guerra» –murmuró–. Todos decís lo mismo. Como si fuese lo único, lo más importante al menos, que podéis compartir. El pan vuestro de cada día. La muerte, eso es lo que os une, la antigua muerte de la guerra civil.

Leidson estuvo a punto de decirle a Hemingway que tal vez lo que compartían los españoles en el recuerdo de la guerra, su guerra, no fuese sólo la muerte; la juventud también, el ardor. Que quizá no fuese la muerte más que uno de los semblantes de la ardorosa juventud, estuvo a punto de decir Leidson.

Y se dio cuenta de que Larrea pensaba lo mismo: algo parecido, al menos. Porque se inclinó hacia él y murmuró:

–¿Nuestra guerra o nuestra juventud?

Luego, Domingo Dominguín contó la historia de aquella muerte antigua, la historia de la ceremonia expiatoria de la familia Avendaño.

Pero ahora, al escribirla, al trascribirla, el Narrador –que ya no se llama Larrea, ni Artigas, ni siquiera Federico Sánchez por supuesto, que ha cambiado de nombre varias veces desde entonces–, el Narrador, en todo caso, no puede afirmar que el apellido de aquella familia, Avendaño, hubiese sido pronunciado la primera vez en El Callejón. Tal vez sólo fue pronunciado la segunda, cuando Domingo volvió a contar la historia de aquella muerte antigua, violenta, insensata, y eso fue en La Companza, la finca de los Dominguín, en las cercanías de Quismondo.

El Narrador había estado en La Companza algún fin de semana a finales de los años cincuenta. Seguía llamándose Agustín Larrea y seguía preparando unas oposiciones: ya se sabe que tamaña empresa exige tiempo, dedicación y paciencia. Una noche, cenando con la familia Dominguín en la inmensa cocina, un sitio estupendo lleno de fogones, de botellas, de jamones, de exquisitos olores a guisos campesinos y campechanos, donde se atareaba la Satur, dueña y señora del lugar, espléndida cocinera, y viviente, vivaz, a veces mordaz, pero siempre enternecida memoria de la leyenda del lugar (porque la Satur estaba ya en la finca antes de la guerra, nuestra guerra, cuando Domingo Dominguín padre, el fundador de la dinastía, trabajaba allí de bracero, en esa finca que luego compró, por parcelas, y al final la casa también, con sus ganancias de matador y de empresario taurino, y toda su ilusión había consistido en eso particularmente, en hacer suya esa tierra donde había trabajado de sol a sol, de bracero, y el Narrador recuerda en una de aquellas tardes en que estuvo en La Companza, a finales de los cincuenta, cómo Domingo padre, en este caso abuelo, cómo paseaba por la ancha extensión de la finca, acompañado por Dominguito, el nieto, ya que en aquella familia todos los primogénitos de entre los varones se llamaban Domingo, cómo, pues, a caballo los dos, le hacía contemplar a Dominguito la belleza y la extensión de aquellas tierras; pero la Satur, de eso se trataba, ya estaba en la finca antes de que la compraran los Dominguín, y contaba, muy bien por cierto, la legendaria crónica de La Companza), y una noche, cenando con la familia: don Domingo y doña Gracia, que había sido en su juventud señorita pelotari profesional, y que todavía podía, en el frontón de la finca, con la mayor parte de los amigos de su hijo –a Pedro Portabella una vez le dio una memorable paliza pelotera, apaleándole, nunca mejor dicho, en un partido a pala–, y estaban también Domingo hijo, el nuestro, y Carmela, y los hijos de ambos, Dominguito y la Patata, y sin duda también la última, Marta, apodada «Yuri» por Gagarin, claro, por la gesta soviética que había colocado por primera vez a un hombre en el espacio, en órbita, pero Marta, tan chica como era, estaría sin duda en algún dormitorio, lejos del ruidoso ambiente de la cocina; una noche, pues, cenando con la familia, llamaron a una puerta que daba al campo y entró la pareja de la Guardia Civil, de ronda por la nocturnidad de la comarca, y a Domingo le hizo gracia, ya que la impunidad era total, que la Guardia Civil se estuviera tomando unos vasos de tinto en la misma cocina que el Narrador, dirigente por entonces del partido comunista clandestino, con el seudónimo de Federico Sánchez, e hizo lo que pudo para prolongar la charla, pidiéndoles a los guardias su opinión sobre la situación social y política del campo toledano.

Luego, cuando la pareja de la Benemérita terminó marchándose de la cocina, Domingo, sin duda movido por una asociación de ideas y de vivencias fácil de entender, volvió a contar la historia de la ceremonia expiatoria, y entonces dijo el apellido de aquella familia, Avendaño:

familia de la Montaña santanderina, una de cuyas ramas se había afincado en Valladolid durante el siglo XIX, y que había adquirido luego una propiedad en la provincia de Toledo, en circunstancias bastante oscuras, novelescas, según se murmuraba en las crónicas orales pueblerinas.

Pero acerca de este último punto, es decir, de la ubicación de la finca, Domingo se vio corregido por su hermano Pepe, que se había quedado a dormir en La Companza, de viaje de regreso a Madrid después de alguna gira empresarial taurina por cuenta de la dinastía. Según Pepe, que corroboró sin embargo la veracidad global de aquella historia –«Por una vez», dijo, sarcástico, «lo que cuenta este embustero de Domingo es totalmente verídico, yo también tengo referencia indiscutible de semejante ceremonia»–, la finca aludida no estaba en la provincia de Toledo sino cerca de Coria. Y Domingo, burlón, encogiéndose de hombros, muerto de risa, preguntaba qué carajo de importancia podía tener semejante detalle, para qué coño tanta precisión.

A fin de cuentas, que la finca donde se producía anualmente tan fúnebre y significativa ceremonia estuviese cerca de Toledo o cerca de Coria no quedó aclarado. Pero era sin duda lo de menos. El desacuerdo de los hermanos Dominguín a este respecto no parecía poner en entredicho la veracidad fundamental del relato.

Al terminar la cena, a la hora de los orujos, chinchones y demás aguardientes viriles, cuando Larrea –para seguir nombrándolo por su apellido de entonces– salió al porche de la casa a gozar del frescor de la noche, se le acercó la Satur, un tanto sigilosa, para decirle en voz baja que ella podría contarle toda la historia, que en realidad todo había ocurrido aquí mismo, en La Companza, que había sido propiedad de aquella familia Avendaño, deshecha por un crimen de la guerra civil y por otra historia, todavía peor, más sangrienta, pero que Mercedes Pombo, la que vendió la finca a Dominguín, la viuda del Avendaño asesinado al comenzar la guerra civil, vivía en Madrid, mujer de unos cuarenta y cinco años, todavía guapa, y que, si quisiera, podría conocerla.

Leidson le interrumpe a estas alturas del relato.

–Ya lo creo –dice–, más que guapa, bellísima, Federico... ¿No te importa que te llame Federico? De todos tus nombres es el que más me impresiona... Pero sigue, sigue. Dijiste que Domingo te había contado tres veces aquella historia... Cuéntame la tercera... Luego te diré cómo conocí a Mercedes Pombo.

La tercera y última vez que Domingo González Lucas volvió a hablar de aquella muerte antigua, de aquella especie de auto sacramental de recuerdo expiatorio, fue durante una cena, años más tarde, en el pueblo de Fuencarral.

Estos últimos tiempos –o sea, casi medio siglo después–, cuando ya estaba escribiendo este relato fidedigno, lo más completo posible –lo más complejo también, inevitablemente, sin duda por su completitud misma–, el Narrador estuvo buscando la taberna donde había tenido lugar aquella última cena, sin encontrarla.

Para sus adentros, en francés, que es a menudo la lengua de sus adentros, el Narrador, que ya ni siquiera se acuerda, si no hay necesidad imperiosa de acordarse por alguna razón excepcional, de que alguna vez se llamó, o le llamaron, Agustín Larrea, para sus adentros, ya se ha dicho, recita en el silencio de su íntima soledad un verso de Baudelaire: «*La forme d'une ville change plus vite, hélas!, que le coeur d'un mortel...*». Y es verdad que Madrid ha cambiado más aprisa que el viejo corazón del mortal, a cada minuto más mortal, que está narrando esta historia.

En todo caso, éste, que ha vuelto a acordarse de que por entonces se llamaba Larrea –¿y por qué Larrea? Fue un seudónimo elegido por él mismo. «Esta vez ¿qué apellido te pongo?», le había preguntado Domingo Malagón, del aparato clandestino del partido comunista, genial artista a la hora de falsificar los documentos de identidad, y Artigas contestó (Artigas era entonces el nombre de su DNI falso, que convenía precisamente cambiar): «Pues ponme Larrea», en recuerdo y homenaje a Juan Larrea, interesante escritor bilingüe del exilio republicano, homenaje íntimo y desinteresado–, el Narrador, por tanto, no consiguió volver a encontrar la taberna del pueblo de Fuencarral donde había estado cenando con Domingo Dominguín y Juan Benet, y donde asaban estupendas chuletas de cordero.

Esta vez, tercera y última, sin duda por la presencia de Juan Benet, que todavía no había publicado ningún libro, pero que ya tenía entre los amigos prestigio de inevitable gran escritor, Domingo, probablemente para lucirse, contó la historia de aquella ceremonia con un lujo de peripecias pintorescas, asombrosas, una serie de detalles psicológicos apasionantes, con una densidad de la tensión dramática que no había conseguido antes –seguramente por no habérselo propuesto– en sus dos primeros relatos de aquella misma historia.

Hasta tal punto que, deslumbrado, Benet declaró que aquel asunto era digno de una narración novelesca. Y añadió, supremo elogio, que parecería una novela de Faulkner.

–Esa Satur que mencionas –le dijo Benet a Domingo– podría ser una de las narradoras de la historia...

Entretanto, Michael Leidson había pedido otro whisky: el tercero, si no se han contado mal. E interrumpía el relato de Larrea (mejor seguir dándome ese nombre, ya que era el de uso corriente entre los amigos, en Madrid, en la época que se está relatando).

–¡Menuda novela, en efecto, si yo fuera novelista! Pero tú lo eres, Federico, ¿por qué no?

Pues sí, precisamente: algo había cristalizado de pronto esa misma mañana, hacía tan sólo un rato, al contemplar el cuadro de la degollación de Holofernes, en el palacio de Villahermosa. Escenas, paisajes, episodios, briznas de relatos, de recuerdos, adquirieron una especie de coherencia, de consistencia. Todavía era muy pronto para saber si la coagulación de tanta materia narrativa difusa acabaría convirtiéndose en un proyecto concreto de escritura.

Sin embargo, algo se removía vertiginosamente en su imaginación. Se lo dijo a Leidson, le contó una primera versión, precipitada, todavía caótica, de aquella novela posible.

–Lo que no entiendo todavía –dijo Leidson después, al cabo de un largo silencio emocionado– es cómo la contemplación de un lienzo, que parece tan lejano a todo esto, ha podido servir de catalizador, de arranque o núcleo del torbellino narrativo...

–Hombre –le contestó Larrea, irónico–, algo de misterio debe permanecer, prevalecer incluso, en el proceso de la creación literaria.

«Tenía razón Juan Benet», dice Leidson, en el bar del Palace, aquel día en que Artemisia Gentileschi, con uno de sus cuadros, *Judit y Holofernes*, irrumpió en sus vidas, en la del Narrador, por lo menos, que ya casi no se acordaba de que había sido Agustín Larrea, como había sido tantos otros personajes acaso olvidados o borrados de la historia, incluso de la memoria; pero el Narrador, aquel día del Villahermosa, en el otoño de 1985, no sabía nada de Artemisia Gentileschi, debe confesarlo, ni del cuadro aquel; luego se enteró, buscó todo lo que se había publicado sobre la pintora, en todos los idiomas que le eran asequibles, fue acumulando documentación, reproducciones fotográficas, tarjetas postales, fotocopias de páginas de enciclopedias, hasta que, unos años después de aquel descubrimiento, de su encuentro con Leidson –significativo, premonitorio–, en el palacio de Villahermosa, en donde terminó instalándose el museo Thyssen-Bornemisza, cuatro años después, en Nueva York, lo primero que hizo fue comprar un libro que acababa de publicarse, un grueso volumen espléndidamente ilustrado de Mary D. Garrard, *Artemisia Gentileschi, The Image of the Female Hero in Italian Baroque Art,* libro tal vez definitivo, apasionante narración de la vida de Artemisia, pertinente análisis de su obra pictórica, de las relaciones oscuras, trágicas –son las más productivas de significaciones polisémicas–, entre vida y obra: Artemisia, joven artista, hija de artista, desflorada con violencia y artimaña por un amigo de su padre Orazio, tal vez en presencia y con la ayuda de otro conocido de aquél; marcada como una yegua salvaje por aquel hierro candente del recuerdo, para siempre, a pesar de la decisión a su favor de un tribunal eclesiástico romano que hubo de enjuiciar el estupro; Artemisia, que sin duda pintaba un autorretrato al pintar la figura de Judit, en el lienzo tantas veces mencionado, un autorretrato de mujer ejerciendo su violento derecho a la revuelta, a la venganza, contra Holofernes, encarnación de la fuerza bruta, bestial, de un machismo arrogante; pero Leidson acaba de decir: «Tenía razón Juan Benet, tenía mucha razón, porque la Satur, en efecto, podría ser la narradora de aquella historia; la que inicia la serie de los relatos, por lo menos, la que narra la parte legendaria de aquella realidad».

Luego, Leidson permaneció un instante en silencio, saboreando un sorbo de whisky con hielo.

–La Satur –concluyó–, en esa novela; la tuya, ¡ojalá! Haría el papel de Rosa Coldfield en el *Absalón, Absalón* de Faulkner...

Larrea interrumpió a Leidson, sobresaltado.

–¿Te lo contó Domingo? ¿Lo has adivinado?

–¿El qué? –pregunta Leidson.

–Lo de la novela de Faulkner, precisamente ésa: *Absalón, Absalón.*

En Fuencarral, años atrás, después de que Domingo contara su más completa, compleja y hermosa versión de aquella muerte antigua, Benet habló de Faulkner, ya se ha dicho. Y más concretamente de *Absalón, Absalón.* Larrea intervino, con algún matiz, en el monólogo de Juan Benet.

Éste, por entonces ingeniero de caminos, se le quedó mirando un tanto ofuscado. Al menos, sorprendido.

No le parecía normal que Larrea, de quien no sabía gran cosa, de quien suponía bastantes, a pesar de haber admitido la ficción que Domingo contaba a su respecto; no le parecía normal, en todo caso, que este miembro del aparato clandestino del partido comunista –eso sí que estaba claro, aunque no supiera con qué cargo– pudiese saber algo de Faulkner; lo bastante, al parecer, para intervenir de forma acertada, aguda incluso, en la conversación en torno a *Absalón, Absalón.*

Naturalmente lo que Larrea no le había contado a Juan Benet, en Fuencarral, porque hubiera sido contrario a las normas de la clandestinidad, era cómo, por qué y en qué condiciones había leído a Faulkner.

Ahora sí puede contarlo.

Hoy, en el bar del Palace, puede contárselo a Michael Leidson.

Aquí, en este mismo lugar, tal vez en este mismo rincón del bar, había comenzado la historia. Bueno, nunca se sabe cuándo ni dónde empiezan las historias de verdad. Lo que sí había comenzado aquí hacía más de treinta años –se dice pronto– era la posibilidad de un relato, más o menos completo, más o menos acertado, de la historia de aquella antigua muerte. Leidson estaba citado con Hemingway, éste le invitó a un almuerzo en El Callejón, allí estaban Larrea y Dominguín, éste contó el cuento de la ceremonia expiatoria, a todos les impresionó, Hemingway sólo dijo una brevísima palabra, al final, una sola sílaba sibilante: «*Shit*».

O sea, la posibilidad de un relato nace aquí; aquí yace.

Entonces, como ya no hay razón alguna para ocultarlo, porque ya no es imprudente contarlo, le dice a Leidson cómo ha descubierto las novelas de William Faulkner, cómo y cuándo, y quién se las hizo descubrir.

Fue una chica, una estudiante que conoció en París, en la Sorbona –«y al parecer, ¿no conoces esa anécdota?, al parecer, Primo de Rivera padre, el dictador de la Dictablanda, creía que la Sorbona era una persona, una de esas mujeres francesas de mala vida y peores artes que corrompía a los nobles muchachos españoles»–, en la Sorbona fue aquel encuentro, durante un examen de la asignatura de Moral, obligatoria en el curso de licenciatura de Filosofía, y la chica aquella, Jacqueline B., le regaló una novela de Faulkner, *Sartoris*, y quedó definitivamente prendado de aquella escritura, de aquel arte de novelar –de aquella chica también, por cierto, bellísima, con ojos de verde transparencia, larga cabellera suelta, salvaje y tierna Jacqueline B, tan próxima, tan lejana, inalcanzable, que introdujo en su juvenil imaginación, en su deseo todavía adolescente, una nefasta dualidad entre el amor, que sólo podía ser platónico y cortés, y el deseo carnal, que no podía compaginarse, por su exigencia posesiva, con una adoración embelesada, y aquel mismo año del descubrimiento de Faulkner y del puro amor fue el de la lectura de Sartre, Heidegger y Merleau-Ponty, del adiós a los estudios, del compromiso político, y terminó con la detención por la Gestapo, así que *Absalón, Absalón* era una novela que leyó en alemán, porque casualmente había un ejemplar en la biblioteca de Buchenwald.

A Juan Benet, naturalmente, no le había dicho nada de esto, aquella noche de chuletas de cordero y vino tinto en Fuencarral durante la cual comenzó a fraguar la posibilidad de este relato.

–¿Te cuento lo de la Satur? –pregunta Leidson, después.

–Adelante –dice él.

Piden otro whisky, y algo de picar: jamón, queso, patatas fritas, lo que sea.

–Como soy historiador –dice Leidson–, te lo voy a contar no como cuentas tú, en desorden, por asociaciones de ideas, de imágenes o de momentos, hacia atrás, hacia delante; te lo voy a contar por orden cronológico; un gran invento el orden cronológico, un artilugio divino: el primer día de la Creación Dios hizo esto, el segundo hizo aquello; una astucia genial para contar las cosas. Para mí todo empieza en 1954, hace treinta y un años, ¿te das cuenta?, es el espacio histórico de dos generaciones. Empieza el día del almuerzo en El Callejón. El relato de Domingo me impresionó, lo recordé; a los dos años estaba de nuevo en Madrid, un año sabático en el que pensaba terminar mi libro sobre la República del 31 y en febrero ocurrió lo de los estudiantes, y apareciste tú, Federico, el fantasma de Federico Sánchez, por lo menos en la prensa del Régimen, en la radio, en los cuchicheos de un círculo bastante amplio –quizá demasiado– de estudiantes e intelectuales madrileños, y yo no dije nunca nada, no hice comentario alguno, pero estaba casi convencido de que ese Agustín Larrea que me había presentado Dominguín no era tan sociólogo como decían, que en realidad ese nombre era un seudónimo de Federico Sánchez –que también era seudónimo por otra parte–; y a veces se me ocurría preguntarme: ¿cómo sabrá quién es, de verdad, entre tanto seudónimo? Bueno, aquella primavera del 56 volví a ver a Domingo y le pregunté si todavía se celebraba aquella ceremonia expiatoria, y me dijo que no, ya no, pero que si me interesaba la historia, que le acompañara a La Companza el 18 de julio, veinte años después de la muerte originaria, donde me presentaría a la Satur, muy vieja ya, una cocinera estupenda que trabajaba y vivía en la finca antes de que la comprara Dominguín padre, y que podría contármelo todo, y así hicimos, y la Satur me lo contó...

«Yo siempre lo he contado», decía la Satur, la tarde del 18 de julio de 1956 –y la víspera, por la noche, Larrea estuvo en casa de Domingo, en la terraza de Ferraz, pero Leidson acababa de irse, después de quedar citado con aquél la mañana siguiente para ir a Quismondo juntos en coche; y esa noche apareció a las tantas un estudiante amigo de Pradera que volvía de un viaje por Italia, y fíjate, querido gringo, qué portentosa casualidad: el muchacho aquel, un tal Lorenzo si no recuerdo mal, había estado en Roma en casa de María Zambrano, en una cena con algunos exiliados republicanos, y entre los asistentes a dicha velada, decía, hubo un Semprún Gurrea, y nos explicaba, me explicaba a mí, fíjate, quién era éste, amigo de Bergamín, decía, fundador con él de la revista *Cruz y Raya*, me explicaba a mí, en suma, quién era mi padre, fíjate qué situación más novelesca, y de ese Lorenzo no he vuelto a saber nada, no sé qué se hizo de él, pero algún día, en algún libro, tendré que resucitarlo para que me cuente de nuevo aquella noche en casa de María Zambrano–, y decía la Satur, la tarde del 18 de julio de 1956, «yo siempre lo he contado como si hubiese ocurrido en otra finca, no sé por qué, tal vez para no reavivar el mal de ojo, la maldición de los Avendaño, pero todo ocurrió aquí, en La Companza, que era de ellos, y yo estaba en la finca, aquí he nacido, cuando los campesinos mataron al señorito José María, no se supo nunca por qué, por la maldición seguramente, porque estaba escrito; sí hubiera tenido explicación que mataran al mayor, a José Manuel, al enterarse el pueblo de Quismondo de que se había sublevado el ejército de África, porque era muy carca y muy duro, sigue siéndolo, pero el pequeño, José María –entre ambos había un tercero, un jesuita–, era republicano, en fin, la mala suerte, el mal de ojo, la maldición, y la señorita Mercedes quedó viuda, embarazada, daría a luz a dos huérfanos, pero una viuda muy joven, y guapísima, destrozada por aquella muerte, a su marido lo adoraba, pero su cuñado José Manuel, después de que ganaran la guerra los suyos, los nacionales, se la metió en la cama y la gozó todo lo que quiso y pudo –a la finca venía siempre solo, sin la mujer legítima, que por otra parte era pelmaza y cursi y que no salía de Madrid para venir a un pueblo tan aburrido como

Quismondo, tan triste–; así que el fresco de José Manuel, tan de misa de domingos y de comunión por Pascua Florida, tenía mujer en Madrid y querida en La Companza, y una vez la señorita Mercedes me dijo que sin duda era un pecado muy grande, y yo le contesté que no, que pecado no era, que era una indecencia, pero no pecado; en fin, que su cuñado era un tirano, desde luego, pero que en la cama estaba a gusto con él, era incansable, que lo necesitaba para los menesteres de la carne aunque estuviera tan lejos de su alma, tan lejos sus almas una de otra; pero cuando los gemelos tuvieron dieciocho años –porque habían sido gemelos, chico y chica, los de aquel embarazo de Biarritz, al final de un viaje de novios por Italia, un mes antes de nuestra guerra–, ella descubrió que los hermanos estaban enamorados locamente, que se acostaban juntos, y Mercedes quiso prohibirlo, acabar con ese estupro, separarlos, y lo único que consiguió fue que se suicidaran, aquí, en La Companza, una tarde, en el dormitorio de la madre, desnudos ambos, y él mató a su hermana primero y luego se pegó un tiro en la sien, qué horrible verlo, tan jóvenes, tan hermosos, tan inundados de sangre, y ella vendió la finca enseguida, a Dominguín padre, que estaba rondando una ocasión, obsesionado por comprarla...».

Leidson interrumpe de pronto el relato de la Satur, termina el whisky que estaba bebiendo –el quinto, si hubiera que contarlos–, se da cuenta de que está emborrachándose, que necesita comer algo, y se le ocurre una solución.

–Oye –dice–, son las tres, hay que comer algo. Aquí cerca, en Juan de Mena, hay una tasca donde sirven un buen cocido, vamos, si te parece.

–Vamos –contesta–. Pero lo del cocido me asombra: ¡qué castizo te has puesto, gringo viejo!

–No es por el cocido, Federico. Es que Mercedes Pombo, viuda de Avendaño, vivía al lado...

–Yo también –le interrumpe, tajante.

Él también en efecto había vivido cerca de Juan de Mena, donde pasó toda su infancia, incluso puede decirse que hasta el mes de julio de 1936 vivió en Juan de Mena mismo, aunque el portal de su casa estuviera en Alfonso XI, y las vacaciones veraniegas de aquel año comenzaron en Lekeitio, el mismo día, a la misma hora tal vez en que los braceros de Quismondo, en tropel confuso, se dirigían hacia la finca de La Companza, hambrientos de tierra más que nada, para terminar matando por casualidad al único liberal de la familia Avendaño.

–¿Tú dónde vivías? –pregunta Leidson.

–En Alfonso XI –contesta–, esquina Juan de Mena, precisamente.

Ya están camino de aquella tasca de la que ha hablado Leidson.

La primera vez que volvió a Madrid, clandestinamente, en junio de 1953, en cuanto se hubo instalado en una pensión de Santa Cruz de Marcenado, se tiró a la calle. Anochecía, fue andando a largas zancadas hasta el barrio de Salamanca, fue recorriendo las calles de la infancia, todo era igual, todo –casi todo, salvo algún pequeño retoque en alguna fachada, salvo la presencia o la ausencia de algún escaparate–, todo era idéntico a las imágenes de su memoria, y sin embargo fue adueñándose de su espíritu un incomprensible sentimiento de extrañeza, de confuso desasosiego: nunca se había sentido tan extranjero como aquella noche, al regresar al conocido paisaje de la infancia. Desorientado, desanimado, fue recorriendo las calles del barrio, buscando un punto de referencia, de permanencia, de arraigo, de continuidad tranquilizadora. Lo encontró finalmente por azar. Estaba en Serrano, por donde había circulado en tiempos el tranvía número 11, línea que iba de Claudio Coello hasta el paseo de Rosales; estaba allí, desconcertado, angustiado por la extrañeza radical de lo más antiguo, originario, de su propia memoria, cuando vio de pronto, en la acera de enfrente, el escaparate iluminado de una mercería, La Gloria de las Medias. Pues sí, claro, sin duda, por fin, ya era hora: ¡La Gloria de las Medias! Súbitamente, al aparecer aquel rótulo de antaño, aquel nombre enternecedor, grandilocuente, pareció que todo el torbellino de sentimientos, de angustias, de preguntas, volvía a serenarse, que la riada de una memoria desbordada volvía a su cauce, se amansaba en el remanso de la evidencia. La Gloria de las Medias era el símbolo, a la vez insignificante, doméstico, pero patético, de un transcurrir del tiempo denso y homogéneo: desde la infancia hasta el día de hoy, a pesar de tanta mudanza, tanta muerte, tanto éxodo y exilio, un hilo rojo de idéntica sangre viva recorría los vericuetos de su vida.

Al cruzar la calle de Alfonso XI, subiendo por Juan de Mena, Leidson le observa a la espera sin duda de que le diga algo, dónde estaba su casa, por ejemplo. Pero no dice nada, demasiado absorto en su recuerdo de aquella modesta mercería cuyo nombre inmodesto, La Gloria de las Medias, tantos años antes le había devuelto a su ser lo que era, a la mismidad de su ser quién era, pese a tanto y tan profundo desarraigo, tan prolongado: aquel nombre algo irrisorio, por no decir ridículo, que lo resucitaba de entre los muertos, al desenterrarle del destierro.

–Aquí es –dice Leidson, a la entrada de la tasca. Y allí estaba la casa de Mercedes Pombo, añade mostrando el desemboque de Juan de Mena en la calle Alfonso XII, frente al Retiro.

–¿Allí? ¿En el chaflán? –Y se muere de risa.

Pero Leidson no entiende la palabra «chaflán» ni entiende por qué se ríe. Se lo explica. Le explica lo que es un «chaflán» y por qué le hace reír que Mercedes Pombo haya vivido en esa casa.

–Desde luego –exclama–, si esto no es novelesco yo ya no sé lo que es una novela. En esta misma casa, agárrate, ha vivido un tío mío con su familia. Honorio Maura, uno de los hermanos de mi madre, no su preferido, que era Miguel, el republicano. Honorio era carca y escribía obras de teatro, comedias de enredo, nunca he leído nada de él. Uno de sus hijos, Iván, primo hermano mío, ha destacado luego como campeón de golf. Existe una canción satírica de los años treinta que se tarareaba con la música del himno de Riego, y que se metía con los Maura. Sólo me acuerdo del primer verso: «Son de España los Maura el oprobio», y esta última palabra se asonantaba con *Honorio*, y las otras dos rimas del primer cuarteto eran *Miguel* y *Gabriel*, o sea, se cargaba la cancioncilla a los tres hermanos, pero de las hermanas no se decía nada, por fortuna, con lo que quedaba el honor de mi madre a salvo...

Mientras le cuenta eso ha llevado a Leidson, cogido del brazo, hasta el chaflán en donde se abre el portal de la casa de Honorio Maura y de tía Cota. También de Mercedes Pombo.

–Ahora comprenderás –le dice a Leidson– por qué me es tan difícil, a pesar de que me empeñe, escribir novelas que sean novelas de verdad: por qué a cada paso, a cada página, me topo con la realidad de mi propia vida, de mi experiencia personal, de mi memoria: ¿para qué inventar cuando has tenido una vida tan novelesca, en la cual hay materia narrativa infinita? Ahora bien, la novela auténtica es un acto de creación, un universo falso que ilumina, sostiene y acaso modifica la realidad. Habría que poder decir como Boris Vian: en este libro todo es verdad porque me lo he inventado todo. Yo también quisiera inventármelo todo...

Están ya en la taberna comiendo, no cocido, ninguno de los dos se ha atrevido a tanto, pero sí muy sabrosamente.

–¿Qué ha sido de Honorio Maura? –pregunta Leidson.

–Murióse, como decía para hablar de los fusilados de nuestra guerra, de los paseados, de los muertos en la cuneta, los que «al nacer ya llevan contra su espalda el muro de los ejecutados», uno que yo conozco, y de cuyo nombre prefiero olvidarme. Lo mataron los Rojos (yo empecé rechazando ese calificativo, por sectario, injusto históricamente, y he terminado aceptándolo, porque el exilio era rojo, en efecto, *rouge espagnol*, en francés, *Rotspanier* en alemán, así que terminó gustándome ser rojo de esa manera, con aquella buena gente, con aquella hermosa esperanza, aunque fuese derrotada), pero, bueno, o mejor dicho, malo, se murió Honorio Maura: lo fusilaron los primeros días de la guerra en San Sebastián...

–¿En San Sebastián? Como al padre y al abuelo de Pradera entonces.

Sí, en efecto, como al padre y al abuelo de Pradera, como a padres o abuelos de tantos jóvenes compañeros de lucha de aquellos viejos tiempos.

¿Estaba Pradera, treinta años antes, en la terraza de Ferraz, en casa de Domingo, la noche de ese día 17 de julio? No es imposible, porque solía estar. Pero no se acuerda. Él, Larrea, venía a despedirse por una temporada, porque al día siguiente, o tal vez a los dos o tres días, no lo recuerda tampoco, pero no tiene importancia ese detalle, poco después en todo caso de aquella noche calurosa –y no sólo por el clima del julio madrileño, también por el fervor de la fraternidad– tenía que salir de viaje. Se había convocado un pleno del Comité Central del partido, en efecto, para discutir la nueva línea política, una vez derrotada, difícilmente, la de Dolores Ibárruri y Vicente Uribe gracias a la firmeza de Claudín, a la habilidad táctica de Carrillo y, sobre todo, a las repercusiones en el grupo dirigente del Partido Comunista de España del informe secreto de Jruschov sobre los crímenes de Stalin en el XX Congreso del partido ruso.

Se despidió de los compañeros sin decirles, claro está, por qué se iba, ni a qué, ni adónde, pero esto último, aunque hubiese querido decirlo, no habría podido: él mismo no lo sabía.

Hoy sí lo sabe: sabe dónde estuvo, cerca de Berlín Este, en la escuela de cuadros Edgar André del partido alemán, en un hermoso paisaje de lagos y bosques. Sabe dónde está: en una taberna de Juan de Mena, y como es un escritor realista, hasta puede decir lo que ha estado comiendo: primero una menestra de verduras, luego una merluza a la plancha. Ningún postre, sólo café solo.

–Bueno –dice–, cuéntame lo que sepas de Mercedes Pombo. Es lo único que me falta para la novela: la última pieza del rompecabezas...

–¿Vas a escribirla de verdad? –pregunta Leidson, visiblemente satisfecho.

Se encoge de hombros.

–¡Yo qué sé! No es imposible, algo está germinando. Pero puede ocurrir como otras veces que se interrumpa el proceso o que me entre la desgana: es frecuente. Además, ese libro tendría que escribirlo en castellano.

–¿Y qué? –exclama Leidson, asombrado–. Como la *Autobiografía*, ¿no?

Asiente con un gesto de la cabeza y dice sibilinamente:

–Pues por eso.

Vuelve a su tema, tozudo.

–Háblame de Mercedes Pombo.

–Saturnina Seisdedos –dice Leidson–, o sea la Satur, me había contado la historia de Mercedes aquel 18 de julio de 1956, hace treinta años, casi treinta, cuando estuve en La Companza con Domingo. Me dijo dónde vivía, estuve llamándola por teléfono infinitas veces, no quería verme, no quería ver a nadie. Meses después, un buen día, una noche más bien, ya tarde, me llama ella: quería verme imperativamente al día siguiente. Me acuerdo muy bien porque ese día tenía que volver a San Diego: había terminado mi libro, me esperaba mi cátedra en la universidad. Pero cancelé el vuelo de regreso, avisé al rector, que estuvo de acuerdo en prolongar por tres días más mi año sabático, vine a verla aquí, a su casa, que fue también la de Honorio Maura (por cierto, ¿cómo pretendes evitar que tu memoria o tu imaginación novelesca no desemboquen tan a menudo en la memoria histórica, si ambas están, en lo que se refiere al menos a este siglo XX, totalmente entrecruzadas, entreveradas?).

Era una mujer de unos cuarenta años, pocos más –cuando mataron a su marido, en el 36, tenía recién cumplidos los veintitrés: me lo dijo Saturnina Seisdedos, o sea, que eran cuarenta y tres los que tenía entonces– y, en cierto modo, no los aparentaba: bellísima, buen tipo, juvenilmente esbelta, cuidada, pero, por otro lado, con una mirada devastada, arruinada por la vida, por la muerte; mejor: una mirada mortífera. ¿No te ha ocurrido ya, Federico, ver entrar a la muerte, disfrazada tal vez de mujer atractiva, incluso joven, en algún lugar público?

Pues sí, me ha ocurrido, piensa él, y se lo dice a Leidson. Me ocurrió por última vez en París, en el otoño de 1975, en una cervecería cerca de la plaza Víctor Hugo; estaba yo con unos amigos y la mesa vecina era ruidosa: gente de cine y de teatro, extravertidos, llamando deliberadamente la atención, dichosos de suscitar interés y acaso envidia, celos por lo menos; y llegó hasta ellos, con retraso, recibida con aplauso y alborozo, una mujer joven, atractiva, sexy, vaporosamente vestida de sedas blanquinegras, y todos la interpelaron embelesados: ¡Daisy!, ¡ha llegado Daisy! Por casualidad, al sentarse miró hacia mí, y yo capté esa mirada: no me cupo la más mínima duda, era la Muerte. Y aquella misma tarde me llamó desde Madrid Javier Pradera, con una voz enronquecida, destrozada, apenas audible: había muerto en Guayaquil Domingo Dominguín, se había pegado un tiro.

En el minuto de silencio siguiente, entre Leidson y él, mudos, creció desmesurado, atrozmente triste, el recuerdo de aquella alegría de vivir, insolente, tierna, imaginativa, desesperada, generosa, que encarnaba Domingo.

Pues bien, prosigue Leidson, aquella tarde de invierno soleado de finales del 56 la muerte no se llamaba Daisy, se llamaba Mercedes: bien es verdad que la muerte puede llamarse de cualquier manera, por eso es innombrable. Nada más entrar en la casa, al primer vistazo, me detuve impresionado: todos los muebles, casi todos, sin duda los más frágiles y costosos, estaban enfundados de blanco, como antaño, cuando las familias de la burguesía madrileña salían de largo veraneo. Además no había ni una flor, ni una fruta, nada efímero, nada perecedero: nada vivo, en suma. Todo aquel despliegue de hilo blanco parecía mortífero, como si un sudario recubriera la memoria de la familia Avendaño.

Mercedes Pombo debió de notar mi sorpresa, mi inquietud tal vez.

–Así estaba la casa en julio de 1936, cuando volvimos de Biarritz, del viaje de novios, pocos días antes de la guerra... –Me miró, como desafiante–. Así se quedará hasta el final.

Luego quitó las fundas de dos sillones, nos sentamos.

–Usted ha escrito sobre los escritores americanos y la guerra civil. Y también sobre los poetas españoles durante esa guerra. ¿Qué opina de Pedro Salinas?

En aquel momento yo, francamente, no opinaba nada de Pedro Salinas... No supe qué contestarle. Pero Mercedes no esperaba respuesta: ella quería hablarme de Salinas por otras razones.

Empezó a recitarme, casi en voz baja, algunos de sus versos. Me pareció identificar poemas de *Razón de amor* o de *La voz a ti debida.* Pero eso no era lo esencial, eso sólo fue una entrada en la materia de su relato, de su obsesión: la poesía de Salinas había acompañado su noviazgo con José María Avendaño, en Santander, en el verano de 1934, cuando el poeta fue rector de la universidad de verano de La Magdalena. La poesía de Salinas y unos tangos argentinos que yo nunca había oído, *Caminito* y *Cabecita loca...*

Federico interrumpe a Leidson, exclamando:

–Por favor, gringo, y sin embargo hermano, ¿no conoces esos tangos? ¡Pero si forman parte del repertorio mundial de la nostalgia!

Y le canta lo de «caminito que el tiempo ha borrado...».

Esta vez es Leidson quien le interrumpe, indignado:

–La letra la sabes, Federico..., pero desafinas de lo lindo...

–¿Tú también lo notas? Siempre me lo dicen... Nunca me han dejado cantar, ni en las reuniones de familia, ni en las del partido... Por algo será...

Pero aquella tarde de invierno madrileño, a finales del año 56, contaba Leidson, Mercedes se levantó, fue a buscar un disco antiquísimo, de esos de cera que pesaban un montón, y lo colocó en la platina de un gramófono igual de antiguo, de los de manivela para darles cuerda. Y empezó a sonar aquel tango, y ella de inmediato me sacó a bailar, imperiosa, y bailaba tango estupendamente, muy agarrada, su mirada más mortecina aún, más mortífera que hasta entonces. Fue, Federico, uno de los momentos más extraños pero más emocionantes de mi vida: aquella música, aquel salón de blanco ensueño enfundado, aquel exquisito cuerpo de mujer contra el mío, sus pechos, sus caderas, sus piernas insinuándose entre las mías y, al mismo tiempo, la certidumbre que me embargaba de estar bailando con la Muerte: esa angustia, esa sensación de vértigo, todo a la vez, Federico.

Cesó la música y se quedó en mis brazos un instante, pero luego se apartó de mí con una especie de sollozo; volvimos a sentarnos y me contó sus amores con el Avendaño muerto: su viaje de novios, cómo fue desflorada en Nápoles, me habló de su intimidad con una precisión desconcertante, pero sin indecencia alguna, sin obscenidad, a pesar de la crudeza de ciertas peripecias –una doncellita napolitana, una turista escandinava en Siena, un joven fotógrafo inglés en Biarritz, que participaron en sus juegos eróticos–, tal vez porque lo contaba como si le hubiese sucedido a otros, a otra pareja de recién casados, como si fuera un relato en tercera persona, con la misma objetividad. Hacia el final entró en el salón una mujer aparentemente de su edad, quizás un poco más joven que ella: una señorita de compañía o ama de llaves, una persona de confianza que me presentó con el nombre de Raquel, a secas, pero era perceptible entre ambas una larga complicidad, hasta el punto de que Mercedes contó delante de ella, y Raquel no se inmutó, como si estuviera oyendo algo ya sabido, el episodio de aquel fotógrafo inglés, joven, guapo, que actuó de mirón, por lo menos, al final del viaje de bodas en Biarritz.

Lo que sí quedó claro, terminó de contar Leidson, es que Raquel estaba con ellos en la finca de Quismondo, La Companza, el 18 de julio, cuando llegaron los braceros en tropel armado: ella fue la que me contó la muerte del señorito José María, y fue algo extraño, porque me dio la impresión de que me recitaba un texto ya escrito, como un actor recita su papel, como si el relato de aquella antigua muerte estuviera ya determinado, establecido, codificado...

Se produce un largo silencio en la tasca de Juan de Mena, tan cerca de la casa donde había vivido Mercedes Pombo.

–¿Y los hijos póstumos de Avendaño? –le pregunta a Leidson–. ¿Los gemelos, aquel chico y aquella chica que se enamoraron?

–Cuando estuve aquí en su casa –dice Leidson–, hice una cosa que no está bien, ya lo sé... Pero quería que hablara con libertad: así que grabé sin que se diera cuenta toda la conversación... Tengo los casetes en mi casa de San Diego. Te lo mandaré todo, las cintas y algunas fotos de Mercedes Pombo y de los chicos... Pero escribe la novela, por favor... Y la grabación de la Satur también te la mandaré, la de su primer relato, en julio de 1956...

–Mándamelo, de acuerdo. Tal vez me decida a escribir esa historia...

–Lo que no entiendo –dice Leidson– es cómo vas a meter ese cuadro de la Gentileschi en la trama de la novela posible...

–Pues muy fácil –le contesta, sonriendo–. Facilísimo, querido Watson... ¿No me dijiste que estuvieron en Nápoles durante el viaje de novios? ¿No te dijo ella que había sido desflorada en Nápoles, ante la mirada de una doncellita del hotel? Pues evidente: antes de aquel momento de consumación, o acaso de consumición del matrimonio, Mercedes estuvo en Capodimonte, donde descubrió el cuadro de Artemisia, que la conmovió sensualmente...

Leidson le mira atónito.

–Está claro que no soy novelista –dice luego, con ejemplar modestia.

# 7

«Gracias por la postal de Florencia», le dijo Mercedes Pombo a su hijo aquella mañana, hacia el mediodía, al entrar en la biblioteca.

Enfrascados en una discusión acerca de Roberto Sabuesa y de sus malévolas intenciones, ni Benigno ni Lorenzo la habían visto llegar.

Más tarde, después de la ceremonia religiosa, después de que tanto José Manuel como don Roberto hubieran abandonado la finca –y el primogénito de los Avendaño esperara ostensiblemente a que el coche del comisario enfilara la carretera de Quismondo, rumbo a la general de Madrid, para montarse en su propio vehículo–, más tarde, ya tarde, mientras esperaban a que Raquel y la Satur les sirvieran el almuerzo, Mercedes Pombo volvió sobre el asunto de aquella postal.

–Pero no me equivoco yo, Lorenzo, te equivocas tú... El vestido de Judit es azul, no amarillo... Lo que pasa es que hay dos ejemplares del cuadro de la Gentileschi. Y no son exactamente iguales. Hay uno en Nápoles, en Capodimonte, el que yo vi...

Se interrumpió, le subió un leve sonrojo a las mejillas. Su voz enronqueció súbitamente.

–Lo vi, lo estoy viendo, como si fuera ayer...

Se alejó en el recuerdo, absorta y abstraída. Pero lo que estaba viendo –como si fuera ayer, en efecto; más aún:

como si fuera entonces, en el momento mismo– no era el lienzo de Artemisia Gentileschi, no era la sangre de la degollación de Holofernes, era con una sofocante exactitud la escena de su desfloración en el dormitorio del hotel napolitano: la sangre jubilosa de su doncellez, bajo la mirada fascinada, fascinante, de Luciana acercándose hacia ellos, atrevida y sumisa, dispuesta a todo.

Pero volvió enseguida a la realidad del entorno inmediato.

–Hay otro cuadro de ella casi idéntico en su composición, pero diferente, sobre todo por su colorido, en los Uffizi de Florencia: el que tú viste, Lorenzo... –Tuvo una risa breve, nerviosa, extraña–. Así que, pese a lo que dices, mi memoria del viaje de novios no necesita ni contraste ni precisión.

Todos fueron sensibles a la emoción apenas contenida que las palabras de Mercedes Pombo expresaban y, al mismo tiempo, ocultaban con una sorda violencia.

Benigno Perales la contemplaba con admiración, como solía; también con compasión, o sea, literalmente: compartiendo su pasión de antaño, imaginándola. Y es que Benigno tenía todos los datos para entender lo que aquel viaje de novios había significado para ella, por haber leído las notas, aunque escuetas, terriblemente sugestivas, del diario íntimo de José María Avendaño, descubiertas la noche anterior en la biblioteca de La Maestranza.

–Tienes razón –decía Lorenzo–. Después de haberte mandado la postal, estuve leyendo todo lo que había en las bibliotecas de Florencia sobre la Gentileschi... También a mí me impresionó aquel cuadro, aunque el vestido de Judit no fuese azul, como en Nápoles... ¡Qué personaje de novela, la Artemisia!

Algo confusamente, por su entusiasmo, su precipitación verbal, Lorenzo les estuvo contando lo que sabía de la vida y la pintura de Artemisia Gentileschi; estuvo describiendo alguno de sus cuadros, además del de la degollación de Holofernes. Habló sobre todo de uno que no había podido ver, porque estaba en Londres, en Kensington Palace, formando parte de las colecciones de la reina de Inglaterra, que sólo conocía, por tanto, por las reproducciones, un autorretrato en una composición titulada *Alegoría de la pintura*, un cuadro bellísimo a juzgar por sus reproducciones, y a pesar de la imperfección de éstas; un cuadro interesantísimo desde el punto de vista de la historia de la pintura. «Fijaos qué casualidad novelesca», añadía Lorenzo, «Diego Velázquez, en su visita a Nápoles en 1630, estuvo en el taller de la Gentileschi, que acababa de terminar su *Alegoría*, así que pudo ver ese cuadro, ¿qué os parece?»

En todo caso, a Mercedes Pombo le pareció estupendo que Lorenzo se hubiese interesado tan apasionadamente por aquella pintora italiana. Estuvo comentando con él la escalofriante belleza de *Judit y Holofernes*.

–De la Gentileschi –dijo de pronto José Ignacio, el Avendaño jesuita– no sé prácticamente nada. De Judit, en cambio, lo sé todo, casi todo. Si sigue tardando el almuerzo, y si os divierte, os cuento.

Mercedes empalideció.

–Hace veinte años –le dijo a su cuñado–, en Nápoles, tu hermano José María proclamó lo mismo, con las mismas palabras. «De Judit, en cambio, lo sé todo, casi todo.» Estábamos almorzando, yo le contaba la visita a Capodimonte, le pregunté si sabía algo de la Gentileschi, me dijo que no. «De Judit, en cambio, lo sé todo, casi todo»...

–Lógico –dice José Ignacio sin inmutarse.

Todos se habían vuelto hacia él, esperando alguna explicación.

–Lógico –repite el jesuita, calmoso.

Pero no lo explica. Por lo menos, no todavía. Se mete por una vereda de digresión, un vericueto narrativo: suele ocurrirle. Ya nadie se asombra en la familia, aunque José Manuel, el primogénito pragmático, se impaciente a menudo.

–Supongo que os acordáis de la *Judit* de Goya, la de la pintura negra. Es un cuadro de una modernidad asombrosa. En *La lechera de Burdeos*, Goya anuncia a las mujeres de la pintura impresionista. En su *Judit*, anuncia los perfiles picassianos...

Pero no vamos a seguir la disquisición de José Ignacio Avendaño, por brillante y sugerente que sea. A estas alturas del relato lo que importa saber, desde el punto de vista del interés del lector, de la propia legibilidad de esta historia, es por qué ambos hermanos, a veinte años de distancia, han dicho la misma frase con respecto a Judit, con respecto al personaje histórico-legendario, bíblico en cualquier caso, y no sólo a su representación en la historia de la pintura occidental.

Pues bien, si se reduce la larga y compleja digresión de José Ignacio Avendaño a sus datos objetivos, podría decirse que los tres hermanos descubrieron juntos el personaje literario de Judit. Fue a finales del otoño de 1931 y en París, en el teatro Pigalle, reinaugurado con una maquinaria de escena ultramoderna. Allí se estrenó en el mes de noviembre –decir la fecha exacta sería una cursilería jactanciosa– una obra de Jean Giraudoux, *Judith*, que no tuvo mucho éxito ni de crítica ni de público, pero que a José Ignacio le fascinó. Fue éste, en efecto, quien los llevó al estreno. En el trío de la bencina que constituían –así se llamaban, en broma, por el título de una comedia cinematográfica americana de la época–, el encargado de los placeres intelectuales y culturales era él, José Ignacio. Según las indicaciones o consejos de éste, visitaban exposiciones, iban al cine y al teatro durante las semanas que, cada dos años más o menos, pasaban en París.

El encargado de los placeres de la mesa y de la cama era José Manuel, el primogénito, mujeriego y *gourmet* empedernido, imaginativo e infatigable. Tenía un gancho especial con las mujeres de toda condición social, de camareras a duquesas, incluso con las esposas de banqueros, y eso le permitía, general y generosamente, suministrar a sus hermanos las hembras que le sobraran, o cuya consumición no le fuera materialmente posible asegurar. Lo cual no impedía que, a veces, las consumiera él primero –así se estableció lo que denominaban, con clánica complicidad, con ironía, el *derecho de pernada* de José Manuel– antes de cederlas, con el consentimiento de las interfectas, a sus hermanos.

José Manuel tenía asimismo un olfato exquisito para descubrir restaurantes o bistrós de primer orden, aunque no fueran conocidos ni figuraran en las guías gastronómicas.

José María, por su parte, no tenía encargo particular en la organización del trabajo social de la fratría, aunque su juicio a posteriori fue determinante para repetir faena, tanto si se trataba de asuntos de cama como de mesa: su gusto o su disgusto fueron siempre criterio inapelable para los otros dos.

Pero es evidente que en La Maestranza, aquel 18 de julio de 1956, esperando a que les sirvieran el almuerzo, José Ignacio no contó sus recuerdos de París con tanto detalle, alguno, por añadidura, más bien escabroso aunque sabroso. Se limitó a los pormayores: les habló de *Judith*, la obra de Giraudoux; les dijo en pocas palabras que era uno de sus escritores franceses preferidos; les contó cómo había rastreado las huellas del personaje de Judit en la dramaturgia occidental, hablándoles de Hebbel, el alemán, y de Bernstein, el francés.

Demostró, en fin, que su afirmación había sido veraz: aunque no supiera nada de la Gentileschi, de Judit lo sabía todo, casi todo.

¿Por qué no habló José Ignacio Avendaño en aquel momento, sin duda el más oportuno, el más proclive a tal posibilidad, de la última estancia de la fratría en París? Fue en otoño de 1934. Y fueron semanas memorables. Y es que festejaron por todo lo alto dos despedidas de soltero a la vez: la del menor de los hermanos, José María, que acababa de conocer –nada bíblicamente todavía– a Mercedes Pombo, con la cual se lanzaba a la procelosa aventura de dos años de noviazgo formal; y también la despedida de soltero, según la irónica denominación del primogénito, de José Ignacio, que iba a profesar bien pronto los votos de sus esponsales con la Iglesia y con la Compañía de Jesús.

Como Dios manda –por lo menos, el dios de las salas de fiesta, los restaurantes de tres estrellas y los burdeles de postín, que los hay para cualquier menester o peripecia, ¿y dónde será más necesario algún dios que en esta última especie de establecimientos?–, de todas las festividades de aquella doble despedida se encargó José Manuel, el primogénito. Hasta hace unos años aún había en Lasserre, Lapérouse o Laurent viejos *maîtres* que recordaban o conocían por tradición oral las fastuosas propinas y los caprichos libertinos y fanfarriosos de aquellos tres hermanos españoles de los años treinta.

Sea como fuere, sucedió una noche de orgía en el Sphinx –uno de los más refinados lugares de placer del Occidente spengleriano, según la definición del futuro jesuita, siempre culto y hasta cursi en sus referencias–, y allí, al volver José Manuel de un reservado donde había estado encerrado con dos hembras muy jóvenes y bellísimas –«siendo dos, tarda más en llegar el aburrimiento metafísico que produce inevitablemente el coito», solía decir aquél, «tardan más en aflojárseme el ánimo y el pene»–, fue en el gran salón de banquetes y bailes del Sphinx donde, de pronto, José Manuel les anunció a los dos, especialmente a José María claro está, que deseaba ejercer su derecho de pernada con su futura cuñada, por ahora tan sólo novia formal de José María, Mercedes Pombo.

Los otros dos se lo tomaron primero a broma. Pero no, no era una broma, iba en serio.

Tan en serio que estuvieron a punto de llegar a las manos.

Pretendía José Manuel que Mercedes, tan señorita de provincias a primera vista, casi ñoña, venía en realidad pidiendo guerra y aventura, y que por ello necesitaba para iniciarse en el universo –«mundo, demonio y carne», añadía con un guiño al hermano teólogo– a un hombre de verdad, con experiencia, y tú, hermanito, querido José Mari, puedes iniciarla en muchas cosas, en la lectura del marica aquel de Keynes, por ejemplo, que tanto se acarameló contigo cuando dictó sus conferencias en Madrid hace unos años, cuando estuviste acompañándole a él y a su señuelo de mujer, rusa, exagerada, bailarina y tortillera; en cualquier lectura y saber puedes iniciar a Mercedes, salvo en las cosas del amor no platónico; o sea, que te la preparo y adiestro para las batallas eróticas. Ya sabes lo que dice nuestra Satur: ¡para buen cocido, puchero usado!

Pero José Ignacio, puede comprenderse, al explicar el origen de su conocimiento del personaje dramático de Judit, no contó nada de aquella sonada y doble despedida de soltero del año 34.

Y no lo hizo en parte por la presencia misma de Mercedes en aquel almuerzo, para no reavivar en la memoria de su cuñada recuerdos dolorosos.

En parte también porque él mismo no quería recordar los desacuerdos, a veces durísimos, que se habían desarrollado entre los hermanos, sobre todo precisamente entre el primogénito y el más joven, entre José Manuel y José María, a lo largo de aquel año de 1934. Desacuerdos ideológicos y políticos, claro está.

José Manuel había llegado a la conclusión de que era urgente un gobierno autoritario, de mano dura, para poner orden tanto en España como en Europa. Gustasen o no algunas de las formulaciones de los movimientos fascistas –a los muchachos de Falange Española se les podía reprochar una insufrible cursilería retórica; a los de Mussolini los tópicos imperiales; a los nazis la palabrería vetero-germánica de la Sangre y la Tierra, pensaba el Avendaño primogénito–, parecía evidente que sólo en un fascismo genérico y generoso podrían despertarse y articularse los esfuerzos de renovación nacional contra la decadencia de los sistemas liberal-capitalistas, cosmopolitas.

La evolución de José María había sido totalmente opuesta.

Aquel año rico en acontecimientos históricos –desde las revueltas parisinas en febrero, durante las cuales los movimientos extremistas de signo contrario estuvieron a punto de derrocar el régimen corrupto de la democracia burguesa, hasta la represión del movimiento revolucionario de los mineros asturianos por un cuerpo expedicionario al mando del general Franco, pasando por el aplastamiento de las milicias obreras socialdemócratas en Viena– fue decisivo en la radicalización de las ideas políticas de José María.

Hasta entonces había sido fiel lector de la *Revista de Occidente,* y colaborador ocasional de su redacción, a la cual facilitaba notas críticas sobre temas de economía política.

En ese marco había conocido y acompañado a John Maynard Keynes, en junio de 1930, cuando el ilustre profesor británico vino a Madrid a dar una conferencia organizada por dicha revista.

Que John M. Keynes fuese sensible a la prestancia varonil de José María Avendaño no es imposible; que la mujer de aquél, Lidia Lopokova, era rusa, extravagante y bailarina es un hecho incontrovertible; que fuese además lesbiana era una conjetura malévola de José Manuel, cuya veracidad o falsedad eran, en el marco de aquel almuerzo de La Maestranza, improbables.

Comoquiera que fuese, Keynes y el joven Avendaño simpatizaron, y al parecer –es un dato que no ha podido verificarse– éste acompañó al matrimonio inglés durante su estancia en España tras la conferencia en la Residencia de Estudiantes de Madrid.

Lo que sí está demostrado es que Keynes, además de enviar a José María a lo largo de los años siguientes algunas postales y breves cartas –todas ellas archivadas por Benigno Perales–, le hizo llegar también, muy cordialmente dedicado, un ejemplar de su *General Theory* recién publicada, que José María se encontró al regresar de su viaje de bodas, en julio de 1936, y que se llevó consigo a La Maestranza con la intención de leerlo durante el verano.

En todo caso, sin abandonar ni la lectura ni la relación con el equipo de la revista de Ortega y Gasset, durante aquel año crítico de 1934 José María fue acercándose al grupo de *Cruz y Raya*, en torno a José Bergamín. Conoció a algunos de sus colaboradores, entre ellos a un tal Semprún Gurrea, con el cual terminó manteniendo cierta amistad, y compartió buena parte de los análisis de la revista, particularmente los de Eugenio Imaz, que publicaba artículos políticos, sutiles, densos y resueltamente liberal-antifascistas.

–Mercedes –dice Benigno–, ¿te acuerdas de la visita que le hizo tu marido a Benedetto Croce, en Nápoles? ¿Estuviste con él, te contó algo?

A Mercedes Pombo se le escapa de la mano el vaso de agua, que se derrama sobre la mesa. Enseguida acude Raquel a esponjar con una servilleta el mantel mojado.

–¡Croce –exclama–, Benedetto Croce, eso es!

Se explica, ante la mirada de asombro de los demás.

–Ayer por la mañana, esperándote a ti –se vuelve hacia Leidson–, intenté recordar el nombre de la persona con la cual José María estaba citado en Nápoles... Un filósofo italiano, algo parecido a Ortega y Gasset me dijo, pero mejor, más profundo, aunque no tan brillante... No conseguí recordar su nombre, no hubo forma... Benedetto Croce, eso es... Pero no fui con José María, yo estuve en Capodimonte aquella mañana.

Mira cariñosamente a Lorenzo.

–En el museo..., donde descubrí el cuadro de la Gentileschi.

De pronto, Mercedes se da cuenta de que Benigno está hablando de algo que no puede saber: nadie ha podido contarle que su marido estaba citado con Benedetto Croce.

–Pero tú, Benigno, ¿como sabes lo de Croce? –pregunta, inquieta y asombrada.

Benigno y Lorenzo han estado hablando desde que se sentaron a la mesa del almuerzo, el uno junto al otro. Evocando, primero, al comisario Sabuesa, a su furibunda salida de la finca después de la ceremonia religiosa. Ésta había sido emocionante, ambos estuvieron de acuerdo en decirlo, aunque ninguno de los dos tuviese el más mínimo atisbo de fe católica.

Pero la entrada en la capilla de los dos ataúdes fue impresionante. El que contenía los restos mortales de José María Avendaño era llevado a hombros por sus dos hermanos, por Mayoral y Lorenzo mismo. Detrás venía la familia, cuyo séquito encabezaban Mercedes e Isabel. Y ésta, obedeciendo la orden de su madre, se había cambiado, poniéndose un estricto traje negro, con medias de seda del mismo color, y se había pintado los labios y peinado, sin duda con cierta sarcástica perversidad, como las mujeres sombrías y excitantes que retrataba Romero de Torres. De todo ello, y a pesar del velo y del color de su vestido, resultaba que la silueta de Isabel era todavía más provocativa que la de la muchacha andrógina de aquella misma mañana: Mercedes se dio cuenta inmediatamente de esto, pero no podía enfadarse ya que su hija, formalmente al menos, había acatado sus instrucciones.

El segundo ataúd, el de Chema el Refilón, entraba en la capilla a hombros de braceros y gañanes, que se agolpaban en torno, hieráticos y solemnes, en evidente homenaje al que fue guerrillero en los montes de Toledo durante muchos años después de la derrota. Al frente de la comitiva de campesinos marchaba un hombre con un mono azul de mecánico, pero limpio y planchado –mono azul de gala o de domingos, en cierto modo–, que Lorenzo identificó enseguida como el tractorista, el cabecilla del plante de hoy que tanto había preocupado a Sabuesa. Observándolo con atención, Lorenzo se percató de que era un tipo de buen ver, de buena planta: alto, enjuto, varonil. Ojalá lo esté observando ahora mismo Isabel, pensó Lorenzo con cierto cinismo, ojalá le guste, ¡podríamos resolver con el tractorista la cuestión de su virginidad!

De este último tema, claro está, no habló Lorenzo con Benigno durante el almuerzo. Hablaron del visible sofoco del comisario durante toda la ceremonia; sofoco que alcanzó grados de posible apoplejía cuando el sacerdote, joven y extraordinariamente elocuente, pronunció una homilía elaborada en torno a un comentario cristiano de las palabras paz, piedad y perdón. Imposible deducir de aquello que el sacerdote, deliberadamente, estuviese glosando una de las últimas intervenciones públicas de Manuel Azaña; imposible saber si el sacerdote conocía aquel discurso del último presidente de la República o si sólo un azar bienaventurado le había conducido a elegir aquellos términos. Pero el silencio profundo, atento, emocionado que se fue apoderando de la pequeña multitud agolpada en la capilla de la finca demostró hasta qué punto esa homilía religiosa reflejaba el sentir de los campesinos.

En aquel momento, en la capilla, Mercedes se volvió hacia Lorenzo y le murmuró al oído: «Este curita parece haberse estudiado vuestro documento sobre la reconciliación nacional», dejándole a su hijo boquiabierto: nunca habría supuesto que su madre –sin duda por haberla encontrado entre sus papeles– conociera la declaración del partido de unas semanas antes.

Al terminarse la ceremonia religiosa, el comisario Sabuesa esperaba a Benigno y Lorenzo, que salían juntos de la capilla.

–Ya sé dónde nos hemos visto antes, Perales –le espetó a Benigno con voz bronca–. Nos hemos visto en la Puerta del Sol. Usted estaba en uno de los expedientes del partido, después de la caída de Quiñones...

Pero Benigno no se inmutó. Anotó mentalmente que el comisario no le había tuteado. Buena señal.

–Ya era hora, comisario –dijo, burlón–. Estaba a punto de creer que había perdido facultades...

Sabuesa dio un respingo de indignación ante tamaña insolencia. Ya no se gana para sustos, pensó, soliviantado. Luego se dirigió a Lorenzo.

–Tienes un tío poderoso y bien situado en el Régimen, muchacho. Pero te voy a seguir la pista, y si se verifica lo que pienso, ni tu tío, ni Dios, ni Cristo que lo fundó te salvan de Carabanchel.

Lorenzo asintió con la cabeza.

–No sé lo que piensa, comisario, pero se equivoca. Mi pista no lleva a ningún sitio sospechoso. Sígala cuanto quiera y pueda: sólo le llevará a Italia, a los museos de Capodimonte y de Florencia, a una pintora que se llama Artemisia Gentileschi, que me interesa mucho. Tal vez escriba algo sobre ella, porque a mí lo que me interesa, comisario, es escribir...

Sabuesa estaba convencido de que Lorenzo Avendaño se burlaba de él, pero no podía demostrarlo todavía. No podía hacer nada.

Estaba tan furioso que cometió una imprudencia, en parte por jactancia para vengarse de su momentánea impotencia.

–Un recado, por si acaso: dile a tu Federico Sánchez que no va a durar mucho... Lo vamos a capturar el día menos pensado... y pronto...

Qué estupidez, pensó Sabuesa enseguida, qué tontería estoy haciendo... Si es inocente no puede entender lo que he dicho, y si entiende, va a avisar a los suyos. Mecagoendiosylaputavirgenyenlamadrequeloparió, y siguió mascullando blasfemias y palabrotas, mientras se dirigía hacia su coche, pues José Manuel le había prohibido quedarse en La Maestranza.

–Pero tú, Benigno, ¿como sabes lo de Croce? –acababa de preguntar Mercedes, con inquietud y sorpresa inquisitiva.

A Perales sólo le cabía decir parte de la verdad para corregir su imprudencia. Se decidió inmediatamente, para que Mercedes no tuviera sospechas. Y es que, podía suponerse, ésta sabe con seguridad que su marido anotaba diariamente las peripecias del viaje de boda: incluso tal vez José María le leyó a su mujer algunos pasajes de su diario íntimo; y si fue así, debieron de ser los más crudos y sugestivos, los más adecuados para reavivar su memoria o su apetito erótico; y si Mercedes sabe que semejante diario existió, llevará años preguntándose si José María lo destruyó, antes de salir de Biarritz, o si lo escondió en algún lugar, en la casa de Alfonso XII o en La Maestranza; y ahora salgo yo con lo de Croce y Mercedes puede pensar, legítimamente, que he encontrado aquel diario, que ésa es la fuente de mi conocimiento del episodio napolitano, y estará angustiada, avergonzada probablemente, pensando en lo que puedo haber descubierto...

Hay que tranquilizarla enseguida.

–Me he encontrado con un cuadernillo de José María donde apuntaba sus reflexiones, sus lecturas..., habla de Keynes, de Ortega, de sus conversaciones con Bergamín y algunos colaboradores de *Cruz y Raya:* Eugenio Imaz y Semprún Gurrea... En ese contexto hay una recensión fechada en junio de 1936 de su conversación con Benedetto Croce, en Nápoles...

–¿Y por qué no me has dicho nada? –pregunta Mercedes en un tono helado, tajante.

–Pero, Mercedes, si no he tenido tiempo... Lo encontré anoche, en la biblioteca, por casualidad... Ni he tenido tiempo de leerlo a fondo, ni de contártelo esta mañana, con todo lo que ha ocurrido...

La explicación es plausible, pero Mercedes no baja la guardia.

–Vete a buscar inmediatamente ese cuadernillo y tráemelo –dice con voz opaca de ordeno y mando.

Benigno vacila un instante, molesto sin duda por semejante tono imperativo, violento, casi desdeñoso. Pero hace un esfuerzo, se levanta y sale del comedor, seguido por las miradas de todos los demás.

Saturnina Seisdedos, la Satur, interrumpe lo que estaba haciendo para observar la salida de Benigno.

De pie junto al trinchero, está troceando una pieza de solomillo de apetitoso aspecto para que Raquel vaya llevando a los comensales, de dos en dos, los platos servidos.

De primero, les han puesto huevos fritos estrellados con patatas; de segundo, un besugo al horno; ahora toca el plato de carne.

Como todos los demás, Saturnina ha notado la inquieta, sobresaltada reacción de Mercedes ante el anuncio por Benigno del descubrimiento de un cuadernillo de José María Avendaño. Pero ella sabe a qué atenerse, sabe por qué Mercedes ha mostrado tanto temeroso desconcierto. Lo puede adivinar, al menos. Como Benigno, aunque por otras razones, en virtud de otros datos, de otras confidencias, puede adivinarlo. La Satur, en efecto, no sabe nada del diario íntimo de José María: ni supo ni sabe de su existencia, ni sabe que Benigno lo ha descubierto por azar. Pero sabe lo bastante del viaje de novios, por los relatos entrecortados, fragmentarios de Mercedes, a veces de una extraña y hasta masoquista, en todo caso culpable, precisión; a veces jubilosos, desafiantes, repletos de nostalgia; sabe lo bastante como para intuir cuál puede ser su temor al haber oído nombrar la existencia de un cuaderno personal de José María recién descubierto.

Además, Saturnina fue testigo de las últimas peripecias de dicho y dichoso viaje de novios: había visto aparecer en la vida de ambos al joven fotógrafo inglés, aquel guapísimo Timothy. Y es que el señorito José María la había mandado ir a Biarritz para estar con ellos, con Mercedes y con él, durante las últimas semanas de veraneo previstas allí, en la casa de la familia Avendaño, a poca distancia de la playa de la Chambre d'Amour.

A pesar de los crecientes achaques de la edad, de las fatigas del viaje y de lo caluroso que se anunciaba aquel verano, la Satur fue gustosa a Biarritz. Le encantaba estar con los señoritos, juntos los tres, o por separado; le halagaba comprobar cuánto apreciaban no sólo sus guisos sino también sus cuentos. Le regocijaba que la trataran con tanta confianza, contándole todos sus pensares y pesares, viviendo ante ella con naturalidad y sin tapujos de ninguna clase.

Si se hubiese exigido de ella establecer preferencias, habría dicho que al primogénito, José Manuel, le tenía respeto y devoción por lo machote, decidido y audaz que era tanto con las mujeres como con los negocios; al segundo, José Ignacio, le tenía cariño con algo de compasión por considerarlo un tanto flojo, demasiado refinado, casi finolis, demasiado absorto en los libros, poco preparado para la crudeza de la vida: siempre tuvo temor a que se nos hiciera marica, comentaba; pero no, por fortuna se hizo cura, y más valía, según la Satur, esto que aquello.

Por el pequeño –esa apelación quedaba de la infancia de los chicos– tenía admiración, lo quería de verdad: era el más guapo de los tres, el más listo, el más generoso, aunque tal vez demasiado indeciso, probablemente por timidez, por falta de confianza en sí mismo.

O sea, que fue gustosa a Biarritz a reunirse con Josemari y la bellísima Mercedes.

Además, era casi una tradición pasar los veraneos con los señoritos, en Biarritz o donde fuera. Los años pares, por lo menos, porque los impares –nadie supo nunca, en la familia Avendaño, el origen de ese hábito repetitivo– se iban casi siempre a algún largo crucero por los mares árticos o por los tropicales.

Así, en 1932 Saturnina estuvo con los hermanos en Biarritz. Hacia el 10 de agosto de aquel verano todas las conversaciones de la casa, siempre llena de huéspedes, giraron en torno a un santo que la Satur desconocía, que no era de su devoción, un tal san Jurjo. Sólo se hablaba de éste, y los hermanos tuvieron con ese motivo discusiones acaloradas. Irritada por su propia ignorancia, Saturnina se atrevió a pedirle explicaciones a José María una tarde que estuvieron solos, segura de que éste, fuese quien fuese el dichoso e ignoto santo, no se reiría de ella. Y en efecto, José María le explicó que el santo no era tal, sino un general que se había sublevado contra el Gobierno a pesar de haber jurado la bandera de la República. Y se lo explicó sin burlarse de ella, seriamente, y además, y eso fue lo que Saturnina apreció por encima de todo, sin contárselo a los demás para hacerles desternillarse por lo de san Jurjo.

Al siguiente año par, o sea, en 1934, la Satur estuvo de nuevo de veraneo con los señoritos. De veraneo y de otoñeo, habría que decir. Y es que aquel año todo comenzó en el mes de julio en Santander, donde José María se enamoró de Mercedes Pombo y donde se hicieron novios; luego estuvieron en Biarritz –después de una escapada a la finca de La Maestranza, adonde vino Mercedes con la carabina de su madre, doña Constancia, para ser presentada a la familia Avendaño–, y a partir del mes de octubre se fueron los tres hermanos, juntos esta vez, a París, donde el primogénito organizaba la despedida de soltero de sus menores.

De la estancia en París podía contar la Satur miles de anécdotas y se las había ido contando a Mercedes a lo largo de los años, ya que ésta fue el oscuro objeto del deseo y del enfrentamiento entre los hermanos.

Entre José Manuel y José María, por lo menos; de los pensamientos íntimos del futuro jesuita poco se sabía.

En cualquier caso, atenta como estuvo la Satur a las conversaciones durante el almuerzo, también ella notó que José Ignacio había censurado de su relato todos los datos escabrosos, y particularmente lo que se refería a la noche en el Esfinge -José María, al hablarle de aquel episodio, tradujo al castellano el nombre del lujoso burdel parisino, convencido de que la Satur no podría ni pronunciarlo ni memorizarlo en francés-, o sea, del Esfinge no dijo nada durante el almuerzo José Ignacio, sin duda por discreción y caballerosidad dada la presencia de Mercedes, objeto antaño del violento enfrentamiento entre los hermanos. Pero, Dios mío, si ella quisiera contar, pensaba la Satur mientras observaba el desarrollo del servicio en el comedor, si ella quisiera contar, otro gallo cantaría. Pero no va a contar nada, ahora por lo menos no va a contar nada, no va a interrumpir el almuerzo ni a pedir silencio para contar lo que ella sabe de la historia de los Avendaño, pero aunque ahora no vaya a decir nada, sabe muy bien la Satur, intuitiva maestra en el arte tan difícil de poner orden a los relatos, sabe muy bien por dónde empezar: por aquella noche en el Esfinge, de juerga, de orgía incluso, en el exacto momento en que José Manuel anunció que estaba decidido a ejercer sobre Mercedes su derecho de pernada, de primogénito a la antigua; y lo dijo en francés, *droit de cuissage*, no sólo porque los hermanos acostumbraban hablar entre ellos ese idioma, que dominaban a la perfección, cuando estaban en París o Biarritz, sino porque eran francesas las dos mujeres con las cuales José Manuel acababa de estar en un reservado, para un momento de regocijo y regodeo triangular, y que se habían quedado a tomar con ellos unas copas de champán, vestidas tan sólo con medias negras y antifaces del mismo color, y se explica lo último porque no eran prostitutas sino señoras de la buena sociedad que acudían regular pero anónimamente al Sphinx a entregarse al mejor postor, ya que la venalidad de sus actos era para ellas un aliciente más, como lo era el hecho, asaz frecuente, de que alguno de sus amantes ocasionales fuese un caballero que frecuentaran en las cenas o fiestas de la buena sociedad parisina, pero que ignoraba, naturalmente, con quién estaba gozando.

Pero la Satur no va a contar nada ahora. No sólo porque no es el momento oportuno –todos están pendientes del regreso de Benigno y del cuadernillo que vaya a traer–, sino también porque ha quedado ya con el gringo guapo, el americano, para después del almuerzo: va a grabar éste su relato antes de salir hacia Madrid, al final de la tarde.

Mercedes tiene en sus manos el cuadernillo que Benigno acaba de entregarle. Todos notan su emoción, la ansiedad de su búsqueda, al ojear las páginas manuscritas.

Nadie dice nada.

Mercedes no ha necesitado mucho tiempo para comprobar que el cuadernillo que ha encontrado Benigno no tiene nada que ver con el diario íntimo que escribió su marido a lo largo del viaje de novios, desde Nápoles al menos, y del cual le había leído algún pasaje para excitar su memoria.

Aquí, en efecto, sólo se tratan cuestiones serias –pero cuando piensa con esa palabra, *serias*, le entra a Mercedes una especie de tristeza irónica, profunda: ¿no era *serio*, hasta grave, aquel placer que José María y ella descubrieron juntos en Nápoles, no era probablemente lo más serio que les había ocurrido en su tan breve vida en común?–, en fin, cuestiones que habitualmente se consideran así: opiniones de Keynes y comentario sobre las teorías de éste; notas de lectura sobre ensayos o artículos de Ortega y Gasset, resúmenes de discusiones con Eugenio Imaz y José Bergamín, y así sucesivamente. Y también, una nota bastante larga sobre la conversación con Benedetto Croce.

Cierra los ojos, todos ven que cierra los ojos.

Recuerda el Museo de Capodimonte, recuerda su contemplación, primero rutinaria, luego fascinada, del cuadro de la Gentileschi. Recuerda todo lo que puede recordar.

–Lorenzo –dice luego, al reabrir los ojos, al entregarles a todos los comensales una mirada húmeda de memoria emocionada–, Lorenzo, me parece que este manuscrito de tu padre debe ser para ti: te pertenece lógicamente, te permitirá saber mejor quién era...

Le entrega el cuadernillo a Lorenzo.

Éste lo ojea a su vez. Grita de pronto.

–¡Fijaos qué coincidencia novelesca! ¡Una nota sobre Semprún Gurrea a propósito de un ensayo que éste publicó en *Cruz y Raya!* Pues yo le conocí en Roma, hace poco, en casa de María Zambrano... Y hablamos de ese ensayo del año 34, que yo también he leído... *Fadrique Furió Ceriol, consejero de príncipes y príncipe de consejeros...*

–¿Era Zambrano? Tu padre la conoció... Pero en tu postal sólo ponías María Z. –comentaba Mercedes.

–Al comisario Sabuesa esa Z le intrigaba... Le hubiera interesado saber el apellido completo –añade Benigno.

–¿El comisario? ¿Pero qué coño tiene que ver Sabuesa con mi postal?

–No seas grosero, Lorenzo. Habla así con tus amigos, si te parece, pero en mi casa no –protesta Mercedes.

–Bueno, mil perdones, pero ¿qué tiene que ver?

Benigno explica lo que sabe.

–Tengo entendido que vio la postal en la tienda de Eloy Estrada. Le indignó que llamaras a tu madre «Mercedes del alma mía» y quiso saber quién podía ser esa María Z.

–Pues Zambrano, ya está dicho... –Se vuelve hacia su madre–. Lo mejor es que Semprún Gurrea, según me contó aquella tarde en Roma, estuvo con vosotros en casa de Eusebio Oliver la noche en que Lorca leyó su última obra, *La casa de Bernarda Alba*...

Mercedes asiente.

–Te lo iba a decir ahora mismo. Pocos días antes del alzamiento de Franco en Melilla... José María y yo acabábamos de llegar de Biarritz... Y nos fuimos a Quismondo, vinimos aquí al día siguiente...

Carmela Oliver, la rubia esposa de Eusebio, el gastroenterólogo, les había preparado una cena de verano: gazpacho y *vichyssoise*, ensaladas de mariscos, merluza fría a la vinagreta, ternera empanada también fría, con vinos blancos y sangría. Asistían a aquella cena, que Mercedes recuerde, además de García Lorca y del boticario Revilla –pero está segura de que se olvida de algún comensal– Semprún Gurrea con su mujer; ésta de segundas nupcias: una alemana o suiza, discreta, casi insignificante, rubiales, mucho más joven que su marido, que hablaba un castellano fluido pero con extrañas palabras de origen germánico apenas castellanizadas: que, por ejemplo, decía «alotria» para decir jaleo o barullo; y que había sido la *fräulein* de sus hijos, tenía no sé cuántos, siete, un montón, con su primera mujer, una Maura Gamazo, hija de don Antonio, hermana de Honorio, que vivía en la misma casa que nosotros, en Alfonso XII, esquina Juan de Mena...

Y Mercedes recuerda que durante la cena hubo tremendas discusiones, acaloradas, que alguno de los presentes, tal vez el propio dueño de la casa, Oliver, proclamó a voz en grito que ya era hora de que el Ejército pusiese orden, actuara con mano dura en tanto disturbio callejero, tanto asesinato, tanta huelga revolucionaria; pero José María Avendaño y Semprún Gurrea eran de la misma opinión, totalmente opuestos a la intervención del Ejército, y al final hubo tranquilidad y Lorca pudo leer la obra que acababa de terminar...

Y a Mercedes le pareció que existía una oscura, inexplicable coherencia entre el tema fundamental de *La casa de Bernarda Alba*, o sea, el tema de la sangre femenina, de la virginidad, y su experiencia del viaje de novios.

De los comensales de aquella cena, Mercedes recuerda sobre todo a Semprún Gurrea, no sólo porque estuvieron de acuerdo, su marido y él, en lo que concierne a la situación política de España, sino más bien porque, de madrugada ya, salieron juntos los dos matrimonios de la casa de Eusebio Oliver para volver paseando hasta sus propios domicilios, muy cercanos el uno del otro. Les acompañaba a los cuatro el boticario Revilla, personaje del Madrid de la época, tertuliano asiduo en el Lyon d'Or, en La Granja del Henar, en todos los cafés literarios, asistente a todos los estrenos teatrales, en los cuales era célebre porque solía, si la obra no le gustaba, apostrofar a los actores o al autor con mortífera ironía. Pues bien, al salir de la casa de los Oliver, en Claudio Coello, los empleados de la empresa Granja Poch ya estaban repartiendo las botellas de leche pasteurizada por el barrio de Salamanca: era el último grito de la distribución, aquel reparto matutino de botellas por unos empleados vestidos de uniforme vistoso, en unos carritos silenciosos por estar montados sobre ruedas con neumáticos.

En la calle, antes de separarse de ambos matrimonios, que iban por Alcalá y la plaza de la Independencia hacia la calle Juan de Mena, el boticario Revilla, que se disponía a emprender la dirección contraria, vio pasar una fila de carritos lecheros y silentes: «Ahí van los ejércitos del mariscal Poch», proclamó.

Y se fue, tan contento con su chiste.

Semprún Gurrea y su mujer, doña Anita, se despidieron de ellos ante el portal de su casa, después de un último comentario cansino sobre el calor que se avecinaba, ya perceptible en el frescor de la madrugada.

Arriba estaban los muebles enfundados de hilo blanco, para el veraneo. Mercedes fue a la nevera, a buscar algún refresco. José María dio cuerda al mecanismo del gramófono y puso un disco: el tango, su tango, la música fetiche que sonaba en Santander cuando se conocieron, en Nápoles, cuando se poseyeron, «Caminito que el tiempo ha borrado...».

Estaban bailando, muy agarrados, cuando José María vio a Raquel, que se enderezaba en un sofá donde había debido de quedarse dormida, esperándoles. ¿Qué edad podría tener la nieta de Saturnina?, se preguntó. Entre dieciséis y diecisiete, algo así. Su mirada se cruzó con la de la chica. Mercedes no se había dado cuenta de nada: Raquel se encontraba a sus espaldas. Entonces, manteniendo su mirada fija en la de Raquel, comenzó a desnudar a Mercedes, a quitarle la chaquetilla de lino y la blusa. Mercedes, hasta entonces soñolienta, comprendió lo que ocurría: lo intuyó al menos. Se volvió, vio a Raquel, se excitó, se contuvo, hizo un esfuerzo, apartándose del cuerpo de José María, de los muslos que la aprisionaban. Se terminó, murmuró casi sollozante, se terminó, José Mari, me lo habías prometido, lo habíamos decidido, querernos sólo por nuestra cuenta.

Pero él estaba ya más allá de todo recato, de toda reflexión: poseso, en suma.

Seguramente también un poco bebido.

–Pero, Mercedes, ¿no has oído? Va a haber alzamiento, matanza, guerra civil: una más, pero más cruel que nunca... Un modelo de guerra civil hispánica, sin tregua ni cuartel... ¿No has oído a nuestros amigos, tan educados, tan cultos, cómo se han puesto al hablar de la situación? ¿No los has oído pidiendo muerte? El pobre Lorca estaba asustado... O sea, que va a ser la última vez... Después de Raquel, el diluvio...

Tuvo una risa tristísima y declamó un verso de Alberti:

–«Los campesinos pasan pisando nuestra sangre...»

Terminó de desnudar el torso de Mercedes y llamó a Raquel.

Veinte años después, en el comedor de La Maestranza, Mercedes ha terminado de contar aquella cena en casa de Eusebio Oliver.

No ha contado hasta el final, claro está: ha terminado su relato con la broma de Revilla sobre el mariscal Poch. Casi nadie la ha entendido porque casi nadie sabe algo de la Granja Poch; ha tenido que explicarlo.

De todas maneras, no ha contado el final.

El final también lo conoce Raquel.

Ésta ha cruzado el comedor, como hace veinte años, ha ido a buscar el botijo de agua fresquísima, ha llenado el vaso de Mercedes.

Las dos mujeres se miran, piensan en lo mismo. ¿Pero puede llamarse pensamiento a ese ramalazo de sangre alborotada, desesperada?

Isabel se acerca a Lorenzo, ha estado ojeando con él aquel cuadernillo de notas de su padre, José María Avendaño: ese padre muerto antes de que ella naciera.

Desde que la ha descifrado Benigno, es la única –ni Mercedes, ni Lorenzo se han fijado– que toma nota de la inscripción final, apenas legible: «Maestranza, 16 de julio 36; Fotos, Enciclopedia Toreo».

Lo graba en su memoria.

Al caer la tarde, alguien, sin duda Isabel, está tocando al piano una pieza melancólica, una melodía cuyas notas se desperdigan por el aire espeso del atardecer, como sílabas sueltas de un poema olvidado.

Lorenzo está en el porche de la casa, se detiene, presta atención: Isabel, sin duda. Suele ponerse al piano cuando está sola.

Se acuerda de unos versos.

Aquella misma madrugada –hoy mismo, ¡qué extraño, tantas cosas en un solo día!–, esa madrugada, en la calle Alfonso XII, al volver de la casa de Domingo, se había acordado de unos versos de Blas de Otero.

En realidad los habían descubierto juntos, en París, dos años antes, cuando su madre los mandó allí a que se espabilaran. En un libro de poemas publicado poco antes, *Ángel fieramente humano*, que a ambos les pareció novedoso, inaugural en cierto modo de otra forma de escribir poesía. Habían descubierto esos versos una tarde, después de haber visitado la tumba de Stendhal en el cementerio de Montmartre. Sentados en la terraza de un café de la Place Blanche, Lorenzo le había leído aquellos versos.

«Mademoiselle Isabel», tal era el título del poema. Pero Lorenzo se ha olvidado, al menos no recuerda al pie de la letra los primeros versos del soneto. Luego, sí, recuerda literalmente:

Princesa de mi infancia; tú, princesa
promesa, con dos senos de clavel;
yo, *le livre, le crayon, le, le...* Oh Isabel,
Isabel..., tu jardín tiembla en la mesa.
De noche, te alisabas los cabellos,
yo me dormía, meditando en ellos
y en tu cuerpo de rosa; mariposa...

Y así seguido, hasta el final, un terceto más tarde.

Isabel, embelesada, tuvo un gesto atrevido, pero lo llevó a cabo recatadamente, valga la contradicción, cuidándose de que sólo pudiera verlo él.

Se desabrochó la ligera blusa de verano y le enseñó los pechos, libres, sueltos, dorados, bajo el lino inmaculado de la camiseta.

–Isabel, estás loca –dijo Lorenzo, cerrando los ojos, deslumbrado. Y luego murmuró–: «dos senos de clavel...».

Fue en un café de París, después de haber estado meditando ante la tumba de Stendhal en el cementerio de Montmartre.

Esta madrugada, dos años más tarde, cuando se ha encontrado con Isabel, que le esperaba en la casa de Alfonso XII enfundada de blanco, Lorenzo ha vuelto a recordar los versos de Blas de Otero.

Su hermana estaba acostada contra su cuerpo, acariciándolo.

Lorenzo intentó distraerse de la oleada de deseo que le subía desde la ingle, avasallándole. Intentó pensar intensamente, insistentemente, en algo que le distrajera. De nada le sirvió: ni un excurso mental, sistemático, por el último ensayo filosófico leído; ni una reflexión sobre un tema tan alejado del sexo como la política de reconciliación nacional recién lanzada por el partido comunista; ni un ejercicio espiritual de olvido y dominio del cuerpo, aprendido de un compañero de facultad adepto del yoga: nada pudo distraerle del deseo creciente.

Tuvo un último destello de conciencia irónica antes de sucumbir: ni el yoga me distrae del yogar, pensó Lorenzo.

Pero tal vez por los nervios, tal vez por un difuso sentimiento subyacente de culpabilidad que frenaba su apetito libidinoso, tal vez por la precipitación misma de una inexperta Isabel, el caso es que Lorenzo disfrutó enseguida, que no pudo mantenerse en estado de penetrar a Isabel y desflorarla.

Ella lloriqueó, defraudada. Él se enfureció consigo mismo, y con ella también, naturalmente. Pero pronto volvieron a la ternura de un largo abrazo.

Mientras la luz del sol crecía por los cristales de las ventanas que daban al Retiro, Lorenzo susurraba al oído de Isabel otros versos de Blas de Otero:

> No vengas ahora.
> Huye.
> Hay días malos, días que crecen
> en un charco de lágrimas.
> Escóndete en tu cuarto y cierra la puerta
>                   y haz un nudo en la llave
> y mírate desnuda en el espejo, como
> en un charco de lágrimas...

Y ella se levantó de golpe, no quiso oír más, se fue a la ducha, volvió a la media hora, limpia, lisa, intocable.

–Ya estoy –dijo–, ¿nos vamos a Quismondo?

Se fueron.

Ahora, al final de la tarde de ese día 18 de julio, Lorenzo está en el porche de La Maestranza. Dentro se desgranan las notas del piano. Acaba de despedirse de Michael Leidson, que volvía a Madrid.

El historiador americano se ha ido muy contento: el relato que me ha hecho Saturnina, le dijo a Lorenzo, es precioso. Supongo que es, en buena parte, un invento o un embuste, pero me da igual: es estupendo. ¡Qué talento natural tiene esta ancianita para contar las historias! Cuenta como Faulkner, pero sin esforzarse. ¿Has leído a Faulkner?

Lorenzo se encoge de hombros: la duda ofende, dice muy serio.

Y añade, deliberadamente provocativo, presumiendo aposta:

–He leído casi todo lo que se ha escrito en este mundo. Pero tienes razón: la Satur cuenta como la Rosa Coldfield de *Absalón, Absalón*... Ahora bien, no leo siempre en el idioma conveniente. El *Quijote* lo leí en alemán, y esa novela de Faulkner en italiano... No creo que tenga demasiada importancia. La patria del escritor no creo que sea la lengua, sino el lenguaje...

Leidson emite un silbido admirativo.

–¡Ahí tienes un tema de tesis doctoral! –exclama.

Se ríen.

–De los relatos de la Satur, ¿cuál es el que más te ha impresionado? –pregunta Lorenzo.

Leidson no duda ni un minuto: ya lo sabe.

–Cómo ha contado la ceremonia de esta mañana: la llegada del féretro de tu padre y el del Refilón a la capilla. Luego, para concluir, ha imaginado una conversación entre ambos, una vez solos, después de la homilía y de los responsos. Se abren los ataúdes, salen los muertos, que siguen siendo jóvenes, como lo eran en el 36, y se hablan, se cuentan toda la historia de sus familias: la historia de España... Una maravilla: lo tengo grabado. Si te interesa, te mando una trascripción...

–Me interesa –dice Lorenzo.

Pero ya se ha ido Leidson.

Y también se ha ido Mercedes. No estaba previsto, pero de pronto, a media tarde, le ha pedido a Mayoral que prepare el coche y se ha ido con Raquel y con Benigno a Madrid, sin más explicaciones.

En La Maestranza se ha quedado solo con Isabel.

Ocurrirá lo que está escrito desde siempre: en su sangre, en su imaginación, en el turbio destino de la estirpe.

Se pone en marcha hacia la música melancólica que está tocando Isabel. Hacia el cuerpo de Isabel: «dos senos de clavel».

Las fotos, una docena, están expuestas en la brillante superficie superior del piano de cola.

Son desnudos de mujer, y las pruebas fotográficas son muy contrastadas, como se estilaba en los años treinta. La misma mujer, desnuda, en diferentes poses, algunas atrevidas, incluso indecentes: de pie, o sentada, o tumbada, de manera que sus muslos, sus caderas, sus pechos, resalten en la visibilidad más sugestiva.

En un grupo de fotos, la mujer oculta su rostro, volviendo la cabeza, o escondiéndolo con su cabellera, o con las manos. En otras, la mujer está de espaldas, inclinada sobre el respaldo de un sofá, o de una butaca, de forma que se afirme la redondez perfecta de sus nalgas.

En alguna de las fotos en que la mujer desnuda oculta su rostro, se distingue con nitidez su sexo y el triángulo sedoso y sombrío del vello púbico.

Pero en tres o cuatro de las pruebas fotográficas está la mujer de frente, con los brazos abiertos, ofrecida, con el rostro visible: Mercedes Pombo.

Lorenzo ha visto las fotos, las ha estado contemplando una por una.

Deslumbrado por la belleza de ese cuerpo de mujer, admirable en sus proporciones y volúmenes, a la vez insolente y frágil en su transparencia carnal. Pero aterrorizado al mismo tiempo por lo que estas imágenes significan: ¿ante quién y para quién ha posado desnuda su madre?

Lorenzo se vuelve hacia Isabel, que sigue tocando al piano, impasible en apariencia.

–Isabel –dice con voz apagada–, ¿qué es esto?

Ella se encoge de hombros, deja de tocar su melancólica sonata, cierra el piano.

–Esto, mamá, ¿no lo ves?

–Lo estoy viendo, Isabel. Pero mamá ¿con quién, cuándo, por qué?

–Mamá en Biarritz, al final del viaje de novios. Ya me había contado algo Saturnina de un fotógrafo inglés, joven y guapo... Si le das la vuelta las fotos están firmadas «Timothy», ¿lo ves? Satur pensó primero que era marica, un enamorado de papá, pero sin duda lo usaron los dos; he quemado algunas, que no quede ni rastro ni recuerdo, pero tal vez no olvidaré jamás las fotos de los tres, *acting*, como diría el británico; guapísimo, en efecto, y garañón, indiscutiblemente, ¡no te me pongas colorado, Lorenzo!; unas fotos impresionantes, tristes, excitantes, horribles, bellas, mejor destruirlas, es lo que he hecho, sólo he conservado las de mamá sola. ¿Has visto qué hermosura de mujer? Ya quisiera parecerme...

Tiene como un sollozo, se pone en pie, besa a Lorenzo, tierna, suavemente.

–Adiós, Lorenzo, me voy... Me voy a estudiar a Inglaterra, a Estados Unidos, donde sea... Volveré gorda y madre de familia...

Se aparta, se vuelve para mirarlo por última vez.

–Me lleva Mayoral, te llamaré, quédate con las fotos... «Adiós, amor, adiós hasta la muerte...»

# Últimos títulos

496. Al este del Edén
John Steinbeck

497. El asalto
Reinaldo Arenas

498. El paraíso de los caballos
Jane Smiley

499. El amante de Janis Joplin
Élmer Mendoza

500. La mirada inocente
Georges Simenon

501. El trompetista del Utopía
Fernando Aramburu

502. Ya no te necesito
Arthur Miller

503. El móvil
Javier Cercas

504. Las manos del pianista
Eugenio Fuentes

505. Sigfrido
Harry Mulisch

506. La pesca con mosca
Gonzalo Calcedo

507. La leona blanca
Henning Mankell

508. Ciudad de Dios
Paulo Lins

509. Dejarlo todo
Carol Shields

510. El fondo de la botella
Georges Simenon

511. Conejo en el recuerdo y otras historias
John Updike

512. Destino
Tim Parks

513. Kuraj
Silvia di Natale

514. Sueño crepuscular
Edith Wharton

515. Donde no estén ustedes
Horacio Castellanos Moya

516. Veinte años y un día
Jorge Semprún

517. La Mennulara
Simonetta Agnello Hornby

518. Nadie me verá llorar
Cristina Rivera Garza